南禅

◎唐酒卿/著

慕君
仰松
我临

唐酒卿

长江出版社
CHANGJIANGPRESS

图书在版编目(CIP)数据

南禅 / 唐酒卿著.—武汉：长江出版社，2021.3
ISBN 978-7-5492-7586-1

Ⅰ.①南… Ⅱ.①唐… Ⅲ.①长篇小说-中国-当代Ⅳ.①I247.5
中国版本图书馆CIP数据核字(2021)第047574号

南禅 / 唐酒卿著

出　　版　长江出版社
　　　　　（武汉市解放大道1863号　邮政编码：430010）
市场发行　长江出版社发行部
网　　址　http://www.cjpress.com.cn
责任编辑　陈　辉
项目策划　紫　总
印　　刷：北京盛通印刷股份有限公司
地　　址：北京市大兴区亦庄经济技术开发区经海三路18号)
版　　次　2021年3月第1版
印　　次　2021年7月第1次印刷
开　　本　880×1250mm 1/32
印　　张　10
字　　数　320千字
书　　号　ISBN 978-7-5492-7586-1
定　　价　39.80元

电话：027-82926557（总编室）027-82926806（市场营销部）

目录

CONTENTS

001章 前尘 …… 2

002章 锦鲤 …… 4

003章 鲜活 …… 9

004章 机会 …… 13

005章 狡诈 …… 18

006章 苍霁 …… 24

007章 翻山 …… 30

008章 海蛟 …… 35

009章 西行 …… 41

010章 罗刹(一) …… 45

011章 罗刹(二) …… 51

012章 罗刹(三) …… 56

013章 罗刹(四) …… 61

014章 朔风 …… 67

015章 灵海 …… 71

016章 扑朔 …… 76

017章 夫子 …… 82

018章 真假 …… 88

019章 偿债 …… 93

020章 冬林(上) …… 99

021章 冬林(中) …… 104

022章 冬林(下) …… 109

023章 漆夜 …… 114

024章 死志 …… 120

025章 酒醉 …… 125

026章 妖物 …… 131

027章 山城 …… 136

028章 丝缕 …… 141

029章 再逢 …… 146

030章 痛快 …… 151
031章 续梦 …… 156
032章 来人 …… 161
033章 山神 …… 166
034章 顾深（上） …… 171
035章 顾深（下） …… 176
036章 君神 …… 181
037章 欲望 …… 186
038章 离苦 …… 192
039章 对错 …… 197
040章 神说 …… 204
041章 疑虑 …… 209
042章 狼妖 …… 213
043章 楚纶 …… 218
044章 乐言 …… 223
045章 千钰 …… 228
046章 深究 …… 232
047章 寓意 …… 236
048章 沉没 …… 239
049章 死地 …… 244
050章 虚实 …… 248
051章 冥冥 …… 254
052章 亵渎 …… 259
053章 龙啸 …… 263
054章 邪魔 …… 268
055章 咽泉 …… 272
056章 再疑 …… 278
057章 雨夜 …… 282
058章 旧疾 …… 287
059章 霜雪 …… 292
060章 守株 …… 297
061章 待兔 …… 302
062章 棋盘 …… 305
063章 迷雾 …… 310

惊蛰

卷一

001章 前尘

“你看见了什么？”

“尸山血海。”

“你为何而来？”

“杀人而至。”

“净霖。”真佛悲悯地垂目，“回头是岸。”

净霖仰起头，发散一身。他目光冷漠，衣摆被血浸泡，剑锋垂划于地面。周遭是无望血海，头顶是无数神佛。

他轻轻地说：“晚了。”

净霖踏上阶，云间三千甲一齐退后。他每走一步，三千甲便退一步。所有人面对着他噤若寒蝉，他分明是孤零零的一个人，却叫这天地间的诸神如临大敌。他走得这样慢，好似寻常来往，好似他仍旧是那个众人熟知的临松君。

梵坛莲池泛起涟漪，被滴答的血珠搅得浑浊。云间三千甲的统将黎嵘跪在莲池前，撑着长枪，哑声喊道，“净霖……你何必如此！今日一过，你便再无容身之所。你究竟是何等的恨，何等的怨！他即便有过错，也该交由九天境处置。你为何不开口，你为何从不开口？你永远这样一意孤行，你偏要落得众叛亲离。净霖——”

黎嵘竟呕出血来，他双目赤红，浑身颤抖，失声哽咽。

“——你不要活了吗？”

净霖已然踏上了最后一阶，他似乎已将温情抽离在了别处，余下的只有砭骨寒冷。梵坛真佛拈花面对着他，背后众僧齐声诵经，遮天蔽日的都是人，却没

有一个与他并肩。他的剑锋轻磕在地面，终于停下了脚步。

一口金芒大棺横躺于佛前，没有棺盖。三重加印的梵链层层落锁，露出里边闭目的男人，正神态安详，似如沉睡。

“你已犯下滔天大罪，还要固执己见。”真佛面容慈悲，注视着净霖，“君父在前，你仍然不愿放下屠刀。你要将一生功德尽毁于此，弑父杀友才肯罢休？”

净霖恍若未闻，咽泉剑翻手横扫，一线青芒倏忽大亮。众僧的颂声戛然而止，紧接着狂风自青芒间咆哮而出，一时间众人全都掩面摇晃，唯独真佛屹立不倒。

“净霖。”真佛仁慈地说，“俯首听命，皈依梵坛。放下屠刀，立地成佛。”

四下莲花怒放，佛光普照，诵经声再起。云间三千甲齐声暴喝，杀涌而来。远处九天台上的长鸣钟钟声幽远，笙乐神女状似垂泪。却见净霖不退反进，青缘色融于铿锵银甲间，殷红血花一并爆开。云端铺就一层红霞，咽泉剑如流汞闪现。血腥搅乱众人心神，诸神之间有人掩着口鼻连连后退，又惊又恐地望着净霖，不知往日疏于结交的临松君，怎么就突然变作了此等杀戮之神。

净霖所经之处，血淌台阶。他听不见旁人的劝阻，他眼里心里俱是那口金棺。真佛似在叹息，可于他而言却仿佛远在天边。当他与黎嵘擦肩而过时，黎嵘抬臂相阻，却只有指尖擦过了净霖的衣摆，在那金芒与红霞交错的瞬间，两个人从此殊途异路。

“净霖——！”黎嵘骤然涌上悲恸，他踉跄爬起，探手欲追。可他铠甲压身，已负重伤。只见净霖的背影没入金芒，真佛垂指，咽泉剑青光暴起，天地间强风张狂横扫，咽泉剑已经穿过梵链取走棺中男人的项上人头。下一刻，无望血海陡现惊涛巨浪，九天四君一齐下印，云端似被重重一击，九天境剧烈震荡。

星辉齐聚，梵文旋转，金芒形成飓风。众僧诵声加快，净霖被包围其中。他已了心愿，将手中人头抛扔下阶，缓慢回首。黎嵘不知何时已泪流满面，在这须臾之间，看得净霖对他答了一句话。

你不要活了吗？

生已至此，不必了。

电光石火间，黎嵘便见净霖碎于包抄众人之中，就连那青色荧光也一同泯灭。从此天上地下，再没有临松君。他的前尘往事尽数随风而逝，甚至无土掩埋，便消失殆尽。

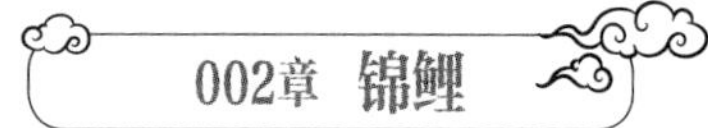

002章 锦鲤

一尾锦鲤躺在瓷坛中。

它似是百无聊赖，连动也不愿动。内室开了窗，雪花打外飘入三四点。它甩尾游了一圈，用嘴触着雪花，被冰了一下，便倏忽沉进水中，摇头晃立，很是惊奇。它独自玩了一会儿，仍是寂寞，便又浮了出来，仰看榻上合衣而眠的男人。

这条锦鲤尚未见过旁人，所以不知这世上的美丑如何衡量。但它时常看着这个人看得入迷，似乎一日的趣味尽在其中。它目光肆意地打量着男人的眉眼与口鼻，从其中窥得一点儿风流多情的颜色。当这个人醒来时，却是截然不同的冰冷，好似将一团撩人香屑镇入寒冰之下，变得疏离非常。所幸男人似有伤在身，一日里大半的光景都在沉睡。

锦鲤看了半晌，见外面雪势渐大，从窗漏了许多进来。这人还是浑然不觉，碎雪卧睡在他额间，又缓缓化作了水。

锦鲤看着，便觉负气。它与这人相伴了多月，从未亲近过，今日却被这胆大妄为的雪花捷足先登，凭什么！

锦鲤将瓷壁拍得作响，又将水搅得波荡，跃出水面又溅起水花，只吵得男人眉间微皱，睁开了眼。男人的目光稍显迟钝，才转向了白瓷坛。锦鲤正好“扑通”落水，溅得小案上一摊水渍。

它想着男人该起身来抚慰它，谁知他不过是睨了一眼，便抬指隔空点了一下，又阖目休憩。锦鲤被这一点定住了身形，来不及甩尾，僵直地浮在水面。它张口欲叫，却只能吐出泡泡来。它心里生气，便想我近日都不要理他了，任凭他哄着劝着，我也不要理他了！

男人足足睡到了次日清晨，起身披衣时眉间仍是疲惫倦怠。锦鲤已定了一夜，心里从“我不要理他”，变作“此生别过，从此路人”，可惜男人既听不到，也看不懂。他掌心拨下些饵粮，锦鲤便觉浑身一轻，重新活动起来。它一能动，便忘记了前言，追着饵粮狼吞虎咽，末了还要蹭过男人的指腹，装作万分乖顺的模样。

男人肤色偏白，锦鲤绕他指腹时，便觉得他会一触即化，因他看起来心不在焉，又仿佛本就没有“心”，随时都能一睡不醒。锦鲤怕他真的会化，便用嘴啄了他的指尖，想要感受一下。岂料触感寒冷，却又非常软润。锦鲤大吃一惊，又啄了几下，直到男人垂来目光，被指尖的微痒拽回神识。

他拨了拨水，说:“没吃饱吗？”

他声音一出，外廊的朔风便停歇了。

锦鲤贴着他指尖游弋，翻滚一圈，巴巴地望着他。他便心下领会，转头望了窗外。此刻正在下鹅毛大雪，不宜出门，可是他偏生不与常理相合，便抬步向外去。

坐在台阶下的小雪堆突然抖了抖，露出个石头小人来。石头小人手脚并用，翻过门槛，将白瓷坛顶到了头上，摇摇晃晃地又追了出去。男人已经步入雪中，石头小人顶着瓷坛，跟在男人脚后，漫天飞雪似有忌惮，皆避而不落在他们身上。

锦鲤原本见他又不亲自抱着自己，很是低落。可出来了又见得雪掩苍穹、庭园覆白的景象，便将那一点低落抛去九天之外，兴奋地上下翻浮。

它常住内室，少见外景。只有遇着男人兴致颇佳时才能出门，今日是头一次出门见着雪天，亢奋难当。一时间忘了形，蹦得瓷坛左右摇晃，石头小人脚步踉

踉跄跄，在雪地上勉力维持，最终还是扑在地上。瓷坛顺着雪地滑了出去，所幸没有翻砸，不幸瓷坛依旧，锦鲤却摔飞了出去。

锦鲤在半空崩成一道金红的弓，一头栽进雪中，只留了尾巴剧烈摇动，惊恐地拍雪。不到片刻，便被人拎着尾巴拽了出来，它本作低眉顺眼的委屈状，结果入眼的是张年轻俊俏的脸，登时愤怒挣扎起来。

阿乙露出一口利牙:“净霖！这条鱼给我吃行不行？它这般的肥，清炖红烧都是香的。”

净霖早已驻步回首，说:“还给我。”

石头小人爬起身，扶稳头顶被压弯的草环，追着阿乙蹦跳，想要把锦鲤抱回来。阿乙偏把锦鲤拎在半空甩动，嬉笑道，“够得着尽管拿去。净霖，你这人真是无趣，整日就知睡眠，不如下山同我玩去吧？中渡之地广阔无垠，好玩的多了，与那天上迥然不同，保准让你眼花缭乱，忘了自己。”

若说锦鲤最恶谁，那便是这位阿乙了。他原身是参离树上的五色鸟，时常变作人来园中玩。每次一到，必定对锦鲤垂涎三尺，还要对净霖百般示好。锦鲤晃在空中只觉得头晕目眩，听得他又在引诱净霖下山去，便勃然大怒，偏对他无可奈何。

石头小人踢了阿乙的小腿，阿乙吃痛抱腿，锦鲤趁势挣脱。石头小人将锦鲤接了个正着，转头就要跑。可这锦鲤胖得很，石头小人只能搬动一半，仍留了一半拖在雪中，撒腿狂奔。锦鲤脑袋拖在雪中，被积雪撞了个满脸。它这下连泡泡也吐不出来，被磕得眼前发黑。

净霖将它拾起来，它还是瘫着不动，瞧着分外可怜。净霖将它看了片刻，它虚弱地张张嘴，便被送进了袖中。一入袖，它就立刻生龙活虎了。净霖的袖自有乾坤，它浸在里边终于能喘上气，充沛灵气盈满四周。它贴着净霖，有说不出的舒坦。

这便是它定要赖着、黏着、霸着净霖的缘故，只要贴着净霖，便得净霖的灵气滋养。它虽尚不明白这意味着什么，却分外迷恋这种被滋养的感觉，觉得这股灵气要比饵粮美味得多，它总是贪婪地吃不够。它自己都吃不够，岂能容别人窥探？凡是靠近净霖的，便被它自觉划为来偷灵气的那一类，故而敌意深深。

锦鲤一边吞着灵气，一边凑近听着阿乙与净霖的谈话。

“下山去不成吗？你总待在这里，待一百年，待五百年都是一个样子，太寂寞了。”阿乙枕着双手，踢飞积雪，“你在天上也是这样吗？”

关你屁事。

锦鲤冷冷地想。

净霖衣带伴风，只说：“找我何事？”

“无事便不能来了吗？你这人未免太过寡情。在你心里，我也是那种人吗？”阿乙不屑道。

“无事不登三宝殿。”净霖的声音比风更冷。

阿乙经不住这冷，没出息地裹紧外氅。他下巴埋进了绒毛中，便只有一双乌溜溜的眼睛，这样看着反倒男女难辨。他眼珠一转，望着净霖软声道，“净霖哥哥，东边有个妖怪欺负我，我又打不过他，你便下去教训教训他，无须要他性命，只要他断了手脚，让他从此老实听我差使，行不行？”

净霖步子一顿，侧目看阿乙。

阿乙在那目光里稍退一步，觉得自己面对的不是一个人，而是一只匍匐巨兽。他畏惧地出了汗，面上挂不住，便轻哼一声，又踢一脚积雪，强撑着说，“你帮是不帮！”

净霖漠然地看了他半晌，说：“你这么想断人手脚？”

阿乙心下一凉，莫名怕了。他攥紧外氅，竟在这一刻不敢作答。净霖不再理他，抬步向前。

阿乙站在原地咬牙切齿，想不明白自己是哪一句话惹得这人不快。他又没要对方性命，只不过是想让对方断手断脚罢了，这有什么打紧的？值得他这样不给面子！

阿乙本就是娇生惯养出来的，他姐姐是参离树神，掌管中渡之地草木生长，疼他得紧。他素来要风得风要雨得雨，在中渡横行惯了，哪知道“乖巧”二字怎么写。当下受了气，便也不再追着净霖央求，转身化作五色鸟穿雪飞走了。

夜里净霖已入睡，锦鲤也贴着瓷壁呆立不动。内室未点灯火，庭园也漆黑一片。只听一点轻响，阿乙已飞进内室，化作人形。他将瓷坛抄抱起来，蹑手蹑脚地带出门去。

一出了庭园，阿乙便飞奔起来。锦鲤在颠簸中惊醒，见四下夜色浓稠，烈风不止，便知自己入了虎口。

“他向来爱惜你，我只将你丢下山去，他必然会跟下山来！”阿乙抄衣蒙住瓷坛，哼声，“即便他不跟来也无妨，你以尾巴拍我脸颊不止一次，既然他不要你了，我便把你扔去河中，拿你去喂妖怪！”

锦鲤勃然大怒，又听阿乙说道。

“你休装作听不懂，你以为我不知道吗？你日日赖着净霖，不过就是为了他那点灵气，想要吞掉他来增长修为，以便自己早日化形。”阿乙纵身化作双翼，翱翔云间，“你以为净霖也不知道吗？蠢物！我便要看他来不来。”

锦鲤奋起上跃，却被阿乙的衣衫挡了个严实。它察觉自己距离净霖越来越远，只听风声呼啸，阿乙竟飞了整整一夜。

锦鲤逐渐在寒风中冷静下来，埋入水中边吹泡泡边想。

净霖一睡便叫不醒，如同半死，谁知道他何时会醒来。万一他这次一觉睡到了春三月，那我岂不是要凉透了？

它暗自思索，想要寻找机会逃脱。

只说净霖仍在沉眠之中，靠在雪中的石头小人却抖抖脑袋醒了过来。它揉着黑豆般的小眼睛，打着哈欠跑起来。下台阶时没留意脚下，一骨碌滑下去，“嘭嘭嘭”地顺着台阶溜向山下，最后摔了个四脚朝天。它一个鲤鱼打挺起了身，戴好草环，扯了一根枯枝做木杖，一脚深一脚浅地追着阿乙飞离的方向走去。

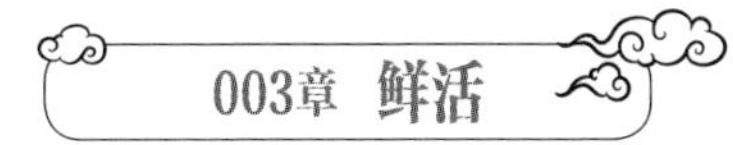

003章 鲜活

锦鲤被晃醒，蒙住坛口的衣衫已经拿掉。它倏地闪贴在壁，却发觉前边的风景处处陌生。

阿乙吃着葡萄，下巴一扬，趾高气扬地说，“喏，前边看。你知道这是哪儿吗？蠢物，想来你肯定不知道。”他露出恶意的笑容，“这是东海之滨的一处寒潭，深不可测，里边压着一条作恶多端的海蛇，已经许多年没进食了，饿得饥不择食，连人也是吃的。若是把你抛进去，连它牙缝也塞不住。”

锦鲤思忖了一下身形，自觉塞住海蛇牙缝还是可以做到。但它生来不是为了给一条海蛇塞牙缝的，所以它即便是能够塞住也不想塞。于是它面无表情地看着阿乙，心想来日若成了人，就拔光这小子的尾巴毛，倒拎着他原身，让他光屁股闯荡江湖。

但阿乙只能见它呆呆地望着自己，模样出奇的傻，便丢了颗葡萄砸它，又凑来端详它，“虽说天底下的锦鲤都长得相差不离，可我才不信净霖会随便养一条。你是不是天上来的？你若是天上来的，便定是个细作了！如今承天君将三界划分清晰，把等级品阶制定森严，捧得九天境快比天高，还要顺脚踩一踩我们中渡之地，又设立了分界司来巡查中渡。这个时候下界来的，必然是细作无疑了。你是也不是？”

锦鲤嗤之以鼻，阿乙又砸它一下。

“你怎么呆呆傻傻的，在净霖身边待了这么久，竟连话也不会说。可见你天资愚笨，是条蠢物没错了。”

你才是蠢物，你全家都是蠢物。

锦鲤暗自腹诽，却仍作天真懵懂状，在水中不知所谓地望着阿乙。阿乙觉得它好生无趣，打不还手骂不还口，没什么意思。他盘腿坐在石头上等了又等，终于耐心告罄，觉得此刻已至午时，净霖还没有来，必是不在乎了。于是他翻身下地，抬脚将白瓷坛抵到水边。

“你打了我三次。”阿乙摸着颊面，“我可一次也没有忘记。往日看在净霖的面子上忍一忍便罢了，可气你还看着他欺辱我。你既见过我狼狈的样子，我岂能容你继续苟活。这下好了，反正他也不在乎，回头我只须求一求阿姐，他便是不想也得卖个面子给我。”

阿乙说着翻脚一踹，白瓷坛便倒扣向寒潭。锦鲤落入水中，沉了下去。

阿乙略有不安，又负手自言自语道，“这可怪不得我，我留了时间给净霖，他自己不来，便该是这条蠢物的命了。”

锦鲤一入水，便觉得寒冷异常。这寒潭三面环壁，无路可逃。它试着下沉些许，又被深不见底的漆黑逼了回来。它已稍通一点灵性，嗅得出底下隐约压制着什么庞然大物。

这可真他娘的是命啊。

锦鲤贴着岩壁一动不动，它所过之处不见草叶。这潭里死气沉沉，它这样定着，却总有一种被盯住的错觉。往下被黑暗吞噬，即便游上来什么东西，它也未必能够察觉到。它只觉得自从自己通了灵以来，还没有像这般提心吊胆过。

约莫两个时辰，此处已暗了下去。它通身金红被掩入昏暗，这让它稍感放松。可此地必然不能久待，海蛇的气息隐隐压抑着锦鲤，让它哪里都不舒服。

锦鲤顺着岩壁环游一圈，三面岩壁皆无其他通口，可见当初为了封住海蛇，在挑选地点上下过一番功夫。它现下又离不得水，只有静待转机一条生路。

鲤鱼仰看水面上星汉点点，越发冷了起来。它如今才明白室内的好，即便净霖总爱开着窗，却没有这般冷过。它肚中空空，又饿得难受，致使等待也变得异常难熬。

它总是想着净霖没醒，可净霖若是醒了，就真的会来吗？他从来不对它笑，也不抱它上榻，只是偶尔合卷假寐后，会起身逗一逗它玩。它觉得于净霖心中，自己还不如石头小人。

可它仍然想要待在净霖身畔。

因为它要吃掉净霖。

它常见净霖在睡梦中皱眉冒汗，也常见净霖在空廊下独自枯坐，它不知道这世上还有没有人同净霖一样孤独寂寞。但它明白，净霖重创未愈，睡眠只是遮掩可乘之机。只要它吃掉净霖，便能略过中间那百年苦修。它已经通了灵，它不再知足于水中，它内心随着灵气的增益而不断膨胀，它想要上岸，想要在某个深夜俯身咬断净霖优美的脖颈，从此占据一方，称王称霸。

锦鲤这般陷入沉思，浑然不知底下的黑影正在无声迫近。当它想要转头游动时，正撞见一对铜铃大小的金瞳直勾勾地盯着它。覆裹着石青鳞片的身躯仅仅在水面露出冰山一角，波纹轻轻荡开，那鳞片缓慢地划动着，无尽延伸。想要凭借露出的这一截来猜测它到底有多长，无异于是管中窥豹，难得其全。

寒夜岑寂，周遭无声。

锦鲤绷得僵硬，它在这体型碾压的对峙中被恐惧埋没，又在恐惧之中激生出一点亢奋。它竟在战栗里被海蛇浩瀚的灵海所诱惑，这条海蛇额顶出肉胞，分明是要化蛟了。锦鲤贪婪且不自量力地想。

我若是吞掉它……

海蛇当真是饿极了，竟骤然张口，连戏弄的兴致也没有。它被压在此处，除了近来闹事的那只鸟，再未见过别的活物，当下见了冒着丝丝灵气的锦鲤，只想吞进腹中。

锦鲤见势不妙，掉头就跑。它借着体型，迅速游闪在海蛇的身躯之间，灵活敏捷。岩壁被嘭声碰撞，海蛇屈身寒潭，上压封印，极度不便。它又正逢化蛟关键，无法随心所欲的缩减身形。只能任由身躯粗暴地碾过岩壁，一尾甩得底下岩壁寸寸龟裂。

锦鲤躲闪着石块，没命逃窜。粗壮的身躯填压四周，将它可躲避的地方飞速变窄。它被水流挤推进狭隘之处，海蛇蜷收身躯，将它封在身躯之间。岂料它竟从自己张口的瞬间窜过锋利的牙沿，冲向水面。

锦鲤背上被海蛟齿刮掉些许鳞片，它顾不得回头，只能埋头上游。下方水流激荡，海蛇弹身，眨眼追上了它。

巨口已张，潭水倒吸，一切都疯狂涌纳向那张口。锦鲤游弋艰难，水面已

近在咫尺，却倏地被倒吸回去。

要被吃掉了！

锦鲤已经被吸纳入口，眼见海蛇将要闭口，不知哪里来的力气，竟拼命挣向要闭合的一线空隙。

前边突然探进一只手，骨节泛白，狠狠扳开海蛇的口，露出锦鲤来。锦鲤撞进净霖怀里，刺溜一下就窜进净霖松开的领口，贴着净霖的肌肤不肯再冒头。

净霖脸色苍白，一指定住海蛇双眼中心。海蛇只怔了一瞬，便作畏惧之态，由着净霖转身。可净霖一转身，它便凶形毕露，扑咬而来。净霖灵气虚浮，不过是装装样子，吓唬寻常精怪尚可，但面对这将化蛟之蛇，却没什么用处。

净霖早有预料，踏壁旋身，海蛇腾尾阻挠。只见净霖稍稍避身，便借着海蛇腾尾之力，踩着它破水而出。海蛇跟着探身出水，粗壮身躯狰狞可怖，撕咬追赶。寒潭之上封印大亮，忽然下压，将海蛇生生压进水中。水花迸溅，净霖上了岸，将锦鲤丢向等候在一侧的石头小人。

石头小人仰头奔跑，接了个正好，跟着和锦鲤在雪中滚了一圈。锦鲤等它爬起身，却半晌不见动静，侧目一看，石头小人通身覆冰，非常迟钝。

净霖连发也未束，象牙白的衣裳湿透贴身。他抓起鸦青色的宽衫罩上身，松垮地系了腰带。那一截儿颈白皙带水，水珠缓滑进锁骨，融于肤色。

净霖掩口咳了几声，身形单薄，在冰天雪地里更显羸弱。

他只沉声说:“走。”

转身又觉不对，回首一看，哪里还有锦鲤，雪地里分明坐着一个粉雕玉琢的胖小子！

锦鲤垂头看见了藕般的手臂，大惊失色，想也不想撒腿跑向净霖，一个猛扑埋进净霖怀中，咬词不清:“季……季里！”

净霖数百年不曾与人接触，当下也退后一步，竟然有片刻不知所措。锦鲤拱在他颈边，眼泪不值钱地乱蹦，可怜又无助地望着他。净霖只觉得自己额角突跳，久违地头痛起来。

锦鲤趁着此机，烂漫无邪地又贴了上来。净霖脖颈冰凉，叫锦鲤舍不得撒手。

它竟被这一遭给吓化形了！

它——他心里打算尚不成形，故而面上只将天真学了个七八分。他依着净霖，像一团温热融化在净霖胸口，刺得净霖恍如隔世。

净霖偏头，眉间紧皱。锦鲤眨眼揣摩他的神情，小声说："季里……肥……家。"

他吐字不清，说话很是艰难，显然是在笨拙地模仿"人"。净霖可以允许一条鱼同他一起，却不能允许一个人同他一起。因为他的七情六欲在数百年前便断得干净。他曾在"人"的情谊中备受煎熬，并且代价惨重。若说他曾明白过一种情感，那也许该是"恨"。

他为了"恨"，不惜手握屠刀，堕入杀戮。

因此他在这鲜活的、温热的依赖中，生出股几近惧怕的战栗。

004章 机会

锦鲤不会穿衣服，所以只裹着净霖的宽衫，衣摆大半拖在地上，他赤脚在檐廊下奔跑。檐下一只铜铃迎风摇晃，锦鲤顶着乱糟糟的头发，在铃声间又蹦又跳。

石头小人追着他，拾着拖在地上的衣摆。锦鲤一口气奔到檐廊尽头，那儿临着口小池塘，边栽着一棵百年银杏。他蹲下来，用手拨拉池水，被冻得一阵哆嗦。

"做人，是这般感觉。"锦鲤喃喃自语。经过一个夜晚，他口齿流利了不少。

石头小人踢了他的屁股，锦鲤没留神，一个前扑跪倒在木板上。他来不及

生气，而是哈哈大笑，抬起手掌反复端详。

“摔倒，这般痛！”他说着。

他学会奔跑只是在不久之前，他总是想要躺在地上游动尾巴。他要习惯双手，而非鱼鳍。他盘腿坐下来，拢紧宽衫。白胖的脚丫冻得通红，他低头埋到宽衫底下观察自己的身体，随后冒出脑袋，对石头小人小声嘀咕。

“人除了手脚，还有其他物件吗？好生奇怪。”

石头小人不会说话，挤到他脑袋旁与他一齐看了半晌，见他一脸懵懂，也不知该如何与他解释。

锦鲤捉了石头小人，往它底下看了看，奇怪地说，“你为何就没有？”

石头小人面上恼羞，捂着脑袋踢了锦鲤一脚。锦鲤立即龇牙咧嘴地威胁道，“你若再踢我，我便把你丢掉！让你再也见不到净霖！”

石头小人退后几步，转身就往室内跑。锦鲤怕它告状，连忙起身追了去。他入门时动作很轻，因为净霖正在休息。昨夜回来时净霖咳了半宿，近晨才睡着。

锦鲤踩着小案，爬上椅子，再跳到榻上，跪在净霖枕边。净霖面色相比昨晚更加苍白，他如同久病之人，仿佛缠绵病榻已成常态。墨发水一般铺满枕席，锦鲤小心地掬了一捧，它们却从指缝流淌下去。锦鲤壮着胆子趴下上半身，听到净霖的呼吸声。他指尖触摸到净霖的颊面和脖颈，又吃惊地收回来，再不可置信地探出去。

热的。

净霖是热的，摸起来是润的。

这与他先前知道的全然不同，难道变作了人，连触感也会不同？

锦鲤顺势躺倒在净霖身侧，他这样打量着净霖，又发觉些不同。他从没在这个方向打量过净霖，原来净霖的鼻是这样的挺，净霖的唇是这样的薄，净霖的……净霖生得这样好看，仿佛是一握就会碎掉的细腻薄瓷。

锦鲤捏了捏自己的鼻，又摸了摸自己的颊面。心道，我将来不会长得比净霖更好看，因为他这样的世间有一个就足够了，我要比他更有力，更强壮才好。

他正想着，就觉得背后一痛，回头一看，石头小人就坐在边上，不大乐意地看着他。他哼一声，又贴近净霖许多，用脚将石头小人抵开。可是石头小人抱了他的小腿，就要将他拖下去，他一着急，转头扒住净霖的衣襟，环住净霖的脖颈就是不走。

石头小人生气地跳脚，锦鲤也不理它。他挨着净霖，便不自觉地吸纳灵气。净霖今日的灵气虚无不定，眉峰缓皱，竟隐约有不堪吸纳的神情。石头小人不知为何，也忽地停下动作，变作两块石头滚在一旁。

净霖迟迟不醒，锦鲤吞咽了下口水。

这是个吃掉净霖的好机会。

净霖神识荡在空无一物的石台上，他行单只影，不知去处。碎掉的身躯修复缓慢，荧光散乱，难以组成人形。他仿佛被人扼住了咽喉，变得难以喘息。胸口沉重，被压着的感觉让他倍感疲惫。

即便如此，当檐廊下起风时，他还是瞬间睁开了眼。入眼的便是一颗绒毛脑袋，压翘的地方抵在他颊边，锦鲤正紧紧环着他，睡得酣实。

净霖望着房顶，闭目舒出口气。再睁开眼时，已恢复平静。

“何事。”他声音一贯的没有情绪。

廊下有人跪倒在地，轻声道，“舍弟顽劣，惊扰了君上清修，罪该万死。特来请罪，求请君上不吝责罚。”

净霖沉默片刻，才记起了门外跪着的是谁。

“我不是你的君上。”净霖说道。

门外人趴伏下的身躯寂静不动，过了半晌，才说，“我归属九天境临松君麾下，此事俾众周知，即便如今参离树划归于分界司监管，我心也如磐石，坚定不移。”

她说着抬起首，端正地面对房门，再拜下去。

“不要叫我君上。”净霖突地一字一顿，恨意覆霜。

门外女子静了许久，低声说：“……九哥。”

净霖胸口一窒，手脚发凉。他抬手盖住双眸，喉结无声滑动，胸口起伏不定，强行压下呛血的冲动。

不要叫我。

他目光淹没在遮挡的黑暗中，好似永远也挣扎不出头。这一声“九哥”，便是荆棘，扎得他鲜血淋漓。

门外女子仅仅用了几瞬来平复心绪，即便红了眼眶声音也稳定不变，她抬手拽出被捆绑结实的弟弟。阿乙变作了原形，在地上扑腾着。

“阿乙在参离树被我纵容娇惯，致使他如今嚣张跋扈、不听管教。他既做错了事，就必该自己承担。我将他交于九哥，不论生死，皆有九哥做主。”

音落便跪拜行礼，转身欲走。阿乙见状生生撞破了头，盯着他阿姐，将要哭出来了。他阿姐——浮梨要下阶时，又停了步。

“我知九哥不欲见我。”浮梨长睫低垂，望进黑夜，“可对我而言，九哥仍活在世，我便已经知足。那一日真佛抬指，九天震荡，九哥泯灭的消息叫人肝肠寸断。不管他人如何言谈，九哥仍然是九哥。我虽不知你与父亲的前尘恩怨，却不肯轻易相信你是那般嗜杀之人。九哥……”

“你错了。”净霖说，“我杀他不过是了却夙愿，既没有大义在身，也没有正气拿持。我想要杀他，我便去杀他，与你无关。我不是你的九哥，临松君泯灭在了九天台，而今你看到这个人，也不过是个死人。把他拿走，滚。”

阿乙听不下什么临松君，也不知道什么九哥，他唯独听到了净霖对他阿姐说了声“滚”，这叫他怒火中烧。他诞生时参离树已无五彩鸟，浮梨即是他姐姐，也算是他母亲。他虽然为人混账又跋扈，却听不得任何人说他姐姐一句不好。

当下挣脱开嘴，张口骂道，“净霖！你竟敢对我阿姐说‘滚’？你算什么东西！不过是个躲藏在山野间的病秧子罢了，谁还怕你不成！一条海蛇也能搅得你下不来床，现在又装什么高人好汉！你也不过……”

浮梨霎时回身，断喝道：“住口！”

檐廊下的铜铃陡然作响，山间万松涛声起伏。一股强风自茂林间涌出，刮得阿乙翻滚下廊，吹向山中。

他还被捆着，挣脱不了，只能在空中倔强着喊道，“你等着！”

浮梨还想说什么，内室的里门倏地夹合，连她的声音也拒之在外。浮梨终未能说出来，只默立了半宿，方才离去。

净霖待她一走，便闷声咳出血来。石头小人在他掌心塞了手帕，他掩唇擦掉血迹，说，“还不醒吗。”

锦鲤便试探地睁开一只眼，装作惊醒状揉了揉。一团软面似的坐起身，还扒着净霖的颈。锦鲤露出小白牙，冲净霖露出可爱的笑。

净霖眉稍微挑，极具压迫感地盯着锦鲤，冷声说，“吃人要快，下口要狠。你磨磨蹭蹭，犹豫什么？”

他的唇方才沾过血，染了一点红。

锦鲤无辜地缩手，很是害怕的模样。净霖却稍抬头，几乎要抵在锦鲤额头。他眼神毫无生机，像在陈诉别人的生死。

“你错过了机会，便要等一年，一百年，甚至一千年。”他冰冷的不是皮囊，而是魂魄。他迫近锦鲤，如同睡醒的巨兽隆起了身躯，这样无法抵抗的威慑力远比锋利的齿牙更加让人惧怕。

锦鲤敏锐地发觉净霖不同平常，想要瑟缩向后。可是净霖一把拽住了他的手臂，将他放置在巨兽的阴影下。锦鲤愈发难以忍耐，这不是种疼痛，而是种被居高临下俯瞰的压力。这压力簇拥在他薄弱的身线上，让他不自主地颤抖起来。

“净……净霖……”锦鲤痛苦地唤出净霖的名字，他的五脏六腑都像被重物碾压，连呼吸都变得断续。

净霖看了一会儿，松开了手。锦鲤一个后仰，在被子上滚了几滚，如获大赦。内室陷入寂静，锦鲤心里咬牙，面上仍露出可怜的样子。泪珠子在眼眶里打滚，他压着手背，细小地啜泣着。

净霖偏头望着夜雪，兴趣寡淡。他坐了许久，转回头看向锦鲤。

“过来。”

锦鲤内心警觉，却像小动物一般爬了回去。他面上越是乖巧，心中就越是冷静。他藏在这稚儿的躯壳下，渴望化解净霖的提防。然而令他失望的是，净霖似乎洞察一切，并且毫不在意。

锦鲤爬到了净霖身侧，净霖抬手欲抚摸他的脑袋，又中途放弃了，转手从石头小人那里扯过干净的帕子，给锦鲤擦干净鼻涕眼泪，便又躺下，不再说话。

次日宿雪初晴，砧声破晨。净霖招了衣裳给锦鲤，锦鲤将头抵在袖口，如何也穿不进去。石头小人揪正衣裳，为他穿好衣，还裹上了一件小绒披风。鞋面上绣着一对鲤鱼，锦鲤穿鞋时忍不住伸手摸了摸。

随后净霖起身下阶，他今日仍旧常服打扮，单薄得很。他站在阶下稍作回首，眉目冷寂。

石头小人牵着锦鲤，带着他下了阶，随着净霖往山下走。山间晨雾围绕，山阶湿滑，石头小人摔了好几跤。锦鲤原先还绷着脸，后来跟着石头小人奔跑嬉闹，滚了一头的雪。净霖一直没有回头，半敛着眸似在梦中。

到了山脚，锦鲤跑了几步，不见石头小人。他转头一看，石头小人坐在净霖肩头，冲他摇了摇手臂。

锦鲤还没明白过来，就听净霖说。

“你走吧。”

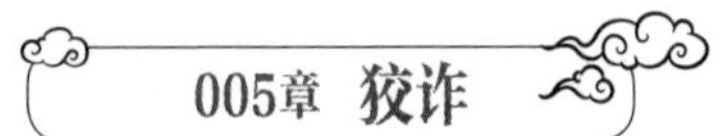

005章 狡诈

锦鲤呆若木鸡，歪头疑心自个儿听岔了。可是净霖衣袂一晃，已经拾级而上。山雾在此刻分外碍眼，阻着他的视野，让净霖的背影几欲消失不见。

锦鲤回过神来，拔腿就追。他扑抱住净霖的小腿，喊道，“净霖！”

净霖身形不动，侧目看他。

锦鲤仰起头，被冻得浑身绷紧，他急切地说:“净霖，不要丢掉我！”

“你本就不是我的。”净霖拂袖，抬步上阶。

“净霖！”锦鲤攥紧他的衣角，呜咽起来，“净霖……山里的野兽要捉我去吃，我不要同你分开。”

净霖不言不语。

锦鲤不肯松手，仰头时泪如泉涌。他眼里皆是净霖的倒影，好似已将净霖全部放在了心里，满心依赖着。净霖盯着他，眸中仍然无情。

“我要与你在一起！”锦鲤凝噎着大声说，“我一睁眼便见得是你，我不要去别处。”

“你知道我是谁。” 净霖说，“你怎敢这样说。”

“你是净霖！”锦鲤被拖跪在地，他死死拽住净霖的衣角，仿佛这一截儿布即是他的救命稻草。他说不出太多的词，只能颓唐地重复着，“你是净霖……净霖……”他抽噎着，“不要丢掉我。”

锦鲤这一次哭得情真意切，因他混沌初开，世界于他而言如同隔雾看花。他既不懂人情，也不通常理。他仅有念头便是“吃”，可即便他想要吃掉净霖，也从未想过离开净霖。吃掉净霖不也是另一种相伴吗？他是这般想的，他从不觉得有什么不对。他早已不记得为鱼时的许多事情，他只记得净霖，他一直同净霖在一起。他是如此清楚地明白，此刻要他离开净霖，他在这茫茫大雪中唯有死路一条。

他不能松手，起码在吃掉净霖之前，他不能松手。这是他一直以来虎视眈眈的猎物，是他朝思暮想的食粮。他紧咬的牙关透露出他绝不会拱手相让，于是他在净霖抽袖的瞬间，猛然将自己磕在阶上。额头重重地碰在沿角，滚身滑跌在地上，随即便感觉到殷红热血顺着眉流淌下来，刺得他左眼酸痛。

锦鲤伏在地上，哑声哭泣。他困难地捂住左眼，这样仰视净霖，仿佛将一切都抛掷出去，只是想要净霖抱一抱。稚儿冻红的手指掩不住血，他颤抖着，

胆怯地唤着，“净霖……”

净霖冷若冰霜。

锦鲤孤立无援，便趄身而爬，顾不得血，手扒在雪中，红得令人心颤。他抽噎到气息混乱，只看得见净霖的背影越来越远。他一声声喊得肝肠寸断，稚嫩的嗓音被扯得嘶哑。

“你不能……净霖！”锦鲤无力地浑身发抖，“求求你……不要……不要丢掉我。”

他像是扒不稳台阶，又磕摔回去。他躺在雪中，泪眼模糊，紧咬的齿缝里泻出不甘心的声音。血糊在指间，他握着冰雪，翻身站起身来。他站在原地，不断地擦抹着双眼，血和泪涂满双手。他似乎已经没了办法，只是站在这里，望着净霖的背影像个寻常小孩儿一样大声哭。

阶侧的雪松被哭声震塌了枝头雪，粉屑掺着浓雾让净霖的身影彻底消失。山间只余哭声盘旋，精怪走兽皆数探头。锦鲤哭累了，净霖也不见了。

一头野猪拱出雪丛，嗅着气味走向锦鲤。野猪身躯庞大，像座小山般移动着，显然是已修得一些灵气。它围着锦鲤转了一圈，瓮声瓮气道，“你要跟着他？你根本不知道他是谁。”

锦鲤已经不哭了，他红肿着眼说，“不干你事。”

野猪哼哧哼哧地用鼻子推倒锦鲤，“此山归我管。你非要缠着他做什么，他最冷情不过了，神仙一贯都是这个模样。你不要再同他在一起，你便留在此山与妖怪一起不好吗？你本也只是条鱼。”

“不干你事。”锦鲤跑了几步，费力地踩上阶。他想了想，又将早晨裹好的斗篷丢掉，连同外袄一并扯得乱七八糟。他在寒风中不住地打着哆嗦，倒吸着气寻着净霖的脚步走。

“他脱衣服做什么。”一只苍鹰探下头来，狐疑地问底下的野猪，“他不怕冷吗？”

“变作了人，就会变得古怪。”野猪衔着斗篷拖看，“真是太古怪了。”

四下精怪走兽们一齐附和，锦鲤已经爬进了山间。他无法走快，天上开始

下细雪，他腿脚迟钝地蹚在雪中，觉得脚趾已成了石头。周遭雪松挂冰，细溪叮咚轻快，随着雪下大，雾气越发浓郁。

锦鲤走也走不到头，他心道净霖怎会这样狠心，好似一个没有心肺的人。又想真的一走了之，叫净霖后悔莫及。可是他不论怎么想，都没有掉头。他逐渐不敢再张口喘息，因为烈风寒彻，仿佛连口舌都会冻掉。面部不能再自如地调动表情，被风与寒凝结成了低落的表情，像是雕刻上去的面罩。四肢僵直变硬，他连手指都弯曲不得。

不知过了多久，耳旁突然被轻轻渡了口气。锦鲤迟缓地转动眼眸，看见一张飘浮在雪风间的面孔。对方银发拖散风中，尾端也变作了雪。

“你欲追往何处？”对方循循善诱道，“你这般是走不进枕蝉园的，净霖将园子隐在天地微妙之处。”他贴耳缓声，“你永远永远也找不到。”

“关你屁事。”锦鲤察觉邪气，他睫毛与头发皆覆了霜雪，露出不好惹的凶悍。

雪魅在风雪中传出嘲讽的轻笑，他的手脚都虚成透明，因为修为低微而无力维持人貌。他自在地躺在风中，跟在锦鲤左右。

“你被净霖丢弃在了山脚，你知不知晓，他曾经丢过许多鱼呢。”雪魅小声说，“你知不知晓，他到底是谁？我都知道，我告诉你。”

岂料锦鲤不理会后面那句，只是倏地抬头，“他以前有许多的鱼吗？不对，你骗我，他分明只有我的！”

雪魅嬉笑着翻滚一圈，“你信也不信？你当真这样想？你看他形容冷淡，病入膏肓，又久缠病榻，那个园子里除了他自己，再无其他。他不觉岑寂吗？他必也怕孤独的。”

“……我不信你。”锦鲤的脚步却慢了下来，他用力摇着头，“净霖只有我。”

“他若只有你，他为何要丢掉你？”雪魅哀伤地说，“他将你丢了去，头也不回。他怎可这般绝情，他没有心吗？过去你们日日相伴，即便你是条鱼，他也同你没有半分留念吗？可他愈是这样的薄情寡义……”雪魅语调一转，妖异地

笑起来，“你就愈是想要吞掉他，撕裂他，将他鲸吞蚕食，统统塞入腹中。你这小妖怪，贪婪又狡猾。”

锦鲤似乎被戳中了心事，恼羞成怒，“与你无关！”

雪魅游荡到锦鲤另一边，“你怕什么？你必不敢叫净霖知道，因为你怕他觉得你是寻常妖物，贪得无厌才是本性。”他咯咯地笑，细声道，“你不该怕的，你不知道，他比这天底下任何妖物都要更加狠辣无情。在许久之前，他杀了自己的君父，他还杀了许多人，他让九天境里血流成河。你见过火烧云霞的通红天地吗？净霖杀人时，九天境便是那般场景。他还杀过千千万万的妖怪，他的剑既含着妖怪的骨头，也淌着神仙的鲜血。他是被唾弃、被憎恶、被畏惧的嗜杀君神……”

可是锦鲤擦了冻僵的脸颊，并不惊奇，也不害怕。他只是不耐道，“你吵得我难辨方向，不要在这里，你去别处。”

雪魅围着锦鲤飘了一圈，“你不怕他吗？”又立即了然道，“你定也是被他的那副皮囊给欺骗了，他的这张皮，可比世上任何伪装都要致命。”

“你也觉得他好看。”锦鲤说道。

雪魅幽怨地说：“……我还想刮下他的皮，顶到自己脸上来。”他说着借风抚面，“我若有了他的皮，三界之中，哪里还是我不能去的呢。”他又骤然变得阴毒，“可恨他囚我于此，叫我数百年不得离开！他怕我同人说他还活着，他怕……他也没什么了不起！小妖怪，你如当真想要吃掉他，我便助你一臂之力。”

果然见锦鲤眼中一亮，又谨慎地压了下去，只佯装不屑。

雪魅说：“你不答应也得答应，我已将净霖的前尘透露于你，你既听了，便已与我结了牵绊。你要想活命，须得按我说的办。”

锦鲤面容失色，说：“你好奸诈！”

雪魅说：“你若听话，便没有苦头，还能平白得了净霖的灵气，你不想吗？只要吃了他，他便再也没办法丢掉你。”

锦鲤迟疑片刻，说：“当真吗？我不想同你有牵绊。”

“除非我死，否则谁也解不开。我叫你做什么，你就得做什么。我虽杀不了你，却能叫你在雪中冻得半死，永远也走不出去。”雪魅冷眼端详着锦鲤，见他隐约有些怕了，才笑起来，“你乖一些，我指路于你。”

枕蝉园隐埋雪雾茂林之后，锦鲤远远瞧见熟悉的庭园，额上的伤口都冻得止住了疼。

雪魅伏在他背上，悄声说:“我给你的草，你须藏好。就算是神仙，吞了下去，也会剧痛难忍，无法动弹。你不知净霖可怖，他即便无法动弹，也不能叫人放心。待他吞下去，我自会教你怎么做。”

锦鲤目视前方，呼出口气，突地问道，“妖怪也是吗？”

雪魅眼珠子一转，雪风便勒紧了锦鲤的脖颈。他说，“你休要打别的主意，这草于我毫无用途。倘若是能害我的，我岂会交给你？”

锦鲤脖颈冻得泛红，他冷哼一声，小跑几步，上了最后的台阶。

檐下坐着的石头小人正晃腿摇铜铃，目光一顿，见着锦鲤狼狈地站在门口。它炸毛似的跳起来，跑过去绕了几圈，像是看什么稀罕之物。

锦鲤踢得它一个踉跄，只恨道，“不认得我了吗？和你主人一般的石头心！”

石头小人顺势翻了个滚，坐在雪间捏了个团砸锦鲤。锦鲤不闪也不躲，眼睛红肿，无比凄凉。

锦鲤对雪魅说:“你也要同我进屋去吗？净霖此刻必在睡觉。”

雪魅本来打量石头小人，像是想不通什么。闻言随口催促道，“良机难得！快带我进去！”

石头小人颠着雪球，看着锦鲤从它面前过，既不阻拦，也不起身。雪魅一靠近庭园便觉得这石头小人不同寻常，当下见它又不似守门，突然茅塞顿开，惊声道，“它是——”

锦鲤磕在门槛，一个栽葱。内室木板似乎贴了层灵界，雪魅一挨着木板，便发出“刺”地烫化的声音。他厉声道，“蠢物！快背我起来！”

谁知锦鲤又被小案绊倒，扑倒他半实的身上。他察觉不对，就见锦鲤挣扎抬手，将他压摁在地上。滚烫的地面让雪魅欲要尖叫，口中却被用力塞灌进一团草叶。

雪魅呕不出，生生被塞了下去。他被捂住了嘴，烫得即将融化。腹中剧痛难忍，翻滚前听得锦鲤贴耳说了一句。

“多谢。”

锦鲤惊慌后退，连滚带爬地攀上榻，扑进净霖怀中，失声哽咽，浑身颤栗，“净霖，净霖，我好怕！”

雪魅五脏六腑都在剧烈翻搅，他撞在门槛，几近化掉了。他面容狰狞，凄声喊道，“你——”

你这狡诈妖物！

净霖方才醒来，拧眉见得锦鲤正在颤身依偎。

他衣物没了，只穿着内袄小袍，显是一路追得不容易。额间磕破的地方也冻得凝结，面上的血迹还没擦净。一双澄澈无辜的眼里仍然倒映着净霖，只是见净霖醒来，又怕又委屈地缩了缩手。

“净霖……”他泪眼婆娑，“净霖。”

石头小人“啪”地捏碎了雪球，竟看呆了。

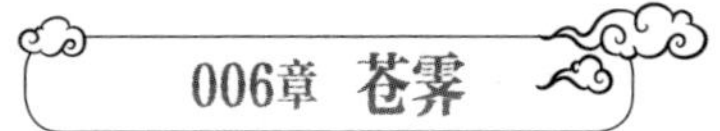

006章 苍霁

雪魅的凄厉喊叫让净霖难以定神，他抬手一挥，雪魅便倒飞了出去。雪魅跌进雪中，反倒缓止了些许疼痛，他怕净霖怕得厉害，不敢多留，忍痛化成细雪仓促而逃。

锦鲤仍在掩面啼哭，净霖只觉得头痛欲裂，竟连抬手拎开他也做不到，只

能半阖了目，说。

“你怎这般重。”

锦鲤抬头，见净霖面色发白，眉间积倦，竟比昨夜更显病态。他不知净霖到底在何处受了何等的伤，也不知什么缘故导致净霖突然这般虚弱，只是有些心疼，便抬手抱了净霖的颊面。

“净霖。”锦鲤啜泣着呢喃，“你不要死。”

他如今不过一个小童模样，捧着净霖的脸越渐难过，竟又呜呜咽咽地哭起来。可他又生得一团可爱，哭起来眼泪大颗大颗地掉，也叫人觉得伤心。

“我本就是死人。”净霖眼皮沉重，回答道。

“你怎会是死人呢！”锦鲤一头撞在净霖下巴上，眼泪几乎要淹没了净霖。

净霖觉得领口被浸湿了，那眼泪滑过他的脖颈，渗进了枕间。他忽地觉察到一点“鲜活”，仿佛死寂许久的世界被这小小的眼泪烫到掀起波澜。他太多年没有与人这样靠近，也太多年没有与人轻松地说说话。

“你的眼泪怎会这样多。”净霖语声渐低，“……离开此处去往更广袤的天地，即如雏鸟离笼，你便能明白留在这里不过是形同走尸。你本不知世界，一点生机便成此悟，得以化形是谓天机。你的缘不在这里。”

“我同你在一起不好吗？”锦鲤问道。

净霖强撑精神，看他天真，便微带轻嘲重复了早晨的那句，“你知道我是谁，你怎敢这样说？”

“那我又是谁？”锦鲤已抬起脸，“我连名字也不曾有。”

净霖似如睡着，过了半晌，才道，“叫苍霁吧。”

锦鲤还想再同他讲话，却见他呼吸微沉，真的睡了过去。他一睡着，便怎样也唤不醒，如不是胸口起伏尚在，几乎让人觉得他真的死了。

石头小人突然伸展手臂和腰身，精神百倍地蹦了蹦，进了内室，爬上榻看锦鲤。锦鲤早换了神情，将石头小人拖下榻，推到一边。

“你方才看见什么、听见什么，通通不算数。我既不认得那个妖怪，也不知道他来干什么。你不许同净霖乱讲。”他捉着石头小人，不许它跑，恶狠狠地说，“你若敢同净霖乱讲，我就把你丢进池塘里去。”

石头小人飞快地点头，被他摁在小案边，脚尖都要够不着地面了。

锦鲤满意地松开手，说：“从此之后便不能再‘鱼’‘鱼’的喊我，我叫苍霁。”

石头小人本就没有嘴巴，当下顺着他，一个劲地点头。苍霁被顺得很舒坦，揪了袖口，说，“我要洗手洗脸。”

石头小人便替他倒了水，苍霁用帕子擦净污垢，额间的伤口凉凉的倒也不痛。他对盆照了一会儿，问石头小人，“他真的没有回头吗？我摔得那样重，是我摔得不够痛吗？”

石头小人却踢他一脚，他嘶声蹦跳。

“你也没有回头，你和净霖一模一样！”

石头小人觉得他吃痛跳脚的模样很好玩，便绕到另一头，又踢他一脚。苍霁抱住它的脚，一使劲将它扳倒在地上。他骑跨上去，揪着石头小人头顶的草叶，“你怎敢踢我？如今我变作了人，力气比你大了许多，我便是你大哥了。”

石头小人抬头就撞了他一个晕头转向，苍霁泄愤地揉乱它的草环。两只滚在地上打斗，碰翻了案几。苍霁仰倒着身，气喘吁吁。

“我饿了。净霖眼下是吃不掉的，我须找点别的才行。”苍霁踢了踢石头小人，爬起身，“与我一同去山里。”

只说另一边，阿乙变不回人形，只能缩成五彩鸟在山中觅食。他锦衣玉食惯了，不兴吃虫子，便堂而皇之地挤占松树间的巢窝，连别人过冬的屯粮也要霸道的占为己有，引得山间飞禽鸣声驱赶。

阿乙看不上别的鸟，觉得它们毛色黯淡又蠢笨异常。他睡足了还要踹一脚别人巢穴里嗷嗷待哺的小雏，大摇大摆地飞离枝头，去觅水喝。

苍霁重新裹了绒衣，跟着石头小人只捡了些菇。他们穿过茂林，灌着雪去

寻小兽，因为苍霁要吃肉。

苍霁扒开杂丛，探头张望，老远见得一只流光溢彩的鸟正撅着尾巴在溪边饮水，苍霁觉得这鸟格外眼熟。

“那是不是阿乙？”苍霁摁下石头小人，石头小人被摁得埋进雪中，拼命挣扎。苍霁示意它嘘声，又盯了片刻，见那鸟时不时梳理羽翼，目空一切。

“必然是他了。”苍霁露出牙来，对石头小人说，“你且等着，我按住了他，喊你一声你再出去。”

音落便将自己的绒衣脱了，叠好放在一旁，爬了过去。

阿乙临水欣赏着自己，觉得这样的颜色华美独特，连凤凰也比不上。他越看越沉迷，浑然不觉后边爬来了谁。阿乙情难自控，便垂首离水面更近些，看得更清楚。

这样的羽毛……

心中还没有夸完，屁股上便被一人踢了个准。阿乙不防，顿时栽进了水中。溪水不深却寒冷非常，又打湿了他的羽翼，惹得他在溪中扑腾乱蹦。

“不开眼的东西！竟敢……”

水花翻溅，阿乙被拽住了脚，苍霁力气比只鸟大许多，将阿乙连拖带拽地移上雪地。阿乙拍翅欲逃，背上便被苍霁一屁股压稳。

“你做什么？你这蠢物！你做什么！”阿乙怒声道。

苍霁坐实了，叫石头小人出来，将阿乙的鸟头塞进雪堆里去。石头小人欣然接受，末了还骑在了阿乙的长颈上。阿乙这下是彻底挣脱不得，只能骂道，“你敢？！我杀了你！”

苍霁面对着阿乙尾巴，数了数他的尾巴毛，拽了一根，重重哼一声，“你说什么？你再大声一点。”

“你敢拔我的毛！我就杀了你！”阿乙厉声呵斥。

“好说。”苍霁心下一动，说，“想让我不要拔也可以，你须告诉我，你姐姐与净霖有什么前尘？”

“呸！你也配打听我阿姐！”阿乙说，“想也别想！”

苍霁一把揪掉了他的长毛，拿在手中摇晃，觉得明亮得灼眼。阿乙痛得喊出声，不想他真的敢拔。

“你等着！”阿乙发狠道，“我定要剐光你的鳞片，将你……”

苍霁便再揪一根，“你说是不说？”

阿乙惊怒中竟气极哽咽，他犹自强撑着，“我偏不告诉你！你杀了我！我阿姐必不会放过……”

“你好生奇怪。你早已化形聚灵，却还整日喊着阿姐，哭得这样稀里哗啦，不像是雄鸟。”苍霁困惑地扒着阿乙的尾毛，“你莫不是只雌的？”

阿乙气得红眼。

苍霁想了想，说，“我对你阿姐不好奇，你只须与我说说净霖。”

“我不知道！”阿乙一口回绝。

“你方才在水中觉得如何？”苍霁也狠下声，“你若不说，我便拔了你的毛，让你在里边泡上几日，看你如何见你阿姐。没了这身毛，你便是秃鸡一只，你猜你阿姐还认不认得？”

他讲得凶，却是真有此意。他懂什么人情来往，他现下只明白想干什么便去干，你就是与他讲天王老子不许，他也会回一句天王老子是谁，是他苍霁什么人，算什么东西？他偏要这么干，谁也管不了！

阿乙被拖向水边，他陷在雪中，惶恐咬牙道，“讲就讲！你住手！只怕我敢说，你却不敢再听！”

“废话少说。”苍霁踢他一脚，不耐道。

“你先答应我，我若说了，你便松手滚蛋！”阿乙挣扎着翅。

“我答应你便是了。”苍霁背对着他，坐回他背上，撑着脸颊，道，“我向来说话算话的。”

阿乙稍稍平复，才说：“我阿姐待他不同寻常，又敬又怕，也不与我说，只叫我也喊他‘九哥’。可我一猜便知其中必有缘故，专程去过中部呈放神说谱的地方查了一番。这天地间敢叫净霖的，只有一个人，你以为他是谁？他便是五百年前弑君的临松君了！”

他说完刻意顿了片刻，略显得意，只想听苍霁说个“怕”字。因为“净霖”这个名字不熟悉便罢了，可“临松君”却是人尽皆知。五百年前那一场动荡搅得三界数年不稳，云间三千甲几近覆灭，九天杀伐的黎嵘因此沉陷睡眠，若非承天君请出梵坛真佛，只怕也拿不下临松君。

可惜苍霁对天下地上如雷贯耳的人物皆不相识，半点不觉怕。只是再踹他一脚，催促他继续。

阿乙又怒道：“我已说了！你怎还踹！”

“这便完了吗？”苍霁皱皱眉，“你就只知道这些？”

“这便已足以让中渡一众掌职之神掉脑袋。你真是蠢！净霖杀了君父，九天诸神谁能容他？他分明死了，却还活着。哼，可这瞒不过我，我猜他当日已踏入了大成之境。你知道大成之境是什么？净霖先前位列君神，可这天底下能够称一声‘君’的，总也不过六位，他杀了拟立九天境的九天君，九天君既是他父亲，也是他君上！从此六君变四君，可而今能算得大成之境的，只有杀戈君黎嵘。净霖若是也成了，他没死便不稀奇。”

“为什么？”苍霁问。

“因为修为大成，便是不死不灭，与天同寿。”阿乙说着沉下声，“……可我觉得他是假的，因他半分也不厉害！外边夸得天花乱坠，可你瞧他，他灵海空虚，分明是将至大限的模样，撑了许多年也只是病秧子罢了。他又懦弱胆小，这么多年连山也不敢下！这样活着有什么意思？不若死了算了。”

他音还未落，便觉得头顶被敲了几下，险些将他砸进雪中去。石头小人踩了他的脑袋，不解恨地又踩了几脚。

阿乙大怒，又怒不敢言，只能说，“我阿姐本是临松君座下的五彩鸟，与他相识不奇怪！我讲完了，你们快滚！”

谁料苍霁回过头，阴恻恻地说，“滚？你怎想得这般轻易。你屡教不改，又害得我险些喂蛇，轻易放了你，我岂不是太亏。”

阿乙恨声：“你诓我？！你休要碰我！你！你……阿姐！净霖！救我——”

007章 翻山

苍霁踢了掉鞋，推开内室的门。他在外边跑得脸颊发烫，浑身冒汗，一跨进内室，便觉得更热。净霖仍在睡，苍霁攀上榻，闭气凝神地观察了净霖一会儿，确定他不会醒，才舒出口气。

石头小人“哒哒哒”地跑进来，抖掉头顶上的鸟毛，也爬了上来。

苍霁说：“他要睡到何时？”

石头小人自然不会回答，苍霁便脱了绒衣和小袍子，要钻去净霖身旁。他才掀被角，后领便被拽住。

他回头说：“你也想睡在他身旁吗？不行，你去外边睡，你平时都在睡外边的。”

石头小人一脚蹬在苍霁后心，拽着他远离净霖。苍霁不肯，情急之中扒住了净霖的脖颈，硬是挤去了净霖身旁。他对着石头小人投以凶狠的眼神，全然不顾刚才一起拔毛的情谊，可谓是翻脸不认人。

石头小人一头抵在他后背，顶得他龇牙咧嘴也不敢出声，只得由着这石头硌在后边。屋里这样热，净霖却没出半点汗。苍霁合上眼，即便是刚刚才饱餐一顿，他也总想张口咬下一块净霖的血肉。

石头小人从后捣了苍霁一拳，苍霁又痛又惊，却因此止住了念头。他舔了舔牙，摸了摸净霖的脖颈，约莫自己现在一口咬不断，便想自己若再长大些就好了。

可是好生奇怪，他是条鱼，不是走兽，本不该如此贪恋食肉，也不该如此了然致命的部位。但这些却像是烙印在他身体里的本能，以至于让他自己也生出些古怪之感。

我当真是条鱼吗？

苍霁浑浑噩噩地胡乱想着，不知不觉中便睡了过去。

夜时雾退，不见盈雪。

檐廊下铜铃晃动，有人叩门。声音急促非常，持续不断。

苍霁蜷缩起来，身下拱得温暖，他舍不得醒来。可门外人不见停息，他便贴紧净霖，含糊地问道，“来者何人？”

听得门外人回道：“九哥。”

苍霁倏地清醒，认出门外正是阿乙的姐姐。他白昼才拔了阿乙的尾毛，叫阿乙光秃秃的羞愤欲死，所以此刻留了神，爬出被窝，套上小袍。

“做什么？”

浮梨见室门开了条缝，冒出颗脑袋来。她似有急事，只问：“九哥仍在睡吗？”

“在睡呀，推也推不醒。”苍霁一边佯装烂漫，一边将她细微之处都观进眼中，见她确实不是来为阿乙报仇的，便说，“姐姐要入内喝杯茶吗？主人醒时不定呢。”

果然听见浮梨道：“茶怕是喝不得了，你且打开门，容我进去。”

“姐姐进不来吗？”苍霁问道。

浮梨面上一滞，眼中略有黯淡，“这庭园处处是九哥的灵界，休说入内，就连你，我也碰不得。”

檐廊下的铜铃又晃了晃。

浮梨一步向前：“不好！东海分界司已追了过来，此地不宜久留，速速开门！”

苍霁嗅得空中迅速弥漫起海潮咸味，海浪拍声似已漫到了山腰，一股不见实形的威势迅猛而来。星空忽暗，苍霁盯目一看，不是阴云遮蔽，而是被道凌空穿行的巨大身躯盖挡。

浮梨知道已经来不及了，摇身一晃。夜间登时流光潋滟，她的原形绝非阿乙可以比拟，几乎将漫天星辰的光芒一并夺走。

浮梨振翅一挥，苍霁便被吹翻进室内。门窗紧闭，整个庭园都被拂起的

积雪覆盖。浮梨已经腾空而起，她清声一啸。空中巨物随声而盘，从云间露出头来。

这竟是条货真价实的蛟龙！

“北边的参离神擅自离地，来我东海之滨有何要事？”蛟龙沉声问责。

“宗音！”浮梨旋身穿过云层，“你久居东海百年不出，潜心修炼志在化龙，而今龙门尚未出现，你私自出巡，又有何贵干？”

“我掌职东海，阅地巡查本为职责所在。”宗音目光幽深，“我坦然相告，望你也直率回答。你来此山做什么？此地荒无人迹，灵气贫瘠，即便闭关也不该挑选此地。”

“我为参离神，参离树所指之处皆归我游查之地。我倒也奇怪，别处皆无异动，唯独此地星象异变，便披星戴月地追赶而来，竟是因你而起。”

宗音端详着她，道：“你休要欺瞒。此地今晨风雪大作，一只雪魅灵告东海，只道此地出现邪祟隐患。邪祟非小事。我需在此细细盘查。你当年身处九天境中，深知邪祟入侵的后果严重。不要误入歧途，快些离开。”

当年临松君杀上九天时，宗音正值化蛟关键，故而未见九天惨状，只知承天君说临松君正是邪祟入侵，自食恶果。

“雪魅狡诈多端，本性贪婪，酷爱教唆，此等臭名昭著之辈的言辞你竟也信。”浮梨说，“星象不稳，我便不能归去，你休要阻碍我秉公办事。”

宗音游身：“你百般阻拦我盘查此地，其中必有缘故！”

音落，蛟龙陡然化形，变作赤裸上身的男人，直坠向地面。浮梨横身，五彩划空，她追了下去。

宗音单膝落地，便察觉灵气游荡。他起身望向庭园的方向，冷声道，“此处竟已有了这等修为的妖物，你隐瞒不报，来日君上问起，你我皆该领罪！”

浮梨掀风阻挡，只觉得他非常棘手！如若来的不是海蛟宗音，她尚有对策，可偏偏来的就是宗音。旁人不提，在中渡之地，对于承天君最忠心耿耿的人便是宗音了。此人生性刚直不阿，非要探个明白才会作罢！

雪风扑面，宗音挥手搅得风逆回旋。刹那间松涛波荡，整座山间积雪倒

灌，竟然震荡起来。

苍霁在屋内看不见外边，只觉得脚下猛然震动，颠得他头晕眼花，几乎要吐出来了。净霖滑身向地，他便抱紧净霖半身，硬是拖回榻上。岂料一下刻，晃动翻倒，他与净霖一同翻滚下榻。室内小案桌椅一并碰撞，他被砸得内火燃烧，恨不得咬死作俑者。

苍霁逐渐抱不住净霖半身，便俯身护住净霖头部，切齿道，“我还没吃！怎能叫别人先尝了你的血！”

小案滚撞在背上，压得苍霁难以喘息，他手不够用，只能硬抗。一片狼藉间，忽见石头小人灵巧地躲闪过杂物，到了他身边。

苍霁几欲呛血：“你休要再玩了！扶我一把……”

石头小人抬臂左右伸展，踩着苍霁的手臂爬上他的肩头。苍霁被压得又低了几分，怒道：“你敢踩我的头！”

石头小人一脚踩下去，苍霁弯着后颈，贴着净霖。这一刻他还有空闲想一想，这人不醒时果见风流之色，与他睁眼时堪称两个人……

“你干什么！”苍霁磨牙。

石头小人揪了他一缕头发，竟像知晓他心中所想。紧接着他背上一轻，小案便被推去了别处。苍霁方获喘息，室内便上下颠倒，原来是宗音寻不到异常，竟要翻过整座山来。

这一下就是净霖的灵界也吃不住，庭园位于山顶，如果倒翻，他们便要落去最底。一座山重压在顶，就是净霖尚撑得住，苍霁也不想冒这个险！若是净霖一口血吐出来，境灵界破碎，他们刹那间就能被挤压成一团碎肉。

浮梨一脚跺在地面，震得正在倾倒的山猛然落回原处。山间飞禽顿散，走兽奔逃，苦不堪言。

“翻山灭灵！你要绝了此地万灵的活路吗？速速罢手！”

海潮漫拍上来，宗音说：“我自有分寸，你让开。”

“你这般行事，我怎能袖手旁观！”浮梨扫尾，狂风席卷咫尺宗音被推离地面，迅速撞向东海。

宗音半空稳身，撕开狂风。他双臂上急速浮现鳞片，重捶向地面。这一定只见四周狂风退散，消失得无影无踪。地面龟裂迅猛，松林翻覆。

“我偏要看一看，此地有何人隐藏！你畏手畏尾，必是害怕惊动旁人。可见此人来历不小，是谁？浮梨，你藏了谁！”

地面掀动，轰然倒起来。

苍霁撞着墙壁，浑身酸痛。他哑声抽气，眼看大势所趋，无力抵挡。净霖随着翻动倾压向他，手臂滑垂在侧。苍霁目光不自觉地随着那指尖走，突然计上心头，伸长脖颈，拼命凑近净霖指尖。

“喂！”苍霁对石头小人嘶声，“把净霖的手指给我！”

他仅仅差一些便能碰到，倾斜的距离越来越大，他只能看着净霖的指尖轻晃在前。

这具身体何其无用，既不高，也不壮，除了装傻卖乖毫无用途！他要长，他要长，他要长！

那白玉般的指尖垂碰，触及苍霁唇间。他想也不想，张口咬了上去！奶牙用力，生生咬出血来。那血入口舌，进喉即如甘露，化作汹涌灵气，冲遍苍霁的五脏六腑。他通身剧痛，骨骼“噼啪”作响，竟然被灵气强行冲开了身体。

苍霁如同骤然疯长的松树，眨眼便觉得四周与先前截然不同。他看得清墙角纹理，听得见远处浪涛。他灵海掀起惊涛骇浪，疼痛煎得他闷声。

净霖到底是什么宝贝！不过一口血而已，竟抵得过百年苦修，让他即便如此横冲直撞地拉开了身体，内脏却又安然无事，未被冲破，除了疼，毫发无伤。

檐廊下的铜铃荡断了绳，滚埋进了雪中，消失不见。灵界以肉眼可见之速渐褪消失，一座庭园立刻暴露在外。

净霖似乎更沉了些，苍霁听见背后“扑通”一声，石头小人不知为何变成了两块普普通通的石头，滚在一旁。

苍霁顾不得他想，因为他没有来得及移动，背后房门便破碎消失。

铺天盖地的压迫踏近，宗音踩在门槛，寒声说。

“找到了。”

却见内室面阴处背坐一人，衣不蔽体，散发凌乱。那人回过头来，分明是张倨傲张狂的少年脸，眼神中却含着猖獗凶意，斩钉截铁道。

“滚。”

宗音并不发怒。

因为他在这眼神里，竟察觉到一星点似曾相识。

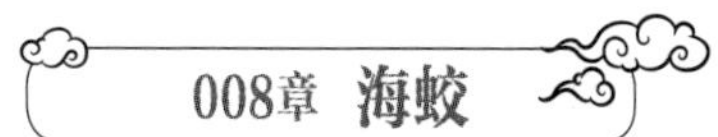

008章 海蛟

苍霁拢紧手臂，将净霖抱了起来。他劲瘦的背部上肌肉随之而动，像是只盘守在阴影下随时都会暴起伤人的兽类，似乎只要略侧耳，便能听见他沉重的呼吸声。

宗音探进身来，他化人时个头高大，连最后这一点微薄的光线也阻挡住。他沉浸在某些回忆中，带着审视、揣测的目光看向苍霁。

“你是谁？”宗音问道。

苍霁被宗音无处不在的威慑刺激到灵海不稳，海蛟的气息充斥在周围，将他囚在狭隘窄角无处逃生。可他也并不想要逃走，他那种极度贪婪、可怖的欲望再度复苏，他在内心深处，藏着无止境的吞噬之念。

苍霁没有回话，他按住净霖的后脑，将净霖的脸埋进自己颈窝。这对此刻的他来说轻而易举，他甚至稍稍用点力，就能折断净霖的腰。他不满的情绪宣泄在目光中，他盯着宗音的一举一动，仿佛那个“滚”字已经表达出了他的全部。

“宗音。”浮梨在后叹气，“你已见到了，这不是邪祟之物，只是条才修得人身的锦鲤罢了。你还要做什么？”

“不对。”宗音说，“你说他是条锦鲤，我却见他颈下有鳞倒生。世有千万

物，唯独龙才生得逆鳞，他根本不是鱼。”

如今天上地下三千界，早已没有苍龙与凤凰。海蛟苦修百年之余，迟迟不见龙门现身，宗音跃门无机，所以一直屈于东海不得晋入九天境。正因为如此，他确信自己绝没有看错。可苍霁又很生奇怪，观他原身，就连他的灵海也筑锦鲤鱼象，浑身不见半点龙姿。最重要的是，他目光含煞带狂，显然是不受常理定论、不遵天地规则，是尚未踏足尘世的妖怪。

奇怪。

宗音忍不住更进一步。

太奇怪了。

“宗音！”浮梨及时拽住宗音手臂，“你岂能再靠近他？你忘了自己是什么。你再好好看一看，他不过就是条锦鲤罢了。这庭园灵气闭塞，内室更是如此，你再靠近一步，他便会受不住你这滔天威势爆体而亡。你与他无冤无仇，何必伤及无辜！”

“若真是条锦鲤，你又何必如此遮掩？”宗音稳声说道。

“我同他有些前缘未结，助他一助罢了。你知道如今分界司监察严格，我助他一事若被人通报了去，说大不大，说小也不小，可总归是违背了天律，不合九天条规。”浮梨见宗音神色难猜，又重叹一声，面露迟疑，只说，“你也知道我曾经归属临松君座下，而君上最恨的便是临松君了。我数百年来不欲触得君上不快，唯恐再招厌恶，自然要小心谨慎。今日一事，看在你我多年情分上，不能化了了吗？”

浮梨已为参离神，北方天象尽归她翅下所管。五彩鸟诞于凤凰之后，是当年君父钦点的神鸟之役，与海蛟宗音不同，浮梨是真正受过九天境文书册封的神仙，她正经说来，要比宗音更高一阶。但也如她所言，众所周知，她还是雏鸟时便睡于临松君掌心，当时参离树根茎受损，她便长在临松君座下，是临松君喂大的神鸟，因此在临松君犯下逆天罪行之后，也曾入过追魂狱，受过君上拷问。最终因为追魂狱查案落定是临松君一人所为，她才得以活命，也因此在九天境荣光尽失，不复从前。

宗音见她情真意切，又将苍霁看了看。他本怀疑浮梨藏下了什么不可姑息之人，但他也确实没有见过苍霁。苍霁即便凶了点，也并无过错。

除了那块逆鳞。

“你将他藏于此处，只怕不止是要助他一助。苍龙千年不出，化龙契机更是难觅，我追寻百年反倒不得，你拾了他，怕也是看中了他的异处。我知道你对临松君一案沉郁于心，一心想要求得他清白。可我也要忠告你一句，浮梨，你亲眼所见，咽泉剑在佛前斩下君父头颅，云间三千甲尽数覆灭，尸山血海染就九天。即便临松君从前是什么好人，可他在那场之后，已经堕入魔道，死不足惜。你不该对君上心存芥蒂，妄图凭借一条苍龙能够翻转天地。”

“我岂敢如此！”浮梨慌不迭声，震惊道，“你怎可这般揣测我一片忠义之心？参离树众鸟群兽的性命皆系在这里，我若有心谋逆，岂有颜面回见参离树。你若不信我，尽管将我等交于上边，我早入过追魂狱，难道还怕不成！”

宗音终于退后，让出身来。他说，“我今日可以佯装不知，但此妖物也不能再留于东海之滨。你既要助他，就将他引入正途。我观他本性恣肆难驯，若是踏进歧路，必成一代祸患。你带他走吧。”

浮梨面沉如水，抬手谢礼。苍霁正欲起身，便听宗音话锋一转。

“他可以随你去，但他怀里的人得留下。”

苍霁目光一动，哑声道：“休想，我的人，凭什么留给你？”

“是你的人，还是你的食粮？”宗音说道。

苍霁一滞，抱紧净霖。宗音原地不动，却牢牢控住了出路。浮梨心下不妙，正欲再说，宗音却侧目。

“要鱼我尚能理解，人你也要这般索求又是为何？难道你与人也有些前缘吗？参离树下不见凡人，你就是想有，怕也不容易得。我已容你带他离开，留下一个人反而不行？”

浮梨不动声色，只看了苍霁几眼，说：“若真是个人，留与你又有何难？可他本是石头砌来的东西，像个人而已。痴儿，不必再遮掩，给大人看一看也无妨。”

“不成。”苍霁俯首抵在净霖发间，很是爱惜的模样，“我的东西，不叫别人看。他若是看上了这副皮囊，非要夺走，我也打不过他。”

“不必遮掩。”宗音说道。

苍霁冷嗤：“你今日仗着修为地位，屡次责难于我，便不怕来日你我再见，成了宿怨。我不过喜爱一块石头，你也要这样强看了去，神仙便是这样行事，这样无礼吗？”

“不要与我做口舌之争。”宗音说，“速速让出人来。”

苍霁撩开净霖侧面的发，隐约露出个形来。宗音只能看见轮廓，但那胜雪的白皙反而生出点不似活人的妖冶，让人亲近不得。苍霁手掌贴着净霖后心，在这漫长的一刻中，几乎要信了这是个死人。因为净霖侧枕着头，一动不动，任凭摆布。浑身没有一点温度，原本感受过的温与润也一并化作了冷硬，肌肤触摸起来像是瓷般的滑腻，却唯独没有活气。

苍霁胸口不可自控地急促跳动，他又惊又疑地想，净霖到底是醒了，还是死了？

浮梨一步上前，涩声道，“石头你也要吗？做个石头与这痴儿玩，好让他不去真的扰乱红尘，也不行吗？”

宗音见她已露出欲泣的愤怒，不禁沉默不语。他心觉蹊跷，却断然对浮梨说不出来。他又将苍霁盯了片刻，才说，“职责所在，对不住。你们走吧。”

浮梨心中却没有松气，她深知宗音为人，今日一事必定引起他猜疑，只是不好为难，但一定会暗中追查。可也无法，久留下去，引来闲杂人等反倒难交汇身。

“我将此庭园一并带走，不留痕迹，你也不必为难。”浮梨说道。

宗音略颔首，退了几步，化作蛟龙，入空前对苍霁道，“你天生逆鳞，我不知缘由，料想你离化龙契机必定不远。你好自为之，否则来日再见，必是一场血雨腥风。”

苍霁看也不看他，不知听进去了几分。宗音一走，浮梨便快步上前，将净霖看了，惊魂未定。

"九哥？"

净霖眉间一皱，睁眼呛血。他气若游丝，胸口重新起伏起来，四肢的冰凉缓慢褪去。

不想只是百年而已，当年在他座下戏水的小蛇，已成了如此威势，竟震得他险些露出马脚。

苍霁对上净霖的目光，来不及调整，便见净霖眼中冷厉，盯得他心里发毛。可他这双眼睛生得好，含冷时便是桀骜锐利，狂得上天。可一旦纳了笑，便溢出些轻快舒朗。他尽管将笑都推进眼睛里，变得恳切又真挚。

"我怕得要命，只以为你醒不过来了。"

苍霁忌惮浮梨在场，将他咬过的伤口握藏于手中，算定以净霖的脾气，必不会向浮梨开口求助。

果然见得净霖缓缓露出一点冷笑，轻声说，"一觉而已，你长大了许多。"

苍霁将他抱起来，道，"是啊，日后你便不要怕了，我会好生待你，就如你待我一般。"

"不必客气。"净霖由他抱起来，"给你的便收下。"

浮梨觉察不对，问道："九哥给了他什么？你如今不便行事，将他交于我照顾也无大碍。"

净霖半敛了目，懒散道，"只怕你喂不起。"

浮梨倏地醒悟，转向苍霁，怒道："你竟敢？！我道你先前不过小儿模样，怎的短短一瞬，不仅身形长了，连心性也稳了不少！竟是吞了九哥的血肉！"

苍霁搂紧净霖，灵活地闪避一步，嘴里却委屈万分，"姐姐误会！情形危急，不得已罢了。否则叫那海蛟看清楚，今日我们三人谁也活不得。"他说着偏头轻嗅过净霖发顶，笑道，"何况我对净霖敬爱得很，恨不能日日捧在掌心里嘘寒问暖，哪里舍得再啃他几口？"

即便要啃，也需万事俱备，不留后患的时候。

浮梨见他全然不似小儿时，就连内在都仿佛换了个人。此等妖物，果不寻常！可净霖又不似被挟持，她一时间拿捏不定。

“你将九哥还与我，今日之事，我绝不追究。”浮梨不想才出虎穴，便入狼口。

“我怕。”苍霁不欲在今日激怒浮梨，便道，“可我句句属实，不信姐姐问一问净霖。”

净霖将苍霁看了一会儿，苍霁觉得那目光犹如实质，仿佛只冰凉的手，在自己脖颈处走了一遭。

“养了许多日，跑几步还是行的。”净霖移开目光，“去廊下。”

苍霁便对浮梨笑了笑，跨步出了门。他说，“你要找什么？”

“我将这庭园一并移走，九哥到了参离再寻不迟。”浮梨紧随其后。

净霖一概没答，他目光追寻到了檐边，稍一沉滞，道，“铜铃去了哪里？”

苍霁吹了下断掉的绳子，“怕是翻山时丢了。”

“不能丢。”净霖说，“我要铜铃。”

苍霁正欲调笑，却见他不似玩笑，心里转动，微微压低声问，“什么要紧物，拿来哄你睡觉的吗？平日也不见你多珍爱。”

净霖略抬下巴，示意他靠近。

“你吃了我也不过几百年的修为而已。”净霖说，“要紧的在铃铛里。”

“我只尝了一口不知真假。”苍霁并不急，“你诓我怎么办？”

岂料净霖轻笑一声，微热的气流搔过耳垂。苍霁微抬了眉，唇边也笑，眼里却没笑意，说，“你就料定我会去找。”

净霖却说，“眼下不是你在做主吗？”

“要找也可以。”苍霁耳语，“让这位姐姐离远一些，你便指哪儿我去哪儿。”

浮梨若是一直跟在身边，苍霁必然不敢妄动。他已经知道了净霖血肉的好处，此刻净霖便是吊在他鼻尖的肉，让他一心向善不要贪食断然是不可能的。何况如今位置颠倒，他可以将净霖抱在怀里，也可以丢在地上。他位于主宰，从仰视骤然变作俯瞰的快感难以形容。

净霖道：“须得牵着你，方能叫你辨清方向。”

苍霁装作听不懂："好净霖，这不就已经牵着了吗？"

那头浮梨半晌不得回应，已经探查向前。苍霁退一步，对着净霖和颜悦色地哄道。

"净霖，你要与这位姐姐说什么？"

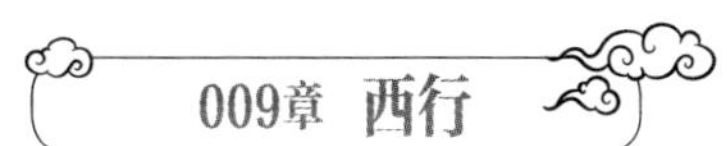

009章 西行

阿乙本栖树上，忽见夜空中流光溢彩，便知是他阿姐来了。他不见蛟龙，只以为他阿姐是来寻他回家的，当下跳下树枝就钻进雪丛里，想要躲藏起来。他撅着尾四处钻时令人啼笑皆非，因为他尾巴上光秃秃，早被苍霁拔光了。

阿乙奔跑时惊醒了鸟禽，听得山中草木精怪们嘻嘻偷笑，他便色厉内荏地骂道，"谁？谁再笑一声，我就挖了他的眼，咬了他的舌！"

可是周遭俱是精怪，他们掩在树上，躲在雪里，笑声越来越多。阿乙气得蹦跳，只觉得自己仿佛被人扒光围观，又怒又恨，愤然道，"不许笑！不许笑！"

阿乙受到此等侮辱，心里已把苍霁恨得扒皮抽筋。他怒火攻心，掉头就想去净霖的园中，揪出苍霁毒打一顿。可他没跑几步，便觉得脚下一震，随即整座山都在倒倾。满山禽鸟乱飞，阿乙惦记着他阿姐还在上边，便使劲向上边冲。

一头野猪撞出来，来不及避闪，拱起阿乙就跑。阿乙被拱上野猪背，颠得七荤八素。

"不长眼！找死吗？！"阿乙弯颈骂道。

"要死了！"野猪喘气激烈，埋头狂冲，"海蛟翻山！再不跑便要死了！"

"一条蛟而已，连龙都算不得，你怕什么？"阿乙反倒放下心来，"那是东海掌职之蛟，必不会伤及无辜，多半是在巡查此山。喂，你看见我阿姐没有？"

"见着了，见着了！参离神的翅膀晃得我眼痛！"野猪狂奔向山脚。

阿乙仰头一笑，展开双翅，得意道，"那是自然，我阿姐可是……"

他话还没完，一阵雪风席卷而过，擦过他翅膀时只听“叮当”一声，被他不防刮下一只铜铃。

阿乙盯目一看，转而问道，“你偷别人的铃铛干什么？”

雪魅团聚成形，面容已经毁了一半。他掩着面露出一只眼睛，有些惧怕阿乙，强笑道，“被风刮了去，没人要，我捡来玩一玩。”

“这么好玩吗？”阿乙冷笑，“那便送给我，我也拿来玩一玩。你滚吧。”

雪魅猛然露出狰狞半面，对上阿乙的目光，又变作惶恐哀求，“我在此山数百年不得外出，难得一件小玩意，便留给我吧……”

阿乙摇晃着铜铃，说：“一只破铃铛，这么有趣？你说我信不信。”

雪魅眼底阴冷浮动，声音如同哭泣一般幽怨缠绵，“你有什么宝物得不到？我便只是想要一只铃铛解闷而已，你连这也要同我抢？”

阿乙声音一变，倏忽抬高，“抢？呸！谁稀罕一个病秧子的破铃铛！倒贴给小爷我也不要！什么玩意，你竟说我抢你的！我今日偏不给你，你能如何？还不快滚！”

雪魅煞气横现，竟敢来夺，“还给我！”

阿乙身上系着浮梨结的印，鬼魅一类皆无法近身。他见雪魅竟胆大包天地对自己动手，连带着苍霁那份恨一并加到雪魅身上，抬脚将雪魅踹了个底朝天。雪魅不过是扑近了些，便被他五彩毛烫得吱吱叫。

“瞎了你的狗眼，连我的也敢抢？！”

雪魅呜呜声咽，犹如女人一般啼哭起来。阿乙越发长了威风，跳下野猪背，绕着雪魅踱步，孤高地抖擞着羽毛。

“认不认错？怕不怕我！你磕个头求个饶，我就不打你。”阿乙用爪踩着雪魅，“快些！不然今夜就要你死在这里，连魂都不剩。”

雪魅哭得愈发凄切，连阿乙都听不下去了。他抱头呵道，“不许哭！”

“还给我……”雪魅痴念道，“你还与我。”

“你对着一只破铃铛执着什么？”阿乙不解，“莫非与它有什么前尘？”

雪魅一时间只哭不语，阿乙大惊，“可这分明是净霖的东西，难道你与他有些恩怨吗？若是恩怨，你还要它做什么？如不是恩怨，噢——”阿乙自以为是道，“你们有交情是不是？我说他怎的不囚别人在此处，偏偏要囚你。原来如此，原来如此！那我不要你磕头了，你告诉我，净霖是不是……”

阿乙还没蹦跶起来，便见周围走兽一哄而散。野猪头一个跑，边跑边嚎道，“快跑！快跑！”

“跑什么？”阿乙还踩着雪魅，茫然道，“跑什么！”

待周围都跑光了，阿乙方觉不对。因为雪魅也不哭了，只伏在地上动也不动。阿乙心中发毛，退了几步。见无人看他，便也转身就跑。可谁料他跑了几步，就被人从上拧着翅膀提了起来。

阿乙猝不及防，又恍然大悟，对雪魅恨声道，“你竟敢唤人来抓我？！”

他说雪魅怎的哭得跟个女人似的，原是为了引骗人到此地来。他们已到了山脚，不出几里便有人烟，又被山间异动惊动，只怕是来趁乱寻宝的人。阿乙扑腾无法，被人拧紧双翅，塞进布袋里。他此刻满心愤恨，竟不知道该恨谁了！他被阿姐束在原形里，碰上凡人便如同寻常禽鸟，逃脱不得就只能垂死挣扎。

“你想要这铃铛？好！”阿乙拽紧铜铃，在布袋里翻滚，气极反笑，轻蔑道，“你想也别想！我若被人带走了，它也跑不掉。没有净霖的命令，你此生都出不得此山！如何？你再也见不着了！”

却听雪魅扑了上来，雪屑簌簌地滑掉，“你还我！”

拽着布袋口的男人只觉得冷风扑打，冻得哆嗦一下，不欲久留，提着阿乙转身就走。

“哼！自作自受！”阿乙晃着铃铛，“你死都见不到了。”

雪魅号啕大哭，难过得像真的一样。

净霖望向西边，夜黑雪阻，什么也望不见。浮梨还待在一侧，心里古怪，因为她在净霖座下时，从未见过净霖同谁如此亲近过，即便是称得上至交好友的杀戈君黎嵘，也不过是给杯茶的待遇。她心觉苍霁邪性，却又因为琢磨不定净霖的喜恶而不敢贸然开口。她如今已失了净霖的宠信，故而更不敢多加插手。

谁知这一点忌惮，正中了苍霁的下怀。

“你去吧。”净霖眉心深皱，察觉铜铃远了，不欲再在此处纠缠。

浮梨伏身应声，连问也不敢问，只接了话，便退后，挥手将庭园化作荧光一点，带入空中。

“这下便是你我两个人，无人打扰。”苍霁说，“你若日日都这么听话，我倒省了许多力气。”

“手拿开。”净霖打断他，如此说道。

“净霖，何必凶我？我此刻还心下慌张，怕得不行。”苍霁说着回首，目送云间游动的蛟龙远去，“铜铃在哪儿？”

“往西去了。”净霖说道。

苍霁却原地不动，他也知西边是中渡富饶繁华之处，万灵混杂。他犹豫这一瞬不是怕，而是掂量得失。

他若在此地吃掉净霖，必是一人独享。可去了西边，便不知有没有别人也窥探净霖的血肉。他没有半分要与人分享的念头，这是护食本能。

净霖洞若观火，讽道：“既然害怕，不如立刻吞食掉，即便少吃些修为，也聊胜于无。”

“你还真是体贴入微。”苍霁眉间舒开，不见阴郁，嘴里却说着，“上路前话须说明白，不论遇见什么东西，你且不要让他们碰了你一分一毫。我虽然生性慷慨又大方，却对吃食颇为讲究。我要吞下腹的，少根头发丝也不行。”

“今我为鱼肉。”净霖说，“刀俎如何，说给我也无用。”

“那便换个说法。”苍霁捏正净霖的脸，缓慢道，“我修为方聚，正是贪食之时，谁敢抢我的鱼肉，我便加倍从谁身上要回来。但你若去碰了别人，想要趁机逃身，净霖，”他俯首，眼底藏着狠辣，“我就将你拖回来，一寸一寸撕干净，丁点儿血也不会漏给别人尝。”

“相伴多日。”净霖用看稚儿的目光盯着他，“竟未察觉你这般天真可爱。”

他不像是个人，也不像是条鱼，分明像是只兽。贪得无厌又固执己见，伪装

了得又冥顽不灵。净霖仿若对着一面镜子，看见的是自己。

“何必自谦，你早有所察，有意放纵而已。”苍霁松开手，道，“如何？将我喂成这个样子，是否如你所愿，分外满意？”

净霖不答，苍霁跃身向山下。净霖的袍袂吹荡，天青色犹如一剪春水，浸了苍霁一个满怀。他们在起落间看似相依，又具是沉默不语。

苍霁向西追寻，后颈一重，突地爬出石头小人。他登时大笑，比见了净霖还亲热，“我当你死了，再也醒不来了呢。”

石头小人不知为何，捣了他好几拳。苍霁不痛不痒，略晃了个身，便将它晃了个跟头，掉进净霖怀里去。他瞄一眼净霖，却发觉净霖又合上了眼，便负气暗哼一声，心道。

他向来如此，叫我有时候恨不得立刻咬死他。

他这般想着，便对石头小人说，“你虽然是块石头，却比活人热许多。”

净霖恍若不闻，石头小人坐在净霖胸口往下望。苍霁说，“夸夸你也不见高兴，石头都这么蠢吗？与你主人一般无二，简直像是一个……”

石头小人一头撞得苍霁咳嗽，他险些栽进雪里，将没说完的话又吞了回去。

010章 罗刹(一)

几颗铜珠滚在地上，风霜雕鬓的男人弯腰捡拾。一颗一颗擦净收入钱袋，系口时传出铜铃的叮当声。对面站着抱算盘的老头，将珠子拨得噼啪响。

“结清了就走吧。”老头头也不抬，随手挥了挥，驱赶道，“快给后边的让个位。”

男人一声不吭，转身推开人群，挤去街市。阿乙一路被颠得两眼发黑，此刻只能奄奄一息地躺在地上任人称量，看着罪魁祸首隐入人海。

男人束领罩帽，将一张沉默寡言的脸隐藏在阴影下，隐约透露出一点冷峻的线条。他在比肩接踵的街市人群中目不斜视，如同穿梭热闹喧哗的一颗石头，既不起眼，也没兴趣。他插进小巷，砸响一道窄小的门。

门缓慢半启，露出女人脂粉半褪、困倦的一张脸来。花娣倚着门，连外衣都懒得拢，见了男人，便说："又白走了一趟，兜里空空是不是？混账东西，只将老娘这里当作客栈，给脸上头。"

花娣嘴里骂着，却让出身来。男人闪身进去，便觉得一股香暖扑面而来。他摘了罩帽，蜷身坐下在女人的小榻上。小炉上煨着酒与粥，他冻了一天一夜的手脚终于能够回暖。

花娣窸窸窣窣地钻进被里，背着身，眯了一会儿。听不到身后人动，又骂道，"去了趟深山野林，连吃也不会了吗！"

男人沏了酒，咽了一口。只是规矩地坐着，半耷拉着眼。屋里安静，他一入门便瞧见了没收起的杂物。他喉中滚动，低低地溢出点叹息，倒在不足身长的小榻上，蜷身合目。

"北边有消息吗。"男人压声问道。

花娣睁开眼，注视着俗不可耐的帷帐，上边垂挂的小镜只能容下她的一只眼，模糊了眼角细纹。她抬指捋了捋鬓发，仍是尖锐十足地回答，"我以为你已经放弃了，走个十天半月问也不问，原来心里还记挂着呢。"

男人翻不了身，佝偻在窄榻上略显狼狈。可是他神色如常，已经习惯了。

他说："我只有一个女儿。"

花娣鼻尖一酸，她连忙摁着眼角，强稳着声音哼一声，说，"你死了婆娘，穷得揭不开锅，谁还愿意跟着你？连婆娘都讨不到，还指望有几个女儿？"

男人说："一个便知足了。"

花娣说："北边还没来人，雪路难走，还要几日。况且中渡这么大，拐走的孩童哪那么容易找到？你不明白么。"

男人便不再说话，睡了过去。他一路跑得辛苦，觉察到后边有妖物追赶，幸亏贴身带了件神行的宝贝，才得以脱身。如今入了城，只要混了气味，就不怕那

妖物再跟着他。

苍霁鼻尖微动，说："我找不到他了，这里人满为患，混进去便分不清了。净霖，你的铃铛在哪儿？"

净霖在人群中目光巡视，说："不见了。"

此地上设分界司监察，下置凡人府衙镇邪，又混杂人妖无数，层层阻隔，致使铜铃的感知也变得微弱。

"此镇不小，要只铜铃无异于大海捞针。"苍霁说，"我猜他断然不敢随意出去，所以何必急于一时。喂，我跑了一夜，眼下饿得很。"

净霖抱起石头小人，沿街徒步。他微阖目，便能觉察周遭妖气冲天，披着人皮的妖物随处可见。不仅如此，他甚至能觉察到寺庙之间，此地的掌职之神正在张目巡查。

这便棘手了。

"能吃吗？"苍霁倏地从侧旁俯下身来，贴在净霖耳边，"你给我吃，或是我去觅食。这么多人，少上一两个，也不足为奇吧。"

"你尽可试试。"净霖说，"此地掌职之神是杀戈君黎嵘座下的晖桉，天赐鹰目，可洞察妖怪原形，不为幻形所扰，又兼具通明神识，没有休眠之时，你的一举一动他尽收眼底。"

"那岂不是窥人隐私，毫无德行可言。"苍霁说着，摸了摸胸口，"他能看透衣服吗？

净霖看他一眼，石头小人便也看他一眼。

苍霁微抬了抬下巴，"你要也想看，尽管直言。可他这样，眼睛不会花吗？此处人比妖更多。"

净霖说："他睁眼只见妖物，闭眼方见凡人。"

"那他若是要看你，该是睁着眼，还是闭着眼？"

净霖说："瞎了眼。"

"聊一聊而已。"苍霁手指拿捏住净霖的肩膀，像是扶着他一般，"你怎么

就紧张了呢？”

“手脚都动了，”净霖抬手抵开苍霁的手，“便不是聊一聊了。”

“你到底是假正经还是真顽固。你我相识不短，这般靠近也是应该，”苍霁搭着他肩膀，“你如今可是我心尖肉，丢不起的。”

“那就劳驾。”净霖道，“前边开路。”

苍霁带着他穿过人群，期间时不时会对上些不怀好意的目光。苍霁只在心里挨个掂量着，这只太瘦，那只太肥，通通太丑，一个也下不了口。

净霖顺着他目光，正见只山猫在娇羞含笑，被苍霁盯得耳尖发红，一双眼儿又娇又媚地望着苍霁。

“肥瘦正好。”苍霁说，“就是去头生吃不方便，此地无处埋首。”

“你便只想吃她吗？”净霖问道。

苍霁随即露出“不然呢”的表情，又了然道，“生吃不雅，不会当你面吃。不过你我又不能分开，我进食时，你大可闭眼不看。难道你还对妖怪有慈悲之心？”

“没有。”净霖答道，遂不再问。

苍霁走在街道上，原先还有点兴趣，后边便觉无趣了。因来来去去都是人，说的玩的皆不是他偏好的，甚至不是他能轻易明白的。他觉得自己似乎仍在山上，只是在远远地望人而已。他不明白人为何发笑又为何脸红，他皮下的心脏又冷又硬，既不觉得美好，也不觉得向往。

净霖入了家客栈，像个寻常凡人一样，容貌变得不再吸引目光，只是普通平庸，没什么稀奇了。苍霁知他掩了相貌，看着他递出银珠，然后跟着他上楼。

“人便住在这里吗？”苍霁倒在床上，滚了一圈，撑首看着净霖，“与家里没什么不同。”

净霖说:“既然没有不同，便去你的房间。”

“想要我走有何难处，像从前一样抱出去丢掉不就是了。”苍霁抬手一招，便捞住了净霖的衣角，往身前拽了拽，“你对人世了解甚广，从前来过吗？”

净霖不答。石头小人奋力一蹦，跳到了苍霁肚子上，苍霁想也不想地抬指

弹开，只拉着净霖。

“回话。”

净霖脱了外衣，转身欲走。岂料苍霁竟然飞快爬了起来，将他捉住。

“这一路你竟还不明白。”苍霁危险地抵在净霖鬓边，“如今你我之间谁为主宰吗？”

净霖的衣袖滑掉了些，露出手腕。他眉都不动一下，只是淡淡道：“若凡事都要讲尊卑，只怕对你没好处。”

“我的好处尽在这里。”苍霁说，“在我掌中，除我之外，无人能替我决定。”

“那真是可喜可贺。”净霖不疾不徐。

苍霁又为他的态度恨上心头，垂下头，脸上已经露出点狠意，嘴里却还笑道：“你半点都不打算低头，连怕都不会怕。我又想起来了，你丢掉我的时候也是这般，既不难过也不垂怜。我此刻疑心你到底有没有心，算不算人。”

净霖的半张脸陷进被褥间，后颈暴露出一截儿白色。他唇线紧绷，闻言冷笑：“不记得了吗？我就是死人。”

“死人多半开不了口，”苍霁说，“我再给你一次机会，我们好好说话。你以前来过吗？在做神仙之前，你是个凡人吗？”

“我进食前从不会问食物心情如何家在何方，”净霖目光微寒，“你总在一些地方显得格外……”

净霖话音未落，闭眸抽气。

苍霁咬住了净霖的后颈肉，果真又尝到了那种充满灵气滋养的酣畅，它们滔滔不绝地奔腾入体，让他贪吃的欲望甚至有些无法遏止。

吃掉他，只要吃掉他，净霖的这些冷漠和戒备就会被一并吞咽下腹，从此消失不见。

苍霁齿间微磨，咬破了净霖的皮。他贪婪地舔舐着那一点点的血，正欲吞咽，便发觉净霖已经垂头不动了。苍霁猛地松口抬身，他翻过净霖，发现净霖已经陷入昏睡，并且浑身发凉。

不对。

苍霁觉得哪里不对劲。他确实一直以来都想吃掉净霖，但他从前即便受到血肉的诱惑也不会像这样疯狂。他隐约察觉到，自从沾过净霖的血后，他反而才像是被吞掉的那一个。他必须弄清楚净霖到底是什么，否则他会感觉自己处于别人的五指之间，一直在受人推动，被人操纵。

苍霁擦了把唇角，望向窗外。石头小人步履蹒跚，跌倒在床褥间。苍霁拨了它几下，看它精神萎靡。

“我咬的是净霖，”苍霁指尖抵过石头小人的脸，盯着它说，“你虚弱什么？”

石头小人一动不动，拍开他的手指，埋头在被褥里。苍霁将它拎起来，搁到胸口，躺身侧看净霖。

“他若是像你这样不会开口就好了，”苍霁末了又后悔，只说，“算了，他本就像个闷葫芦。喂，你跟着他多久了？凭什么他就对你那般和颜悦色。我们都是一同被养来玩的，还分先后顺序吗？”

石头小人翻了个身，趴着看他，又转过头，像要睡觉。苍霁偏要把它颠过来，惹得它抱起苍霁的手指就捶。苍霁与它玩了一会儿，不觉天色渐暗，时至晚上了。他吃饱了，便也昏昏欲睡。

半夜起了风，刮得窗外枝丫乱晃。苍霁突地醒过来，翻身下床，轻推开窗户。狂风夹杂着飞雪拍面，他目光警惕地望进夜色，嗅见了一股异常恶臭的味道。

黑夜中骤然扑飞过一只灰色鹤影，巨型白爪，双目犹如磷火闪烁，所经之处尸臭弥漫。苍霁皱紧眉，竟不知道这是什么鸟，只能见它越身屋顶，压过飞雪，俯冲向不远处。随后空无一人的街道上传出整齐划一的锁链撞击声，鬼差们排列有序地跑向大鸟的方向。中途经过楼下，其中一个竟有所感触，抬头望来。

窗蓦然合并，净霖一把蒙住苍霁的口鼻，掩住他的气息。苍霁呼吸微促，竟已经露出了妖物凶相。

净霖眼睛盯着窗纸不动，头却稍偏了些，在苍霁耳边道："不要咬，不要动，不要出声。"

苍霁绷紧的身躯渐缓，颈间已经微微泛起的鳞光也隐藏不见，在净霖手臂间老实不动。

净霖嘉奖似的说："很乖。"

011章 罗刹（二）

鬼差步履匆匆，拖着沉重的锁链经过窗前，似是没有起疑，又或是有要事在身，不欲节外生枝。净霖待他们一走，便收回了手。

净霖指掸衣襟，宽衫便随之落现在肩头。他漫不经心地系着腰带，若有所思。

苍霁如同尾巴一般紧跟着他，问："方才那是什么？"

"一只鸟。"净霖衣衫整齐，正欲抬步，身前便被人挡了个结实。

苍霁斜身靠在门边，堵着净霖的去路，不依不饶地说："黄泉鬼差追只鸟做什么？它通身尸臭冲鼻，不似妖物，反像厉鬼。"

"那是罗刹鸟，积尸气所化，擅变幻百态，好……"净霖稍顿，一本正经地说，"好食鱼。"

苍霁倏地横臂俯身，说："好食鱼？那它何不来这里寻我。"

"别处的鱼更肥。"净霖面不改色地答道。

苍霁用狐疑的目光打量着净霖，心中总觉得不对。可他见惯了净霖的正经，从不见他骗过谁，于是又问："一只吃鱼的鸟，鬼差追它干什么？"

"鬼差或许不是在追它，"净霖说，"而是在押魂。"

黄泉路要经离津岸，鬼差押魂渡津才能到达阎王殿。这中渡万灵死魂无数，此等差事并不好做，时常因为晚了一时半刻，便丢了要押的鬼魂。故而人命

谱上一旦有人寿命将至，鬼差便会早早等候在窗外，待人绝气，套上锁链便能拴走。可人命谱只辨得出、写得下寿终正寝的人，至于那冤死的、突发的须得靠各地掌职之神通告所属分界司，再由分界司递交阎王殿，阎王殿再派鬼差疾步赶往。其中如有片刻耽搁，便会丢掉要羁押的鬼魂。中渡之大，丢了便似大海捞针，难寻了。可这押魂记录又往往与鬼差晋升品级相挂钩，所以如今一出人命，鬼差恨不得分出四条腿来赶路。

但今夜稍有不同，竟是罗刹鸟先行，可见镇中必有人死时怨念深重。此事又异于往常，许是铜铃的缘故。

苍霁钻出净霖袖口，扒着他的拇指，探头看向外边。他身形缩小，变得比石头小人还要小，藏在净霖袖中，是因为净霖口中“好食鱼”的罗刹鸟会来捉他，而他此刻还不足以吞鸟。

黑夜仍寂，风不再续，雪反倒下了起来。

净霖鸦青宽衫罩身，冷冷清清地提一灯笼，鞋底无声地踩在细软的薄雪上，不留一点儿足迹。他沿街寻觅，已经走了许久。

“你愈发像个凡人，”苍霁仰头看了半晌，说，“还是说你本就是个凡人？”

净霖不答，反而说：“待会儿匿于袖中，不要轻易冒头。”

“你总是避而不答，反见其中必有缘故，”苍霁懒洋洋地用袖布将自己裹起来，只冒着脑袋，“你把心肝儿藏得那么深，是怕有朝一日被我吞食干净，悟出些七情六欲吗？”

“你在自相矛盾。”净霖说道。

苍霁便知他说的是被自己咬住后颈前的那一番话，不禁用舌尖抵了抵利牙，说：“气话总是不能信的，没人与你说过吗？”

净霖看他一眼，没有回答。苍霁自知理亏，可他并不觉得错。他只是对净霖到底是人还是神或者是个鬼的问题耿耿于怀，但是净霖对待这个问题总是闭口不言，这就让他更加抓心挠肝，非要探个究竟才行。

正想着，净霖便已经停步了。苍霁还没来得及张望，就被净霖轻拨进袖中。他在净霖袖中滚了一滚，再一个鲤鱼打挺盘腿坐起来，侧耳细听外边的动静。

净霖提着的灯笼倏忽而灭，他立在一座紧闭的门前。门檐生草，木板陈旧，土阶上的雪看着积冰许久，却无人打扫。

空中的血腥味似如锈在了夜色里，闻得人喉咙发紧，头皮发麻。苍霁听见有妖怪进食的声音，嘎嘣作响，将骨头嚼得粉碎。

“白日才说此地不宜捕猎。”苍霁双手枕后，笑了一声，“可现下看来分明进食的好去处。”

他话音一出，里边的咀嚼声便停止了。

净霖足尖一碰，门便“吱呀”一声开了。鬼差早已不见踪迹，血泊冻凝在地上，从低窄的里门内擦出拖拽的血迹。净霖跨入门内，此院狭窄，只有房屋两间，一做休憩之用，一做杂物柴房。门不带帘，一只窗已旧损严重，飞溅的血迹从漏洞迸挤在窗沿，不久之前还贴着张脸，红色已经将窗纸浸了个透。

院内不见尸身，似是从屋内拽到了柴房前，又发觉没有死透，用支门的木栓砸得对方面目全非，最终又将人原路拖回。雪间仍留打斗的压痕，印在上边的足迹却是孩童大小。

净霖立身打量着周遭，苍霁忽然说：“我嗅到了人的味道，是偷走铜铃的那个。”

可是此处已经没有人了，盗贼来这儿干什么？他本知自己已被妖怪追赶，逃回镇中更该隐蔽行事。

净霖再跨入内屋，黑暗难辨，他的灯笼火苗一蹿，幽幽亮了起来。然而就在亮起的刹那，一张被砸得坑洼狰狞的脸便直面净霖，怨毒地盯着他。

净霖猛退一步，却不是怕的，而是嫌的。这人口难合拢，狼吞虎咽下的血肉似卡在喉咙，只能费力地半呕。

“我的……”他踉跄迫近净霖，“我……我的……”

苍霁鼻尖微动：“臭死了，是它，那只鸟。”

罗刹鸟半佝偻着吞咽，唾液混杂碎块一并往下淌，它探向净霖。

苍霁立刻狠声:“休叫它碰到你，不然我便撕了它的皮！”

净霖掸袖，苍霁便在袖中喊不出声。可为时已晚，罗刹鸟听见了声响，已起了歹念。它喉中“咯咯”地溢出鸟鸣，疯扑向净霖衣袖，竟想捉了苍霁。苍霁在袖中颠得眼冒金星，抱紧净霖的指，想也不想地就是一口。

颀长的身躯顿时立现而出，苍霁一手覆鳞，竟仿了那日海蛟宗音化人时的样子。他照头摁住罗刹鸟的后脑，蛮掼向下，将其门面砸在地面。

“我不管你是谁。”苍霁阴冷道，“但我的粮你也敢夺！”

声还没落，净霖便照他后领一拽。苍霁竟被拽得后仰，上方重坠下的人体几乎与他擦肩而过。

净霖敏锐地捕捉到铜铃声，他抬脚翻踹，强风在逼仄的房中陡然掀浪，冲得罗刹鸟滚身向后。他一手拎着张牙舞爪的苍霁，一手点画成符，青光微亮，虚符刹那张大，将两人挡在符后。然而净霖一夜间被苍霁咬了两口，哪里还扛得住，下一刻，符文被罗刹鸟尖声撞得抖动，青光溅碎。

净霖胸口一沉，掩口呛血。

罗刹鸟双只并身，一齐突进，直挖向净霖的眼睛。苍霁横臂格挡，鳞片迅速覆现手臂，纵然如此，也被罗刹鸟一爪挠得血花顿现。

“不过须臾。”苍霁说，“它怎的变得这么强！”

净霖气息不匀，两个人一齐退身。他招袖引风，雪花拥簇灌下。罗刹鸟终于露出全貌，两只仿着尸身的模样，化作面部残缺的老者。雪花旋搅如刀剐，罗刹鸟齐声惨叫，却不见半点伤口。

“它吃了铜铃。”

净霖话未完，罗刹鸟已经撕开劲风，从背部裂生出灰色双翼，扑风扫雪，一冲而来。

苍霁修为方定，灵海不稳，能筑本相已是贪了净霖灵气的缘故，他此刻即便以命相搏，也未必打得过罗刹鸟。除非将净霖再咬几口，吞几次。净霖更无须说，本已因伤荡空了灵海，全系于一口气吊着命而已。从前在庭园尚可，那是因为铜铃镇门，叫他聚灵不散。若是铜铃尚在，必不如此狼狈，可如今丢了铜铃，

他早已落了下风。

苍霁突地抬脚，隔着门板踩住往外冲的罗刹鸟。他重力压踩，罗刹鸟探手在旁胡乱挣扎，翅膀扑腾在门后。

“给我原物吐出来！”苍霁声沉，受着罗刹鸟的冲击，见门板已经不堪重负。

罗刹鸟的头颅忽然破出门板，刺耳嚎叫，“我的……我的！”

净霖说：“与你挺像。”

苍霁即刻拽紧净霖的手臂，恨道：“放屁！我长这个模样？我在你眼里便是这个模样？”

净霖见他会错意，也不及纠正，只是反身扑向苍霁，撞得他后退几步，滑滚在地。苍霁被净霖这一扑背撞杂物，轰然散落的柴火劈头盖脸地砸下来。他骂一声，挥开乱七八糟的碎屑，拖抱起净霖的腰，将人直接扛上肩头，敏捷地翻起身。

罗刹鸟灰翼遮天，连脸也变出鸟相。苍霁扛着净霖伸手擒住墙头，迅猛蹿上，掉头就跑。

“你诓我，它根本不食鱼，它是食人，食眼，食妖！”苍霁跃上屋顶，在夜雪中狂奔起来。

净霖头一回被人这么扛在肩头，颠得胃中翻滚，几乎要泛酸水了。他受不住一般的叹气，按在苍霁后颈，就要抬身。岂料“咯咯”声一瞬降临，罗刹鸟擦着他发梢飞扑而落，像认定了他二人一般阴魂不散，那怪异丑陋的脸已经探至净霖面前。

净霖冷冷地盯着它，夜风再起，刮得它羽翼乱抖。罗刹鸟竟在这一瞬间怯了胆，瑟缩一下。苍霁就在这一瞬间飞跃数屋，猛落下去，当街继续飞奔。

净霖觉得夜景模糊，在这落地的一震中，恍惚忆起些许前尘。他攥紧苍霁的衣，头痛欲裂。苍霁察觉不对，将他拉进怀中。

“净霖？”苍霁再次跃起，他行在大雪中，捏正净霖的脸，“不许睡！”

净霖闭目，拉紧苍霁的衣襟，说：“此地不对劲。”

苍霁被追得仓促，呼吸也错乱了些。他在大雪中分辨不清方向，只是周围的房顶跑也跑不完！苍霁背后扑袭寒风，他沉身而避，却不料左侧兜头抽来一条铁锁，他躲闪不能，眼见要伤。电光石火间，素白的手腕出露在苍霁左侧，将锁链拿了个稳当。寒冰迅速覆裹手背，净霖手上不见伤口，却滴答出血珠。净霖另一只手将血珠抹了个准，抬指便擦在苍霁唇间。

“吃饱。”净霖轻轻一震，寒冰尽碎，他字句清晰地咬着，“我们不跑了。”

纸片般的鬼差们肃立周围，铁链“哗啦”作响，将两人包围起来。

他们分明比鬼差慢一步，本不会鬼差相见，此刻却在鬼差之前。此地确实邪门，这一遭简直像有人在给他们专程下套。

苍霁早在奔逃中丧失了耐心，他的舌尖沿着红色一闪而过，将净霖的大方馈赠舔了个干净。

012章 罗刹(三)

苍霁渗在舌尖的丁点儿血味化作澎湃灵气，浇在喉中的甘甜鲜美涌翻而上，让他迫不及待地露出牙齿。

罗刹鸟夹风扑向地面，然而身尚未落，便让苍霁牢牢抓住了银爪，接着它整个巨身都被苍霁抡转起来。鬼差们不及退后，被罗刹鸟撞飞四散。

“还不束手就擒！”鬼差呵斥一声，旋身抛出长链。

四下的铁链都在大雪中霎地抖开，如同众蟒吐信，雷霆万钧。苍霁脚下避闪，身形矫健，从铁链交错中一晃而过，翻身稳立于链网之上。他足尖压在结链之处，倏忽一撩，便见四周拽着铁链的鬼差们应声而起，被链子所引，撞成一团。

罗刹鸟见状腾身欲走，净霖一步跨前，它便如碰风壁，怨声滚地。它抽搐

在地上，翅爪痉挛，晃得铃声愈来愈响。只见它觉察危急，厉声现出鬼怪浮面，与鸟相拥挤在一张脸上，显得分外可怖。未几，周围便让尸臭笼罩，它竟在吞化腹中的铜铃，妄图突破僵局，逃出生天。

“铜铃在哪儿？”苍霁错身搀住净霖，将罗刹鸟凌踹而起，挡住了鬼差的突袭。

净霖说：“在它肚中。”

罗刹鸟擦地翻滚，又陡然振翅蹿起，叫声凄厉。它已不辨东西，拽着鬼差铁链一顿撕扯，浮着人面的头颅将一只鬼差如同撕纸一般咬成两半，随后仰颈一吞，就咽了下去。

“竟是个贪吃的。”苍霁对着直扑而来的罗刹鸟压动指节，在咯嘣声里随意而笑，优哉道，“可巧，我是你祖师爷。”

音落，苍霁原地暴起。身如鸿雁，踏雪凌空。他掂量铁链，鬼差们逃生未察，便被一股刚硬劲道强拽着拖回身去。罗刹鸟已红了眼，逢人便撕，听得鬼差们一片哀号，竟被苍霁挨个喂给了罗刹鸟。

“怎么样。”苍霁一脚踩在罗刹鸟脑后，甩动着铁链在雪空中呼呼作响，“认个爹来，日后保你吃喝不愁。”

罗刹鸟甩头翻撞，苍霁却稳当不掉。罗刹鸟冲昏了头，竟将目光投在了净霖身上，它翅翼未展，便被铁链束缚勒紧。后颈一沉，登时栽头磕地。铁链绷直，将它脖颈勒得几乎变形。罗刹鸟放声惨叫，面上各色脸孔争先恐后地浮现求饶。

“你要往哪儿去。”苍霁踢偏它的两只脑袋。

罗刹鸟一张面号啕一张面谄媚，齐声说：“饶了我……饶了我！”

“饶你？”苍霁半蹲在它面前，突地露出笑来，“自然是可以的，但你须得回答我几个问题。”

罗刹鸟一双眼灵活转动，一双眼委屈可怜，叠声说：“你问你问。”

不待苍霁招手，净霖已经到了身边。

净霖说：“谁给了你铜铃？”

罗刹鸟不安分地掩面，目光游离，口中沙哑地“咯咯”笑，推诿道：“随便吃，随便吃进来的！”

净霖没有与它辩论真假，只微颔首，继续问：“你居阴墓积尸而化，何必跑来此处觅食？”

罗刹鸟答道：“这里味道鲜美。”

净霖不再问，罗刹鸟见苍霁站起了身，便一面凶光毕露，一面委曲求全地说：“放我走，快些。”

苍霁掌中锁链尽数落地，他对净霖抬了抬下巴，说：“背身或闭眼，你挑一个罢。”

净霖的侧脸被雪掩得白净，他只抽出棉帕，将手指擦得仔细，说：“别溅在衣服上。”

“溅脏了不打紧，你再替我穿就是了。”苍霁将罗刹鸟的脸用脚抵正，居高临下地微笑，“别介，爹就是开膛破肚取样东西而已。”

罗刹鸟四目瞪大，剧烈扭动起来。它被铁链勒紧脖颈，那头踩在苍霁鞋底，越绷越直。罗刹鸟双面浮肿，喉中鼓动含糊，逐渐听见“咯嘣”声，身体已抽搐不能了。浑身灵气犹如被把小刀剔剥了出去，连骨头缝里也没放过。它四只眼一齐翻上，一命呜呼。

苍霁蹲在池中将手洗了又洗，搁鼻尖嗅一嗅，仍然觉得还有恶臭味残余。他烦躁地拨水，冲岸上发脾气道，“臭死了。”

净霖此刻困得合目，只在树上敷衍地嗯声，连眼睛都懒得张来。夜还未过，外边冻得他鼻尖发红。

苍霁赤身裸体地站在水中，鹅毛大雪覆在他肩臂，一瞬就化得淌水珠。他像是不知寒冷，被水埋了半腰也不觉得哪里不对。

“喂。”苍霁甩动水珠，“那铃铛真的不是你的吗？”

净霖慢吞吞地拉回神识，又“嗯”一声，算作回答。他今夜被苍霁要去了几滴血，精神难振，须得睡上一睡。只听水中呼啦作响，苍霁蹚水上岸，双臂一撑

便翻到净霖面前，站着俯视净霖。

“费了一番力气，却是个假的。我没有功劳也有苦劳，你根本不知晓它肚中是个什么味道，”苍霁一边抬臂嗅着，一边用脚轻踢了踢净霖腰侧，“还有味道没有？”

净霖目光稍避，说：“没有了。”

苍霁蹲下身，凑到净霖眼前。他这张脸长得占尽便宜，这双眼更是占尽风采，如此直逼在眼前，让净霖眼睛深处都不自觉地要仓促退让。

“你是不是早有察觉，故意诓我去掏一掏？”

净霖面上微微露出点诧异，甚至称得上是“无辜”，说：“我为何要诓你？”

苍霁怀疑地看着他，说：“今夜处处透着古怪，不像是撞巧，倒是像遭人算计了。鬼差回头追我们干什么？”

“他们铁链空空，没押到魂，必是别人先下手偷了。”净霖稍稍后仰，“穿衣服。”

苍霁不退反进，说：“那跟我们有什么关系？”

净霖说：“一门四口尽数丧命，这案子本就来得蹊跷，又引来了罗刹鸟，鬼差偏偏找不到鬼魂，我们出现得巧，他疑心是情理之中。”

他们是被铜铃引去的，然而从罗刹鸟肚中拿出来的铃铛却并非净霖丢失的那一个。

“谁要套你？”苍霁说，“我们下山隐秘，此地掌职之神也看不见你，还有谁会知道？”

净霖身份微妙，这具身躯到底是人是妖是鬼是神至今都难以定论，可从苍霁得知的故事里，人人都以为他是死了的。那么是谁，谁既知道铜铃的妙处，又懂净霖的脾性？

“也许不知道。”净霖笼呵了呵冻得僵硬的手，“铜铃落于凡人之手，灵气外溢，难免教人察觉。但凡有点修为，便知此物的好处。他既然狸猫换太子，想必是已得了真正的那个，又忧心你我追赶，故而放了个假的前来拦路。”

但时机卡得太好，反倒让净霖起了疑。他心中或许有些人选，只是一概未提。

“那真的铜铃岂不是再无踪迹？”苍霁说道。

“是啊。”净霖静静地看他，“眼下便是吃了我的好时机。”

“那是我的事情。”苍霁差点将“关你屁事”说出来，他忍了忍，才道，“你就这般不想活吗？”

净霖说：“不想活很奇怪吗？”

他的眼神在这一刻出奇的纯粹，好似真心实意地问一问，又好似从来没得到过答案。

苍霁一时语塞，他既想反驳，又觉得无话可说。

净霖活还是不活，关我屁事？只要吃掉了他，他便一生一世都在自己这里，既不会离开，也不会抛弃，如此便可以了。他们往日那点情谊就算到头了，至于他到底想不想活，这跟一心想要吃掉他的自己有什么关系？

苍霁心里另一边又说。

老子就是不悦。

于是他粗暴地从空中揪出崭新的衣物，边穿边回答：“奇怪，怪透了！”

苍霁穿了半晌，见净霖目光微妙，欲言又止，便略微得意地说：“你要看哪里？准许你夸一夸。若不是夸赞，就不要开口了。”

净霖便不语了，待两个人下了树往回去，苍霁便总觉得衣摆烦人，浑身不便。一路悄无声息地归了客栈，净霖方才合眼，后背便被人猛地一扑。

苍霁凶神恶煞地说：“裤子反了你怎的不提醒我？！”

他将人翻了过来，却见净霖并不睁眼，像是已经睡熟了。苍霁既恼又恨，低声道，“你再佯装！”

石头小人从枕头底下钻出来，坐在一旁笑到打滚。苍霁松开净霖，栽在一旁，闷恨得捶着被褥。一双眼又狠又绝地盯着净霖安之若素的侧脸，巴不得马上再咬他几口。

翌日苍霁坐起身，见净霖未醒，便抄起石头小人搁在肩头，打着哈欠下楼找乐子去。他学着净霖的模样，丢了几颗银珠给掌柜，听着掌柜把厨子吹得天花乱坠，随便跟着点了些东西。

“你吃不吃？”苍霁手臂搭椅，对石头小人说，“说来奇怪，你没嘴巴，也不食灵气，整日靠什么活？”

石头小人坐在他膝上，将筷子握得整齐，一副坐等吃食的模样。苍霁觉得它可笑，又心觉它可爱，忍不住颠了颠腿，看它左右摇晃，愤愤地踢自己几脚，便心情愉悦。

正逗着它，忽听堂中有人窃窃私语。

“今日出了大案子！西边卖糖人的陈老头你知不知道？今晨他邻居报了官，府衙来人去砸门，打开一看，嚯！一家五口，全没啦！”

五口？

苍霁心中一动。

不是四口吗？

013章 罗刹（四）

苍霁踢开门的时候净霖已经醒了，不仅醒了，还泡在热水里。苍霁抵上门，一眼便看见净霖光滑——不，应该是光滑却带着如同碎瓷纹路一般勾有疤痕的后背。那不加遮掩的伤纹形成轻飘飘的网，笼住了苍霁的好奇。

“……沐浴不闩门吗？”苍霁抱肩，对自己踹断的门闩视而不见，就靠在门板。

净霖侧看苍霁一眼，下巴与脖颈侧描出优美的弧线。水珠没拭，它们让净霖眉间那点风流雅致在浴桶里袒露无遮。

“门闩无用。”净霖阖目片刻，说，“在底下听到了什么？”

苍霁不答，反而问:“谁在你背上划了这么多道？”

净霖说:“没人。”

苍霁嗤笑:“你已经对我‘坦诚相待’，又何必紧拽着最后那点遮羞布。这天底下输赢有度，你败在过谁的手底下，有什么值得你一而再再而三的掩藏。即便今日你不说，明日就一定藏得住？”

“有道理。”净霖说，“但与你什么干系。”

“关系不一般。”苍霁说，“你日日与我同榻而眠，睡醒便忘未免太寡情寡义。”

“寡情寡义不好吗？”净霖似笑一声，面上却动也不动，“寡情寡义方好下口。”

苍霁还想接话，就见他从水中站起身。水珠滚溅，净霖背着他，招来衣穿。苍霁看着那里衣覆贴上雪白，将疤痕笼罩得隐隐约约，如隔薄雾。

苍霁想避开眼，又觉得避开便是认输，故而站在原地，自顾自地较起劲。

“没人在我背上划道，只是碎开了，”净霖回首，见苍霁如临大敌，不觉一愣，“你贴着门做什么？”

“玩儿，”苍霁对自己那点凶狠的念头放任不管，面上却滴水不漏，“碎开了？你是瓷器精吗？”

净霖冷冷地说:“怎么，你也是吗？”

两人直面，净霖分明矮他一头，苍霁却觉得自己应该再高些。他不由分说地逼近一步，偏头仔细地将净霖看了看。

“脖颈没有碎。”

“碎了一半，”净霖不想在这个问题上多停留，说，“你在楼下听得了什么消息？”

苍霁背起手，如座山般立挡在净霖面前，说:“消息没有白得的。”

“凡人府衙必定会着手调查，”净霖不理他，“他家的女孩儿丢了。”

苍霁惊悚地拽出石头小人:“你偷偷告诉他的吗！”

净霖淡然自若:“昨夜见着足迹，却不见尸身，想必是被人带走了。这案子与你我本没有关系，但昨夜怪异，只怕手持铜铃的人参与其中，所以……你住手。”

苍霁将倒拎的石头小人丢回床上，自己也倒上去，枕着双手，眼睛跟着净霖，说：“所以你也要跟着查。我还听到了别的消息，想知道就求求我。”

净霖开门便要走，苍霁猛地起身，隔空一拽，将人牵着条莹线拉了回来。净霖抬腕，见自己手腕间竟然不知何时被他拴了条莹线。

“只是让你求求我，”苍霁大马金刀地坐着，笑了笑，“动动嘴巴的事情，也要我手把手教吗？”

净霖提了提手腕，这线束缚紧紧，分明是苍霁专门琢磨出来拴他的。苍霁威胁道：“时不待人，别叫我久等。”

净霖唇线紧抿。

苍霁略仰视着他：“你好生奇怪，人都这样奇怪吗？我时常辨不清你到底是冷还是热。”

“冷的，”净霖说，“死人怎么会热。”

“别诓我。”苍霁盯着净霖，有些邪气，“你出汗了。”

他半敛着眼，好似一只细嗅蔷薇的虎兽，又好似一头懵懂率直的骏鹿。天真若是能与邪性并驾，那么多半就是这张脸上的风华颜色，大有净霖不开口他便不松手的架势，仿佛欺负净霖，让净霖为难，让净霖恼怒，便让他自己觉得开心。

净霖终于妥协了，他的疏离抵不过这样的单枪直入，于是他低缓地说：“求求你——这般吗？”

苍霁愉悦地松开手，道：“好说。”

只说苍霁正欲给净霖说道详情，便听窗口被暴雪冲开，呼呼风声赫然在耳边炸响。

苍霁和净霖心照不宣地一齐动作，他仰身横倒。一根降魔杖煞气四溢地甩过两人之间，屋内桌椅闻声粉碎。

“来得妙，”苍霁躺身闷笑，眼里只看着净霖，道，“这可怪不得我，有人

要来扫兴，剩余的话还是留一留再说。”

风雪已经逆涌而入，屋内顿时飞满白片。

苍霁便听见窗口外的人笑嘻嘻地说:“这厢有礼，老朽乃九天境追魂狱醉山僧是也。昨夜是哪位截了我黄泉弟兄的活儿？老朽特来讨教讨教。”

声音方落，苍霁就觉得内屋的顶陡然下压，他眼前景象尽数缩小，周身空隙疯狂减少，似乎被人单单一句话就包进了五指山，紧紧卡住了咽喉。降魔杖一砸，方圆数里顿掀起幽蓝光浪。无数妖怪哀声掩面，竟在这轻轻一砸中险些原形毕露。

这哪是黄泉的人？分明是九天境的封号神明！

苍霁灵海一激，若非净霖先行一步压挡在他胸口，他也要在这一砸中呛血破形。可纵然如此，他也仿佛被人鞭中了脊骨，浑身火辣辣地蹿起剧痛。

净霖万万没算到，躲得过海蛟宗音，却躲不过醉山僧。苍霁即便此刻吃了他，也架不住醉山僧一杖！

苍霁抬指掩掉血迹，起身便撤。可是时机已错，五指山岂是轻易能逃脱的？苍霁不过是起身而已，一个瘦骨嶙峋的戴笠老僧便从窗口倒身晃着脑袋。

“是你吗？别走别走，与老朽玩一玩！”

这老僧不是别人，正是追魂狱中的醉山僧。此人历经中渡九百年，飞升入境，因好酒且疯癫，得了个“醉山”之称。多年前因情断发，拜叩在梵坛佛前，却因为红尘未绝，至今未曾真的皈依佛门。净霖还是临松君时，曾与他有过数面之缘，只是不知这五百年他历经何事，竟变成了这般老态。

醉山僧一杖阻窗，横身挡路，劈手捉向苍霁。苍霁滑身避闪，醉山僧便大笑:“滑不溜秋，果真是条锦鲤！”

他一眼看穿苍霁原身，又往里瞧，见着净霖反倒焦虑地抖起腿，挠了把后颈，喊道:“可你是个什么？人不像人，鬼不像人，遮得倒挺严实！”

净霖按住苍霁的肩头，越身直面醉山僧。只说在这一按一扶中，苍霁便觉察他不仅面容换样，就连气质也随之蜕变。

“我是个什么。”净霖说，“你看不出来吗？”

醉山僧喝得烂醉，一双眼浑浊不堪。他的目光流连在净霖脸上:“不认得，管你哪个!”

掌风霎时打面袭来，净霖晃身躲过，脚下几步走得从容。醉山僧眼中精光闪烁，他“嗯”一声坐直了身。降魔杖轻易动不得，故而他只能如同玩耍一般让双掌追着净霖，却发觉净霖远比苍霁更难捉。醉山僧捉人不得，竟连他衣角也捉不着，不仅起了心思，连酒也醒了七八分。

“你是谁?”醉山僧骤然翻手一推，但听风声起旋，将净霖袍角划破道口。

“遮遮掩掩算什么好汉。”醉山僧将降魔杖重插在地，赤手空拳地拉开架势，“你身法玄妙，怪哉怪哉，老朽与你过过招!”

醉山僧话音尚存，净霖已经欺身而上。两厢碰撞如同疾风骤雨般暴发在室内，桌椅板凳一并迸碎。净霖虽灵海虚弱，却身手不凡，招招狠辣，这一觉让他恢复了精神。醉山僧斜身格挡，手臂“咔”的一声竟被擒扭住，他体格偏瘦，却能纹丝不动，反逼近些，悍然出拳。这一下快若疾风，本以为能使净霖一退，岂料净霖手腕灵活翻动，将醉山僧这一拳拨化去了，反倒两指扣其命脉，身子一卡，将醉山僧轰然翻砸在地。净霖掸摆，动作一气呵成，行云流水。

醉山僧躺了足足几瞬，方才挺身而起。他一脚踏地，周围摇晃激烈，降魔杖叮当旋动。

“你是谁。”醉山僧动了真格，以手覆杖，再次追问道，“天上能压我一手的只有杀戈君，你又是谁，还不露脸来!”

降魔杖金光大涨，方圆几里的妖怪顿时如同惊猿脱兔，仓促而逃。净霖不受胁迫，却深陷醉山僧的凌厉回击之中。醉山僧金杖卷雪，倏忽间一招一式都似乎泰山压顶，重不可接。净霖灵海不及，单凭招式尚能游刃有余，如此一来便是不行，被逼得节节败退。

“鬼鬼祟祟必有阴谋!你到底是什么妖邪!”

净霖面上平澜不惊:“如何，怕了?”

醉山僧脚碰降魔杖，长杖在掌中转动，对着净霖当头就是一杖!

“待老朽砸开这副皮囊一探究竟！”

降魔杖如金裹身，下劈时周遭风声撕裂，万物皆如涛浪两覆。这一下如果砸中了，净霖只怕还要再碎一次！就在这凶险的刹那，醉山僧腕间一沉，整个人竟被巨力拽仰向后。他不过是一瞬疏忽，便见面前的净霖单手一翻，飞雪化剑，果决地横扫向他喉间。

醉山僧立刻借力后倾，净霖的剑端扫过他喉前，他好歹见识过九天诸神，却也要在这一刻的威势下狼狈不堪。然而下一刻剑又化成飞雪飘散，净霖一脚凌踹，醉山僧身撞碎物，翻倒在墙壁。

净霖喘息微错，手腕一动，被苍霁拽入臂间。醉山僧已经跃身而起，怒不可遏:“好啊！老朽今日偏要看看你是谁！”

苍霁被金芒刺眼，净霖冰凉的手已经拍在他颈侧，哑声说:“跑！”

苍霁抱人滚身，门早已破开，两个人一同摔滚下梯。苍霁摸到净霖正在颤抖的双手，拽环上自己的脖颈，想也不想地起身就蹿向外边。可是醉山僧冷声一跺，金光波荡，犹如浪涛一般推拍向两人。苍霁脚点门槛，腾跃而起。

醉山僧说:“别跑别跑，老朽还要玩一玩！”

言辞间风声咆哮，降魔杖被猛力掷出。整个天地间暴雪两分，连风也要为降魔杖让道，它如同利箭一般轻而易举地追至苍霁背后。苍霁竭力跃身，却无论如何也抵不住它的逼近。背部寒凉刻骨，强压直迫，浑身血液都要停在这一刻。

金芒暴射，雪夜异亮。万里雪浪轰鸣滚涛，镇中妖怪厉声痛喊。净霖翻身而覆，掼下苍霁的脑袋，随后降魔杖重击在背，苍霁怀中一沉，两个人在汹涌强风中被砸向雪地。热血迸溅在颊面，从净霖身上淌湿苍霁的胸膛。他撞地剧痛，一把捞住下滑的净霖。

手掌所及，鲜血淋漓。

014章 朔风

朔风乱雪，灰白庇夜，雪渣子灌进领口，擦得苍霁骨头生疼。

怎么会这么疼。

苍霁收紧手指，净霖背上血肉模糊。他闷声爬起来，扳过净霖的脸，带血的拇指不断地擦着净霖的颊面。刚才还是净霖在抖，可是现在只有他在抖，他才明白变为人有时候也控制不住这样的颤抖。

苍霁齿间咬得咯咯响，恨红了眼。他应该愉悦，将这团血肉吞进肚中去，可是他根本不知道为什么，这一刻他只想咬断醉山僧的喉咙。

降魔杖落回主人手中，醉山僧斗笠早脱，露出贴着一层青皮的脑袋来。他原本形容枯槁，此刻反而显出青年之容。醉山僧持杖靠近，嬉笑皆隐。雪淋在他破衣烂衫上，茶褐袈裟陈旧泛白，架在他身上似若偷来的。

“你不过一条混沌初开的鱼儿，即便此刻误入歧途也尚有归道之法。此人古怪，用些邪说诐辞迷惑你心也不足为奇。”醉山僧驻步，“待我了结他，自有你的生路。”

他形容一变，连“老朽”也不称了。那双眼睛仍是浑浊，与他此时的面容格格不入。他的醉态也不翼而飞，仿佛方才的俱是假象，现在的才是醉山僧。

醉山僧对苍霁的修为了然于胸，若说净霖尚有他肯垂目的地方，那么苍霁便根本不值一提，他只消动动手指，便能将这尾锦鲤抹干净。但他自认为不是弑杀之人，所以不肯对苍霁再开杀戒。

苍霁并不答话，醉山僧见他毫无悔过之心，不禁提掌相催，要他让开。苍霁狼蹿而起，健硕长身如同飞凌的利刃一般扑向醉山僧。

醉山僧斥说：“不自量力！”

苍霁身破雪障，擒住了醉山僧的左肩。醉山僧定如磐石，斜肩一缩，徒手回震。苍霁五指绷紧，接招不退，全凭蛮力抵着醉山僧退了几步。醉山僧怎料他竟会这样蛮缠的打法，全然一副不顾性命的模样，当即快步避退。

碎雪飞扬，地面被荡起细雾般的雪屑。醉山僧手臂间嘭嘭嘭声不绝于耳，他素来看不上这样拼命的纠缠，却不料今日遇上了这样的对手！他不肯动辄杀人，故而一让再让。苍霁的肩臂和脖颈皆现鳞光，醉山僧拳头打上去只觉得坚不可摧，难以贯穿。

醉山僧一脚蹬后，稳住身形，猛地旋身抬起单膝。苍霁并臂抵挡，仍被震得内脏翻动，周身酸痛。净霖的血化在口齿间，苍霁内火越燃越烈，有些不死不休的架势。

苍霁尝到了自己的血味，他齿间不松，陡然一头撞在醉山僧脑门，就是醉山僧也不曾见过这么无赖的招式！立刻双眼一花，被苍霁摁进雪中。苍霁一拳砸在醉山僧颊侧，摁着他的脖颈死死卡住。醉山僧双腿果断抬起，屈膝重击在苍霁后背。苍霁仿若被压在巍峨之下，只是不肯撒手。

醉山僧喘息困难，一掌拍地。降魔杖转动斜飞而来，苍霁跨足猛压下他的手掌，整个人像是饿狼扑食一般。降魔杖应声摔地，醉山僧面色逐渐泛青。

“回……回头是……岸。”醉山僧怒目切齿，“否则我……”

苍霁呼吸急促，他十指紧缩。

醉山僧手指划在雪中，凌乱地画出咒阵。霜雪忽滞，紧跟着头顶阴云滚滚，霎时落坠下一座倒置的仙山来。仙山卷风，急速坠袭而来，在半空猝然化成一巨影，垂拳向苍霁。可是已经晚了，醉山僧眼见巨影将至，手臂间却泄出剧痛。他嘶声痛呼，被撕咬开的地方灵气迸发，竟不受自控地冲向苍霁。

醉山僧从未经妖物啖过灵气，一时间浑身寒战，灵海滔滔不绝地外溢。他震身脱开钳制，杀心已起。

此妖邪乎！不可存留，他日必成祸乱！

分界司中的天水溅晃，祀庙间的掌职之神倏然出声：“醉山僧，且住！”

巨影捶拳击破此镇结界，幽光顿碎，随之而来的便是屋舍齐塌，街市崩坏。不论人妖，皆抱头鼠窜。醉山僧的虚灵伪相大可遮天，一拳下来只怕镇子不消片刻就会泯灭不见。

空中白影突现，单负一手，此人长发一荡，袍袂飘飘，竟行单影只地迎上了

醉山僧的伪相。那庞然巨拳贴向他的手掌，登时化作碎光飘散。

晖桉眼遮白绫，沉声说:“醉山僧，休要伤人。”

却见醉山僧翻卧在雪中，一臂浸血。

“你又阻我好事！”醉山僧头抵雪间，重重地磕了几下，骂道，“老子竟疏忽大意，看走了眼！”

晖桉落于他身侧，探手欲扶。醉山僧劈手拍开，拽过晖桉的衣襟，暴跳如雷:“快追！此子留不得！你我生死一线，就在今晚了！”

晖桉露在白绫之下的鼻梁直挺，他抬手轻覆在眼前，白绫落滑，睁开了一双锐利鹰眸。

苍霁费力地撞开院门，门板不支。他抱着净霖滚身而入，躺在雪中痛苦喘息。吃下的灵气并不如他所料，不似净霖那般甘甜温和，而是横冲直撞地刺骨寒冷。

苍霁终于觉得冷，他摸到净霖后背，血已经凝结成了冰碴。

“净霖。”苍霁喊，“净霖。”

净霖眉心死气沉沉，苍霁拖着他，移到了墙角。体内醉山僧的灵气仍在作乱，激得苍霁手脚在抖。

苍霁不得已，咬了净霖。那冰凉凉的甘美化成一捧捧的温泉，从苍霁喉中鼓冒出温柔暖意，让他平息颤抖，逐渐压下了醉山僧的那一股作乱的气息。然而苍霁看不见，他灵海中的鱼相已经起了变化，形态略异于之前，只是尚不明显而已。

苍霁略恢复些气力，便须立刻寻找托身之所。他深知醉山僧必不会轻易放过他们，此地的晖桉也会例行巡视。

苍霁打量四下，是个简陋窄院。他用脚合上院门，却没有在此停留，而是抱起净霖单手翻上屋顶，贴着夜色摸索去了更加幽深的矮巷。他无声无息地落进矮巷，沿墙直入里边。

一道矮门紧扣，苍霁听了听，不见有人，便重力撞开。内室的余热如浪拂

面，驱寒煨身。他抵上门，在磕绊的杂物中，将净霖翻放于床上。

这屋子窄小，梳妆匣却是满当。妆镜擦拭洁净，陈柜中溢出的薄衫轻纱多是艳俗之色。小炉尚暖，温着壶酒。

苍霁贴着净霖横身躺下，近看净霖唇上泛白。他覆着手指擦了几下，面上渐溢凶色，擦得也用力些，擦出些红润后方才停手。

他这样抱着净霖，好似就能够让净霖暖回来，醒过来。

花娣冻得裹紧绒袄，跌跌撞撞地扑到门上，想做稍歇。她身上还污着，酒气冲天，心里沤成了脏水，恶心得她几乎要吐出来了。可谁知她不过是靠一靠，人便一个扑通倒进去了。

“谁偷到老娘……”她骂骂咧咧地爬起身，撑着梳妆台，掐腰要继续骂，却又戛然而止，讪讪地说，“……还睡在老娘床上。”

花娣转头提声，尖声喊：“抓贼呀！”

声音才出，苍霁已经眼疾手快地捂住了她的口，一脚关上门，将女人拎回来。花娣鹌鹑似的挣扎，觉得苍霁臂力骇人，再扣紧一分她就得见阎王了。

苍霁低声说：“打个商量？银钱好说，借住几日怎么样。”

花娣挣开口：“话说得好听！躲仇家的吧？啊，万一人砍到老娘门前，我该找谁哭？！”

苍霁手臂一松，终于让花娣落地。花娣爬身到另一边，攥紧簪子飞快后退，摸着脖颈喘息。

苍霁蹲下身，眼里的凶悍抹得一点儿不剩，只余着一丝丝一缕缕的为难和踌躇，衬着这张脸活脱脱是一个初出茅庐的少年郎。

他目光恳切又讨饶：“姐姐，给个活路行不行？”

花娣不好糊弄，并不松口：“乖弟弟，咱也是一介女流之辈，下三烂门槛里混点饭吃而已，没道理为难我是不是？”她仰仰头，“门外右转几步路，现成的客栈由你住。”

苍霁面容线条回缓，在眉端压成了一副心事重重的苦恼。他点了点床上，

话绕舌尖难了半晌才吐出来:“救救命罢。”

他若说些花言巧语，花娣必然不信，可他偏偏似有难处却不道出的体恤样，倒还真让花娣动了恻隐之心。花娣到了这个年纪不是没有过孩子，但正如她自己说的，下三烂门槛里混饭吃的女人，谁敢生个孩子来讨债？连爹都不晓得是哪个呢。

苍霁一目了然，连少年人的忐忑细节都模仿得惟妙惟肖，因着这张脸，显得既不违和，也不古怪。

花娣戒心稍退，仍坐不动，而是望了床上:“兄弟俩？”

苍霁神色尴尬，有苦难言。花娣见多识广，当下略一抬眉，插回簪子，颇显造作地掐腰起身，“被人赶出门的吧？”

苍霁惯会装腔作势，面上不露，只颔首回应。

花娣一看被褥，倏地变色:“怎这么多血！”她素指一掀，顾不得摆谱，愕然道，“伤得这样重，不请大夫是要死人的呀！”

苍霁胸口一窒，眉拧了起来。

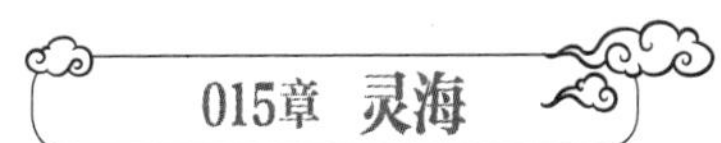

015章 灵海

凡具修为者，皆生灵海。灵海或惊涛骇浪，或潺缓平静，都是修行者脾性所示。故而醉山僧的灵气在苍霁体内狼奔豸突，正是应了醉山僧疾恶如仇的霹雳火性。

净霖不醒，苍霁便不肯入定。醉山僧的灵气犹如鱼刺卡喉，扎得他不能内自消融。灵海之间被激得阵阵刺痛，让苍霁眉间紧皱。他坐在床边，腿伸展不出，只得委屈蜷缩。人熬得眼底发青，靠在椅背上盯着净霖不放。

花娣昨晚请了大夫来，可是寻常大夫岂能洞察净霖的伤势？不过是粗略包扎，收拾了伤口。今日一早，苍霁便摸得净霖竟起了热。

苍霁两指拨开净霖的发，见净霖边鬓濡湿，汗都浸透了。他指腹触到净霖的耳郭，面色晦暗。他只需再用点力气，便能让净霖死。净霖一死，他就能将这冰雕一般的皮囊撕裂来看，好好探查一番净霖的心到底有多深不可测。

“你到底是人是鬼，”苍霁低声说，“他们将你夸得那般厉害，不过是哄骗我的吗？”

他声音越来越低，指尖抵过净霖的皮肉，轻轻划出红痕。那红痕在他指腹下若隐若现，沿着净霖的白颈缓慢拉长，好似一道线绳，将净霖套拴在他的手掌间。

花娣挤进门，染了蔻丹的纤手拎着只五彩肥鸟。她一边解着大袄扣，一边看向床。

“人既然一时半会儿醒不过来，便不要死守。好弟弟，屋就这么大，不必目不转睛，他也跑不了。”花娣说着用食指挑起钱袋，在半空中摇晃，又喜又得意地说，“药房那些抠门儿鬼！可叫我费了一番力气说价钱，顺路还买了只鸡，晚上炖了来补补。”

苍霁困倦偏头，还不及道谢，就先与那五彩“鸡”目光撞了个正着。那鸡也是一怔，继而愤怒蹬爪，火冒三丈。

“你们这些卑鄙无耻的蠢物！”阿乙气得打嗝，“害得小爷好惨！”

阿乙本被盗贼卖了出去，最初因为毛色难得引人围观，谁知过了几日，新奇一散，迟迟不见人来买。他又对吃食挑肥拣瘦，整日神情恹恹，人怕养不活，便匆匆与野鸡一块卖了。可怜阿乙堂堂参离树小彩鸟，竟在笼中险些被野鸡啄秃了。阿乙泪水犹如大雨滂沱，边哭边扑翅膀，仰头恨不得淹死这一屋的人。

苍霁陡然起身，将阿乙接了，对花娣微微一笑：“此等粗鲁杂事岂敢劳烦姐姐？我来。”

阿乙脖边一凉，顿时作鹌鹑状，口中还要强撑道：“我才不怕你！你还真敢宰了爷爷不成！”

苍霁提刀拎着阿乙出了门，深巷无人，冬寒都凝在檐边。他将阿乙丢在地

上，面墙而蹲，不待阿乙说话，先一刀插在阿乙爪边。那锋刃就贴着阿乙的爪，覆起一身战栗。

阿乙说:“刀架小爷脖子上也休想我低头!”

“叫你阿姐来。”苍霁说道。

“我阿姐岂是你想见就见的?让净霖来说这句话我尚能考虑，你凭什么?”阿乙不敢踱步，只能重哼几声。

“你今日的用途只有两个。”苍霁说，“叫你阿姐，宰了炖汤。”

阿乙本想出言不逊，却见苍霁双眸阴晦。他在这胁迫中不自觉地打了个寒战，谨小慎微地收回爪。

“你求……你，你要见我阿姐干什么?总得给我个缘由!”

“净霖昏睡不醒。”苍霁声音一顿。

阿乙见他面色愈沉，像是压着什么劲，过了片刻才道:“我要见你阿姐。”

“病秧子不是三天两头便要睡一睡，有什么稀奇。”阿乙揣摩着，“噢，我知道了。你们必是遇着了醉山僧，我说前夜怎的那般大的动静。如何?他见着了净霖，必是吓破了胆吧。既然已被他看到，你怎还不带着净霖快跑?不对，九天境若知道净霖还活着，你跑也跑不掉的，叫我阿姐也无用。可我不见分界司动作，想必是没认出来。怎么，净霖受伤了吗?”

苍霁心中一动:“你阿姐提过什么吗?”

阿乙却道:“你想我叫阿姐也行，但你须得与我阿姐说，叫她解了我这原形!”

苍霁温柔地拔回刀:“好说。”

净霖如沉深海，身躯化作荧光星点，泯灭在无望血海。他神思被铜铃声牵动，逐渐离开原位，飘向氤氲胧光中。他似乎见得什么人，正晃着铜铃嬉闹奔跑，乌黑的小辫甩动飞扬，最终从雾气间露出一双真诚净澈的眼来。

这是谁?

净霖不认得也未见过，他正欲细看，便听得后方人轻唤着“九哥”。他灵海

波动，迅猛团聚浩瀚灵气，将他飘远的神思生生拽了回去。

净霖陡然睁开眼，察觉自己正趴在陌生枕席间。他神思复位，用了片刻恢复精神，忆起事情来。

“九哥。”浮梨身化小彩鸟，跳动在枕边，“好险！若非你关键时刻闭神合灵，他那一杖，只怕等不到我来了。”

净霖撑身而起：“你喂了什么与我？”

浮梨道：“参离树果滋补灵海最为上乘，我便带了些来。”

难怪净霖会觉得灵海充裕。

浮梨又说：“我见那鱼吞食了醉山僧的灵气积而不化，便也予了他一颗，只是不知他能消融多少。但他得了醉山僧这一口，修为跃进数里，也算是因祸得福了。”

净霖见得苍霁闭目，便知他正在消融。于是披衣，说：“醉山僧授命追魂狱，无事不下界。天上出了什么事？”

浮梨目光一沉，花娣依着榻熟睡不醒，左右没有外人，她才道：“不敢欺瞒九哥，正是承天君派遣。近来离津逆流，黄泉恐生邪祟，阎王如实禀报九天境。承天君便派了醉山僧下来，谁料正遇着了九哥！醉山僧此人亦正亦邪，又曾与九哥交过手，我怕他……”

她正说着，忽见净霖一指抵唇间，便不自觉停了声音，顺着净霖的目光望过去。苍霁单睁一只眼，似笑非笑。

“我也听不得吗？”他抬手撑首，又用那种极具欺骗性的神色笑意盈盈地瞧着净霖，“你我生死门前走一遭，亲得不能再亲，还需瞒着我吗？”

“稚儿天真。”净霖说，“怕吓到你。”

“我怕什么？”苍霁说，“不是都有你护着。”

“我扛得下一杖，却扛不下第二杖。”净霖罩衫未系，说着抬手系紧里衬扣，“醉山僧的灵气吃起来如何？”

“风味不佳。”苍霁终于能在原位伸长腿，他懒洋洋地窝在椅子里，像是松了口气，“比之与你，差之千里。”

浮梨一跳："竖子轻狂！"

苍霁得了参离树果的滋育，又消融了醉山僧的灵气，此刻正是满身充沛，灵海盈溢的时候，对上浮梨分身并不怕，只对浮梨笑："姐姐，我向来实话实说。"又稍作正色，"多谢姐姐赠果之谊。"

净霖已着衣得当，说："晖桉鹰眸了得，你不便多留此地。"

浮梨说："我即便是分身也罢，总好过这鱼。九哥，醉山僧在此，我怕他觉察端倪，不如与我一同离去。"

"想走已是来不及了。"净霖转望窗外，"况且我有事要办。"

浮梨劝不得，只得息声。她带阿乙离开时，听见阿乙问道："我记得他出门常带石头人，阿姐，那石头是什么来路？"

浮梨仍旧放心不下，又回首再看，随口答道："什么石头，那不过是九哥的分身。"

阿乙一听，登时脱口而出："什么！"

浮梨一走，内室气氛仍旧微妙。苍霁只坐在椅上，他现下人高马大，陷在角落里，反而生出些占据之势。

净霖被他盯了片刻，泰然自若道："不认得了？"

"你知道我会吃掉你。"苍霁单刀直入地问，"干什么要替我挡一挡？"

净霖回望他半晌，说："兴致来了。"

"你嘴上犹豫不决，做得却果决利落。"苍霁起身，扶着床柱，玩世不恭地说，"你这般对我，我也不会口下留情。净霖，我知你一心求死，但你什么时候该死，那是我说了算。"

"正好。"净霖领口系紧，披上外罩，说，"我最恶的四个字便是'生死由天'，现下如了意，此后便是生死由你。"他起了身，并不碰苍霁，只贴近一步，"——我脖颈留痕，怎么，都到了最后一步，你反而下不去手了？"

苍霁的笑意消失不见，尖锐的、冷厉的东西展现在眸中，这一刻他的伪装化作云散，露出妖怪狰狞的冷酷。他口中却堪称温声细语："是啊，一时间心念

百转，想起许多。我化人不久，哪里舍得抛下你独行？”然后苍霁对净霖贴耳轻声说：“你怕不明白，你活着与我待在一起，你即便死了也得死在我肚子里。你养了我，便没道理丢开。”

净霖空手化出纸扇，将苍霁的胸膛抵开，说，“在我死之前，我们还有事情要办。”

苍霁从善如流，抬手退开，说：“去哪儿？”

净霖说：“去死人的地方看看。”

他话音方落，便化成个眼角上挑的轻浮公子，将扇一收，轻点在苍霁下巴。

“劳驾。”公子顶着双含笑带媚的桃花眼，却面无表情地说，“委屈片刻。”

苍霁不及回应，便“嘭”的一声，变作掌心大小的人。他爬上净霖的肩膀，藏进净霖的发中，待要出发时，忽然对净霖耳朵说：“等等，石头呢？”

净霖不答，袖中却窸窸窣窣，钻出石头小人的脑袋来。它对苍霁眨巴着小眼睛，又缩了回去。

苍霁滑下袖，也跟着钻了进去。他一个翻滚扑倒石头小人，石头小人就“扑通”被压在底下，磕到了脑袋。

“我找你许多日，你却藏在他袖里。”苍霁揪着石头小人的草冠，“跟着我不好吗？跟着他干什么。他带你玩吗？”

石头小人埋着头做扑腾状挣扎。

苍霁一屁股坐在它后腰，说：“你也没良心！”

016章 扑朔

净霖挑开轿帘，半露出面。他目光落在陈家巷口，此处已聚众人，皆是为命案而来。

“难道铜铃还与这家人有关联？”苍霁在袖中说，“可此处分明是寻常人家。”

净霖俯身下轿，说：“我感知铜铃仍在此地，不先探查明白此案，怕是找不回铜铃。”

“这案子离奇，不像人为。”苍霁想起前几日的场景，又说，“他家五口人，却偏偏少了个小女孩儿。我听隔壁的妖物夜语，说不定是被妖怪捉去补血了。”

“若是妖怪。”净霖合扇入袖，“晖桉和分界司岂会坐视不理。”

苍霁没留意，净霖却记得清楚。那夜院子里的尸身虽已遭罗刹鸟扒食，却仍留下了诸多痕迹。其中拖拽而出的血痕最为显眼，凶手分明是虐杀，而不是一刀给个痛快。

“查案啊。”苍霁将石头小人枕在脑袋底下，跷着腿说，“这地方还能进吗？醉山僧怕是四处设防，就等着你自投罗网。”

“分界司什么都管，唯独管不着人命案子。”净霖微抬首，瞥见府衙的捕快正出入院门，便转了方向，去了别处。

伙计正伸颈看热闹，经人一撞，立刻转头怒道：“没长眼……”

净霖一身锦绣，眉间倨傲，贵气逼人。他打边上一靠，目光顺着人头往里瞧，饶有兴致道：“怎么着，撞着你的不是别人，正是财神爷。”

伙计反应灵敏地将巾帕换了个边搭肩，笑嘻嘻地挤出位置，凑净霖边上，说：“可不是财神爷！爷爷面生，平日没到过这儿吧？前几日府衙不是贴了告示，说死了一户人，就在这儿呢。”

“难怪都挤在这儿。”净霖眸中带嫌地瞟过边上人，从袖中扯出一帕，微掩着口鼻，挑眉道，“等着捡故事呢？”

“小的跑堂子就靠一张嘴，哪敢错过去。”伙计贴笑，“店就那边，几步路，爷爷得空了您也去坐坐啊！”

“好说。”净霖说，“这里边住的什么人？”

"这家人姓陈，陈老头带他的病婆娘，整日都在这街上卖糖人。"伙计指给净霖看，"就在咱店门口，来往常照面。他还有个儿子，叫陈仁，陈仁的婆娘是周氏。这还不算完，家里边还有个小姑娘，十一二岁，是陈老头早故的女儿留下来的小丫头。一家五口人，全靠陈老头每日卖的糖人糊口。您说这哪儿能够？家徒四壁，陈老太常带着儿媳周氏问人借米粮。"

"儿子呢？"净霖果然起了胃口。

伙计努努嘴，说："陈仁整日混在那边的赌馆里，欠了一屁股债，被打不止一两回了。要我说啊，这案子多半是赌馆人干的。上个月还见他们逼到陈家门口，陈老头给磕了好几个响头才送走，都是群亡命之徒。"

净霖扫了眼赌馆，笑了笑："亡命之徒这么好糊弄，几个响头就能掉头？那可比要饭的更好打发。"

"爷爷您英明！"伙计捧了人，才嬉皮笑脸地说，"说他们难缠，是因为那回之后，人常见冬林在陈家边上晃悠。只怕是赌馆咽不下气，唤冬林来伺机报复。"

"冬林？"净霖问。

"可不就是他。"伙计拢嘴小声，"江湖上赫赫有名！功夫了得，来无影去无踪。衙门的通缉令贴得到处都是，却至今没抓到人。但咱们跑堂的，拼的就是对耳朵。我听说他常住在镇里。您猜他总歇哪儿？"伙计挤眉弄眼，"东巷窑子里，据闻跟个叫花娣的女人好上了。"

净霖尚未觉察，苍霁却在袖中猛地坐起身。

净霖又问："此人干什么的？"

伙计悄声："江洋大盗，手底下的大案不少。"

"盗贼。"苍霁咬出这两字，对石头小人冷笑，"我说那屋子里怎的有股熟悉的味道。"

伙计还想说，却被人从后提拎起来。他"哎呦"一声踉跄起身，喊道："这又是哪位财神爷爷！"

他一回头，却见着一张熟悉的脸，登时腿脚发软，比见了净霖还谄媚

道:“顾捕头!办案啊?”

顾深一手扶刀，他年纪不轻，眼神尤为锐利。他将伙计提到跟前，余光却在打量净霖，说:“老子听你说得头头是道，直接衙门里去一趟，办个口供。”

“这可挨着我什么事啊!”伙计顿时大惊，巴巴地说，“这条街上您随便找个人都比我熟!那个，那个钱夫子，钱夫子不就住陈老头隔壁吗?您找他去啊!”

“人一早就去过了。”顾深将伙计随手交给后边下属，腰牌一晃，擦着手，状若平常地对净霖抬了抬下巴，粗犷地笑，“面生啊您。”

这人生了双利眼，只怕连普通妖怪也不敢与他对视。

净霖帕子不移，仍半掩口鼻。眼睛一眯，便流出笑意，显得肆意浪荡。

“我这等安分守己的良民，大人怕都该面生。”

顾深哈哈一笑，转头看巷子，说:“公子也对这人命案子有兴趣?”

“自然。”净霖说，“平素没遇过，新奇得很。”

“这可是灭口的案子，尸体七零八落，惨绝人寰。”顾深指敲刀柄，“常人不该害怕吗?”

“怕什么。”净霖见招拆招，“道听途说的东西，还能让我怕得两股战战?传闻多是三人成虎，就待大人来查明真相。”

顾深摩挲着下巴上的胡茬，说:“公子好奇，也不向我打听打听?这案子现下就交在我手里，我知道的，可比伙计多得多。”

净霖收帕，稍偏头，神色淡了几分，说:“大人要几颗珠?无须绕弯子，直言便是。”

衙门捕快不比其余当差的，一年到头累死累活不过就值二十颗银珠，还只是伙食杂贴，衙门是不放月钱的，如此便导致各地捕快借职务之便四处勒索的事情屡禁不绝。

顾深一怔，又仰头大笑，抬手挥了挥，说:“公子将顾某未免看扁了去，几个珠子算什么，莫坏了老子的名号。对不住，方才唐突了。”

他还想说什么，又听见背后人提醒道:“大哥，刘世荣寻来了。”

顾深便对净霖抱了抱拳，算作告辞。净霖颔首，见他转身走远。

“这个人不好糊弄。”苍霁说，“人也有这等敏锐的吗？我看他几乎指不离刀，净霖，他是诱你呢。”

净霖还盯着顾深的背影，说：“这案子扑朔迷离，还需要他在前边寻一番线索。你方才在袖中说了什么？”

“拿走铜铃的盗贼就是冬林，他果真与这案子有干系。”苍霁抱肩，“他杀陈家人干什么？这家人穷得要饭，给不了他什么钱财吧。”

“也许是受人之托。”净霖说，“有钱能使鬼推磨，赌馆买他行凶也不是不可能。”

“他却带走了小姑娘？”苍霁说，“何不灭口。”

净霖沉默思索，终道：“仅凭一面之词难得全貌，还有人。”

钱为仕哆嗦着手，不断地擦拭着掌心。水盆里的水仍旧澄澈，他却像是带着擦不净的污秽。他越擦越狠，将皮肉磨得通红。

门忽然被叩响，钱为仕陡然站起身，将水盆碰翻在地。他心惊肉跳地迅速收拾掉，临门轻声询问：“谁？”

“钱夫子，叨扰了。”顾深的腰牌晃动在门缝间隙。

钱为仕警惕地捏紧拳，撑着门，从缝中露出眼睛，说：“我已对大人知无不言言无不尽，大人找我还有何事？”

顾深只笑了笑，粗声说：“有些事情，须得再听夫子说一遍。”

钱为仕在顾深的目光中吞咽唾液，他移开门闩，打开了门。顾深一个跨越进了门，眼不经意地打量着院子，说：“早上没留神，夫子的院墙不高啊，易招贼。”

钱为仕的院子和陈家沿贴紧密，实际这一片的院墙都不高，个头差不多的人只需稍稍踮踮脚，便能将左邻右舍的院内情形看得清清楚楚。陈家贴在巷子里边，往里是个带着孙子的老寡妇，往外就是钱为仕。

钱为仕跟着顾深，说：“出了人命，是要加高的。”

顾深又说:“您洗手呢?还没吃啊。”

钱为仕勉强地看他一眼，说:“才跟大人们看了尸体，怕是这几天都吃不下东西。”

“老子经手案子无数，这么狠的还是头一遭遇到。杀人分尸，触目惊心啊。”

钱为仕对顾深示意坐，顾深便大马金刀地坐下。他说:“闲话休说，再把给衙门里的供与我过一遍。”

钱为仕端坐拘谨，开口时一团和气。这教书的年近四十，却仍然生得细皮嫩肉，可见平日里少经风霜。他身形消瘦，对上顾深简直像是手无缚鸡之力的妇人。

“那夜我因收学早归，喝了些酒，睡得比平日更沉。前半夜只听风声嘈杂，冻得我半睡半醒，惊觉是没合窗，于是披衣起身。合窗时我听得陈院吵闹，想是陈仁归家了。”钱为仕眉间不自觉地皱起，“陈仁素来爱赌，连二老的棺材本也抢去赌钱，久不归家，归家必定是为了钱银。此人又有打骂双亲和媳妇的习惯，故而每次回家便要吵闹不休。我酒醉上头，听得骂声持续不断，一时烦了，便塞住了耳。”他说到此处掩面，哽咽道，“可我怎知后夜竟出了人命，可怜草雨，竟还被人捉了去，她才十二岁，不知凶手到底有何用意。”

顾深一言不发。

钱为仕稍作整顿，抬头时已熬红了眼眶。他说:“陈仁这混账东西!便是他祸害了一家。此人恶贯满盈，死不足惜，可叹却还要带着旁人，真叫我痛心疾首。”

“老子听伙计说，这陈仁欠了赌馆不少债。”

“十六颗金珠。”钱为仕擦眼，“就是卖了草雨也还不起!”

陈草雨正是陈家的小姑娘。

“贼人凶残，未破案之前，夫子也须当心。这几日便不要出门讲书了，衙门随时来寻您。”顾深起身，要走时忽然转头，递给钱为仕一只手帕，“夫子，擦擦颈后汗。”

钱为仕的惊愕几乎刹那变作了畏惧，他反应迟钝地碰到了帕子，仓促地点头，说:“多谢、多谢。”

顾深抱拳告辞，跨门离开了。他前脚一走，钱为仕反而镇定下来。夫子眉头紧锁，将手中的帕子盯了片刻，终于觉察到一点违和。

惯称“老子”的顾深，什么时候会在敲门时说句“叨扰”？府衙里将他的口供记得清楚清楚，顾深若想看，随时能看，何必多跑一趟？他本就是衙门怀疑的人，顾深还需要专程与他打个招呼，叫他“不要出门”？

钱为仕冷汗一冒，连寒毛都竖起来了。

来的人不是顾深，是谁？！

“顾深”在踏出巷子时，与街市小贩擦肩，仿佛蜕茧一般瞬间拔高，露出一双含情脉脉的桃花眼来。

净霖捏了捏喉咙，顺便将扣系了。

苍霁对石头小人诽声:“你瞧瞧他，骗人一套一套，分明比我更加厉害。”

石头小人对他扮了个鬼脸，竟然有点得意的意思。

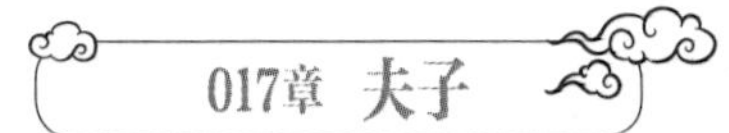

017章 夫子

“钱为仕的话，只能信五分。”

顾深铺开卷宗，绕桌一圈，说:“这人古怪，他言辞间神色慌张，目光闪烁，像是生怕老子不怀疑他。”

“大哥，也许是他心中有鬼，见了你害怕。”下属塞了几口馒头，说道。

“他怕老子？”顾深叩着桌面冷笑，“他根本不怕，他是让你觉得他在害怕。这人鬼得很，他必定欺瞒了什么。”

“可周边邻里都待他交口称赞，这条巷子五户人家，没有不受他恩惠的。

即便是出了巷子，在那条街上，他也能让人敬称一声‘钱夫子’。”下属就着冷茶咽了馒头，说，“况且我观他臂膀单薄，想要将四个人虐杀分尸，恐怕一夜之间难以做到。”

“他是荆镇人？”

“不是。他是西途人氏，五年前西途大旱，他逃荒而来，从此定居在此。不过镇上几个富庶之家曾想聘他入园做私房先生，他都一并拒绝了，一直留在巷子里住。”下属说到此处也觉得奇怪，“他分明与陈仁不和，却偏偏不肯搬离此处。而且陈仁曾因欠债没钱，勒索过他许多次。”

“他与陈家其他人相处如何？”

“据邻里答复，钱为仕平易近人，除了陈仁，陈家别的人如有所求，他也会倾囊相助。”下属在供词间翻了翻，说，“他待陈家小丫头，那个十二岁的陈草雨尤其好。”

顾深将卷宗合了，问:“那陈家待陈草雨如何？”

“自然是好啊。”头发花白的老寡妇点着拐杖，一边颤巍巍地走，一边对净霖说，“草雨她娘打小就讨她爹娘喜欢，小时候陈老头常带着闺女出门。他家那会儿虽然四壁萧条，但也不曾紧过闺女的衣裳和零嘴。嫁妆早早备下了，这片求亲的后生都要踏平他家门槛了。可是那姑娘，也不晓得怎么同别人私底下订了终身，哎哟，门还没及出，人就先怀上了。”

老寡妇由净霖搀着下阶，感叹道:“可人给跑了，姑娘也嫁不出去。孩子生下来没几天姑娘就死了，陈老头没了心肝宝贝儿，自然要把小外孙女当成眼珠子疼。”

“听说小丫头的舅舅是个不着调的东西，平日里待她如何？”

“好啊。”老寡妇抓了净霖的手腕，说，“可不要因着陈仁那名声，就误会了他待草雨。陈仁虽然不是个东西，但对侄女却是掏心掏肺的好。他成亲成得早，可一直没孩子，大夫看了些日子，说是治不好，从此就他媳妇周氏就常与这片的小娘子们说，陈仁还想择个日子，把草雨过自个儿名下来，当成亲女儿

养。”

“这便叫人遗憾了。”净霖将老寡妇送到门前，说，“这巷子深，您老住在这里，怕是多有不便吧。”

“住了好多年。”老寡妇接过菜，对净霖和蔼可亲道，“我们鸿儿可懂事，一点不叫我操心。”

她正说着，就听里边跑出个七八岁的小孩儿来。这小孩儿长得肥嫩圆滚，见了净霖，登时露了米白的牙。

净霖正与人客套，便听袖中的苍霁悄声说：“又肥又嫩，吃起来必定味道甚好。净霖……”

石头小人敲苍霁一拳，苍霁避头躲过，说：“想想罢了！”

净霖入了院。老寡妇的院子要比陈家更小些，堵着面墙壁。矮墙底下压了几块石头，应是小孩儿常趴墙头看隔壁的缘故。

“鸿儿常和草雨一块玩儿，两个没事就趴墙头讲话。”老寡妇见净霖看石头，如是说道。

“成。”净霖温文尔雅地笑了笑，“在下这便走了，早些给衙门里交差，不然大哥该等急了。”

“好走，好走。”老寡妇送他出门。

净霖出了门，苍霁才说：“这案子乱七八糟，先是冬林拿了铜铃，觉察到你我追赶，便藏匿于此不见行踪。而后罗刹鸟现世，死了一户人，你我反倒被鬼差盯上，再引来了醉山僧。如今要说这案子与冬林没干系，我不信。可要与他有干系，又像八竿子打不着的干系。”

“他必然会露出些蛛丝马迹。”净霖说，“这世上没有天衣无缝的案子。”

“人果然狡猾。”苍霁说，“我见他们各个心口不一，唯独这老妇人坦诚些。”

“偏听则暗。”净霖说，“人不仅会心口不一，还尤其擅长伪装。”

苍霁正欲继续，又突然闭口不言。

净霖走了几步，果然听见后边起了脚步声。在他要出巷口时，衣袖被人拽住。净霖回首，眼中喜怒难猜。

“你也是衙门的人，在查这案子是不是？”方才见过的阿鸿走近几步，抱住净霖的腿，仰头天真道，“你买糖给我吃，我就给你说个秘密。”

净霖牵着阿鸿，买了许多吃食。苍霁恨得牙痒，又觉得生气，他冷冷打量着阿鸿，越发觉得这胖小子该吃。因为他是小孩儿的时候，净霖从未这样牵过他。

“他已胖成了球，还不会自己走路吗？”

石头小人坐在一边，把头顶草冠取下来编，闻言给苍霁比画，意思是你曾经也胖得像只球。

苍霁说：“我同他一样吗？在你眼里我同他一样？”

石头小人眨着眼佯装不懂。

苍霁说：“你跟净霖……”

石头小人把草冠戴他脑袋上，苍霁一时语结。这草冠珍贵，因为他见宗音翻山的时候，石头也没舍得脱下来。他向来吃软不吃硬，所以顶着草冠，只能对石头小人强撑着凶道：“他丑得要命，我胖得好看，明白了吗？”

净霖极轻地挑了挑眉，转头看阿鸿。阿鸿应不是头一回向人索要，东西点得轻车熟路。这孩子明明年纪小小，却在这时候过早透出种市侩。

“你要与我说什么秘密。”

阿鸿吮着手指，眼睛只管四处瞟。

“还要吃什么，玩什么，尽可告诉我。”净霖说道。

阿鸿踮脚探上食摊，张望了一会儿，说：“我想吃糖人。”

这条街除了陈老头，没别人卖糖人。净霖便不答，阿鸿等了一会儿，有点焦急地拽着净霖衣袖，哭声说：“糖人。你不给我，我便不告诉你！”

“那我便不听了。”净霖甩袖欲走。

阿鸿顷刻间号啕起来，他抓着净霖的衣袖，拖在地上哭闹。

“你不给我！”阿鸿说，“我就与祖母说，你要拐我！你要拐我！”

苍霁冷声:“不仅呢,我还能吃你。”

阿鸿以为是净霖说的话,他将这类人摸得清楚,半点也不怕,只当净霖在吓唬他。他撒泼打滚,哭闹不停,引得人围观嬉笑。

净霖不便受人瞩目,就提了阿鸿的后领,几步越过人群。阿鸿扒着他的手臂,还没扒稳,便被丢在地上。他摔得屁股作疼,又声泪俱下。

“你要说什么秘密。”净霖看着他。

阿鸿还想要哭,却觉得浑身冰冷。他忍不住瑟缩,蹬着脚气得鼓腮瞪眼。

“你老实告诉我。”净霖放缓声音,从袖中捉出苍霁,在阿鸿眼前晃了晃,“我便送个布偶与你玩儿。”

苍霁防不胜防,定着空中,不敢妄动。他眼睛瞥见阿鸿鼻涕黏糊的手掌,险些攀回净霖袖中。幸好净霖只是晃一晃他,并未递过去。

阿鸿在这一松一紧间不忘抹鼻涕,他拭着泪,断续地说:“我……我知道谁……杀人。”

净霖“嗯”一声。

阿鸿抽抽搭搭地说:“我,我看见了。我告诉你……你……你再给我买糖吃。我怕得很……你……你给别人说,钱,钱夫子他杀人了!”

他在窥探净霖,孩子远比大人更能觉察一个人的情绪。可是他不明白,这样可怖的事情,却没让净霖色变。

于是阿鸿尖声朝净霖喊:“钱夫子!杀了人!好多血!红色的,流过来了!就在院子里。”

净霖蹲下身,竖起食指,示意他安静。阿鸿喘息不定,他对于没得到意料之中的反应很恼怒,他瞪着眼,抓了把土,却不敢丢向净霖。

“你告诉我。”净霖说,“你和陈草雨是玩伴吗?”

“不是!”阿鸿恨恨道,“不是!她臭死了。”不待净霖继续,阿鸿就抢着说,“又脏又臭,我才不与她玩。她还骗夫子的糖吃,她最爱骗人!我见着她跑进夫子的院子里,她跑进夫子的屋里,他们搂在一起。”

净霖目光一厉,听见阿鸿用稚嫩的嗓音充满恶意、恶心的语调讲出超出他

年纪的话。

净霖猛地站起身，苍霁察觉他情绪不对，见他神色阴沉冷酷，直勾勾地盯着阿鸿。

“钱为仕？”

阿鸿一缩，使劲点头。他朝一边吐着口水，说:“恶心！”

“你。”净霖俯身笼罩他，“何时看见的？”

阿鸿被震住了，他竟怕得直接哭了起来。可是净霖牢牢困着他的身体，他混乱地摇头:“不记得，不记得了！好多次，好多次……”

苍霁不明白，什么好多次，什么很恶心？脱衣裳干什么？钱为仕到底对陈草雨做了何事，让净霖面色凛如秋霜，甚至杀意四溢。

顾深夜中翻卷宗，下属哈欠连天，磕在案上呢喃:“大哥，你说杀了人，为何还要带走陈草雨？十二岁的小丫头，跟在身边只会暴露行踪，不论是冬林还是钱为仕，都没道理这么干啊。”

顾深熬得双目通红，他说:“老子怎么知道。”又顿了片刻，“……近年拐子不绝，带走卖了也是有可能的。但若是带走卖，便绝不会是冬林所为。”

“为何？他自个儿不就是盗贼吗，偷物不偷人啊？”

顾深搁下卷宗，抬头说:“因为冬林的丫头就是被拐走的，他这些年东奔西走，就是在找女儿。这种人只会将牙婆恨之入骨。”

下属想到什么，讪讪地看顾深一眼。

顾深抹了把沧桑的脸，嗤声道:“我为何懂他？因为老子就是被拐卖的。”

下属不便评说，只得将头埋进供词间。他眼掠到一行字，又咦声坐正。

“大哥。”他说，“这怎还有一份供词，昨日录入时分明没见到。”

顾深探手抽出，了然道:“哄孩子的……”他语声一滞，又骤然坐起身，聚精会神地将词看了。

“钱为仕常带陈草雨归家吗？”

下属点头，说:“不仅常带小姑娘归家，还常见他牵着小姑娘出门。”

顾深指间的纸页深深皱起，他面容铁青，骂道："……天杀的。"

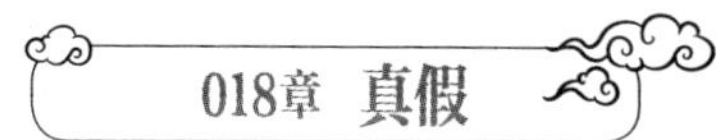

018章 真假

伙计再度入了府衙，他如坐针毡，抓耳挠腮地说："钱夫子？钱夫子小的也不熟……他是常来店里，但这条街上人人都来啊！小的一个跑堂的目不识丁，与他素无私交。您问小的谁与他相熟？那大抵是没有的。因为他这人虽然为人和善，却总有点疏离。不稀奇，读书人惯是如此。"

"待孩子？那是顶好，隔三岔五都会买些吃食给稚儿们玩儿。这街上的孩子都喜欢他，出入他家是常事。约莫一年前吧，途径街道的马车翻了车，压坏了陈小丫头的脚，也是他背着去看的大夫。有了这一茬，陈老头待他更是感激不尽，逢人就说钱夫子的好。"

"钱夫子为何没娶亲？这小的怎么知晓，不过他喜欢孩子人尽皆知，尤其是草雨，看着比陈家人自己都上心。您问陈家人待草雨如何？这小的可真不知道，只是小姑娘身体羸弱，似常年带病，气色不怎么好，瘦瘦小小的。陈仁？陈仁小的哪知道，但他媳妇周氏待草雨不错，经常出门也要念叨，这片都知道她对草雨好，天冷了还给做衣裳穿。"

"借钱？小的从不借钱。钱夫子也没几个钱，他和小的挨不上边，小的就是借钱也不会问他要啊。"伙计挪了下身子，说，"阿鸿？您别看这小子年纪不大，撒泼耍横倒是有一手。"

最后，在顾深示意他可以走人的时候，伙计步子都跨出门槛了，又恭身哈腰地转回来，说："阿鸿常跟着钱夫子，稚子天真，说不准看得反倒比别人清楚。小的听阿鸿说……"

顾深目光锐利。

伙计踟蹰着说："……钱夫子待草雨不同，亲于平常。"他面上不自在地笑

了笑，“从前倒也常听说西途人好这口。”

“钱夫子？钱夫子跟我们鸿儿没有干系。”老寡妇拄杖焦急地点了点，“没干系啊顾捕快！稚儿愚钝，他随口乱讲的话，岂能取信！什么词？您可大声点。我听不大清。哎哟，这等污言秽语，定是旁人教的！我们鸿儿向来通情达理，从来不同人这么说话。”

“鸿儿不常出门，从不去钱夫子家。”

“鸿儿是与陈丫头玩儿，因着院子挨在一起，我与陈家又无恩怨，怎的不能叫孩子们一起玩儿？”

“我不知钱夫子是什么人，也没受过什么恩惠。”

老寡妇将阿鸿拽藏在身后，对顾深越发咄咄逼人，将拐杖几乎砸去顾深身上。她伸着颈，怒目而视，说：“哪个讨打！这样污蔑我们孤儿寡母！我已说了多少回，钱夫子跟我们没有瓜葛！你问鸿儿做什么？鸿儿不知道！顾捕快，这人命案子搁了多少天了，比限将至，你就专挑我们这些老弱妇孺顶是不是？好没天理啦！我今日也不走了，我就待在这儿，躺在府衙的阶上，让青天大老爷出来看看，看看你们这些人是怎么办案子的！”

老寡妇唾沫横飞，喷了顾深一脸。她越骂越精神，连顾深祖宗八辈都翻出来折腾，不吵得人告求决不罢休。顾深只觉得头昏脑涨，忍不住摆手叫人将老寡妇带出去。

他蹲身对着阿鸿，说：“我与你讲几句话，不必紧张，我问你你回答便是。”

阿鸿四顾张望，想找他的祖母，顾深说：“答完不仅放你走，还要给你糖吃。这里是何地，你必然知晓，我只告诉你，此处头顶有神明垂视，不能说假话。”

正坐在房梁上的净霖眼皮一跳，苍霁便从他袖中滚了出来，与石头小人攀上他肩膀。

顾深问:“夫子常带陈草雨玩儿吗?”

阿鸿攥着衣角,目光左右瞟动,点了点头。

“他常带草雨回家去吗?”

这一次阿鸿重重地点了头,说:“带她家去,给她新衣裳,给她吃食。”

“只给草雨?”

阿鸿吸气,露出恼怒的神色,揪紧衣角喊道:“只给她!还给她念诗听。”阿鸿将衣角拧得皱巴,“夫子让她坐在腿上。”

“坐腿上。”下属温声说,“他待草雨……举止亲昵?”

“他亲她的脸。”阿鸿越讲越亢奋。

周围众人一并吸气,唯独顾深紧盯着阿鸿的眼睛。

众人的神色给了阿鸿鼓舞,他逐渐松开攥着衣角的手,手舞足蹈地说:“夫子还藏了她的衣裳,藏了许多!”

“陈家人没察觉吗?”下属愕然地问。

“陈二叔。”阿鸿来不及吞咽口水,哽了一下,迫不及待地说,“陈二叔讨厌夫子,让夫子滚,可是夫子不滚。陈二叔说夫子是坏人!他们打起来,在院子里。夫子被打,打进水缸里。”

下属飞快地看顾深一眼,问:“何时的事情?”

阿鸿说:“上次,上次夫子给小贱人买了糕。”

“这小鬼讲话颠三倒四。”苍霁趴净霖耳边,“也算数吗?”

“如都对得上,便算数。”净霖被他哈得微痒,肩头不明显地偏了偏。

“那也太亏了。”苍霁说,“每个人的话都真假难辨。”

底下的阿鸿还在断续地回忆,说到“血像河一样流过来”的时候,顾深也终于变了神色。

“你如何看见的?”顾深说,“深更半夜,你也不睡觉吗?”

阿鸿鼻涕泡顶出来,他擦回去,又开始张望,听见祖母在外边叫骂,才说:“小贱人挨打了,她叫起来,吵醒祖母。祖母出去看,叫我,叫我不要看。”

“你看见了钱夫子?”

阿鸿这次干脆利落地点头，讨好地拽住了顾深的袖，说：“钱夫子拖着人……”

这是何等的惊悚。风雪深夜，平日里温和亲近的夫子变作杀人者，将一院人尽数虐杀分尸，院中血迹斑斑，尸体从屋内被拖拽而出，仰头狰狞地暴露在黑黢黢的夜中。唯一的幸存者又何其无辜，因为年幼遭人哄骗，供那人面兽心的畜生玩弄。从只言片语间窥得的线索，让所有人都能想到一场灭门案背后的真相。素日霸道的陈仁察觉钱为仕的罪行，对其打骂，因此被钱为仕怀恨在心，酿成日后的惨状。

“这猪狗不如的东西。”下属义愤填膺地拍案而起，“他竟敢这般做？他简直妄为读书人！寻常窑子里下三烂的人玩玩便罢了，他竟敢对邻里下手！这畜生！”

苍霁呵笑，他玩味道：“奇了怪，下三烂又是指什么人，为何这些人就活该被‘玩弄’？难道他们便不算得‘人’吗？怎么人将自己划分得这样清楚，连规矩也能因人而异吗？倘若如此，那规矩又要来何用？”

净霖似是忆起什么，双眸平静：“你以为妖怪便能逃脱这样的规矩吗，天地间万灵生长俱缚其中。”

“我不信。”苍霁说，“倘若谁这般对我，我必定也这般对他。”

净霖稍顿，抬指摁住苍霁后脑，说：“你想吃我，难道我也要吃你？”

“若你吃得了吃得下，便由你。生死既不该由天，也不该由人。”苍霁说，“它是由己。”

两个人的话再次被打断，下属已然热血上头，要将钱为仕捉拿归案。顾深却仍有思忖，他待阿鸿的话半信半疑。其一，钱为仕拿得下四个人？即便其中有两位老人，也不能小看生死关头的抗力，除非案发当时四人皆无察觉。其二，仅凭阿鸿的几句话就捉风捕影，实在难以服众。

正当时，便听得阿鸿踮脚附在顾深耳边，小声说：“你给我三颗铜珠，我就告诉你……我，我见得夫子将刀藏在了哪里。”

刀不是普通的刀，是镇上卖肉铺惯用的那一种。宽口沉重，抡起来休说皮肉，就是骨头也招不住。这把血迹未干的刀藏在了陈家与老寡妇院子相靠的柴房后，是用力插进空隙里的，衙门搜查时也未察觉。

顾深再次敲响钱为仕房门时，夫子似有准备。他将一只洗得发白的旧手帕折叠入怀，神色淡然地看着捕快搜遍他的院子，翻出小箱里一件件女孩儿衣裳。不仅是衣裳，还有鞋与小玩意。看得出陈草雨穿的不多，大都还是崭新的，就是搁置了太久，有些被虫蛀过。他便是用这些廉价粗糙的东西诱骗一个懵懂无知的女童，因为得知了真相，下属看着他脸只觉得这人猥琐肮脏。

“你如何下得去手？”下属年轻气盛，缉拿人时撞得钱为仕双膝跪地，磕在地上。他经后又重踹一脚，仍不解恨，只管骂道，“畜生都不如！”

钱为仕重重地喘息一下，面贴在地上。他紧咬牙关，被拖拽出去。他在入衙门前被动了些私刑，再推到顾深面前时已被打得看不出人样。

“钱为仕。”顾深迫近他，“老子问你，你杀了陈家人？”

钱为仕青肿的面上扯出点笑，这让他的温文尔雅终于消失殆尽。他恨得牙龈酸痛，对顾深说:“陈家人不该死吗？我与你说，他们都该死！”

“我不信。”顾深猛地将他拽离地面，“你动的手？凭你这般的样子，你连陈仁一根指头都动不得。你欺瞒老子在先，又想蒙骗老子查案？你把我顾深当作什么人，你以为我信？呸！”

钱为仕双脚离地，他喉头发紧，呛出口中被打出的血。

“我……下药。”他喉间咯咯作响，“神不知鬼不觉，陈仁也是待宰的鸡鸭！你信不信与我……与我何干！尸首尽碎，补都补不齐，仵作辨不……辨不清楚！”

“你与他无冤无仇，你杀他干什么？！”

“我……”钱为仕竟然一瞬哽咽起来，他咬烂下唇，悲怆欲绝:“我看中了……小丫头，可恨，可恨那陈二……他拦我……羞辱我……我忍不得，我忍不得！我便是这样禽兽不如的东西！”

顾深正欲再说，下属便匆忙撞门而入。

“何事！”顾深厉声。

下属也一脸茫然，磕巴道：“大哥，那，那个冬林……前来投案了。”

顾深一愣，松开了手。

“他说他于五日前夜，杀了陈家四口，陈草雨正在他手中。”

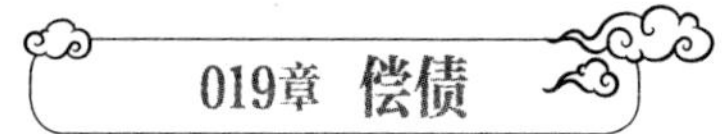

019章 偿债

顾深并非初次见冬林，他早年与冬林有过一面之缘。然而任凭是谁见到冬林，都不会想到他便是赫赫有名的盗贼。因为冬林实在令人难以注意，他贴墙蜷身而坐的时候，顾深甚至需要巡视两圈才找得到他。

“就是他啊。”苍霁打量，“让人好找。”

净霖折扇轻敲在膝头，说：“他今日未将铜铃带在身上。”

“管他呢。”苍霁利牙微露，“找不到就吃了他。”

顾深已坐在了冬林身前，他与冬林对视须臾，方才说：“不料你竟也落得这般境地。”

“恶有恶报。”冬林脱下绒帽，露出整张脸来。他半耷拉的眼似乎总也睁不开，形容憔悴，唯有线条依然冷锐。他也端详着顾深，说，“你还未回家。”

“三十多年无音讯，归乡岂是那么容易的事情，当年拐走我的牙婆早已入土，不知还要寻多久。”顾深抬手，下属递来两坛冷酒。他开了坛口，扔给冬林。

两人于狭窄的墙角边对碰一坛，各自仰头饮了。顾深擦了嘴，坛置身侧，说：“说罢。”

“陈仁耽于赌博，曾欠我六颗金珠。我今年收成不好，眼看年关将至，总得讨些债回来。因此多次拜访，谁知他屡次三番搪塞于我，迫不得已，我只能深

夜去往他家中要债。怎料他一家未眠，我与陈仁争执起来，那老丈欲出门报官，我哪能容他如此？一时兴起，便将那一家四口杀了个干净。”冬林嘬着冷酒，缓缓吐出口热气，说，“……只是不知他家还有个小姑娘，我不碰稚儿，便只能留下她。”

“以你的身手出城不难，待你出了镇，随便为她寻个人家便能脱身。我这里虽然有追查之命，但眼看比限将至，须得向上禀报，等个三五天的新授文书下来才能出镇追拿你。”顾深说，“如此好的时机，你却自投罗网？”

“他一遇见这个冬林，便由虎化猫。”苍霁捉了净霖的扇子，拉到跟前，问，“他对这个人很是不同，旁人就不怕他们沆瀣一气，狼狈为奸？”

“同病相怜罢了。”净霖用扇轻敲苍霁头顶，小人登时四仰八叉。

“陈家人死有余辜，但草雨不是。我见着她，便想起自己的女儿。我这一生都在躲藏中浑噩度日，行不见光，不是好人。”冬林抬起眼，透过顾深望去别处，“因此遭受骨肉分离，承受剜心之痛。我已没有岸回，何必再拖上一个。”

“若你未杀她全家，这番话老子还能听得下去，可是你杀她满门。”顾深一脚蹬在凳上，忍了片刻，才说，“她如今孑然一身，陈家左右再无旁亲，你叫她如何……”

“陈家人死有余辜。”冬林说道。

“死有余辜？你视律法于无物，你竟也敢说这样的话。”顾深手背青筋已经暴起，“冬林，你当真无法无天了么？！”

冬林饮尽冷酒，抬手扔坛，对顾深说：“我人已在此，你还等什么？”

“老子等个真相。”顾深霍然起身，“你说是你杀的，钱为仕说是他杀的，你们一个两个争着抢着做这个凶手，为的到底是什么？”

“我不认得那个人。”冬林木然地说。

“他兴许认得你。”顾深说，“钱为仕，你可认得他是谁？”

下属带出钱为仕，夫子束手掩面，只用眼睛瞟冬林一眼，说：“不曾见

过。”

冬林只作冷笑。

“陈仁常年混迹街头，胡搅蛮缠的本事最不简单。若是钱为仕下的手，只怕需要好好谋划。但因为夫子体型瘦弱，肩臂无力，所以即便杀了人，也做不来分尸的事情。冬林身手不凡，杀人确实易如反掌，可分尸这等费时费力的事情，你顾及着陈家小丫头，一时半会儿也做不完。”顾深扶刀趋身，一字一句地说，“莫非是二位携手，分工而为？”

“我若要寻帮手，何必找个读书的。”冬林手置桌上，任由人捆起来，他道，“杀人分尸的过程我如今也记得清楚。我先将陈仁击昏在内室，堵住他妻周氏的嘴，却见他家老头老太欲奔喊呼救，便先行一步用随身佩刀砍翻陈老太。此时陈老头已至门前，我自后贯穿他胸口，将人挑了回来。这两人年迈体弱，皆已毙命。我回头时见周氏欲翻墙而逃，便拽住她发髻，将人拖至院内，横刀了结。待我再入内时又给了陈仁三刀，将他拖出室内，经过柴房时察觉他仍有气息，还在挣扎，便随手持了门闩，击他面部数下，把人砸得血肉模糊才算作罢。正当这时，我听见左边院中有抽气声，见得一个白发老媪慌不择路，爬滚关门。我本想杀了她，可是院内尸体不便久放，又料得她必然没看清我是谁，便回身继续料理尸体。我本不想分尸。”冬林声音平稳，在这一刹那间露出亡命之徒的凶煞，“可我不想就这般便宜了陈仁，我对他千刀万剐都不足以泄恨。分尸的刀是我冒雪从三条街外的刀铺中偷的，携带不便，于是插掷在柴房空隙，潦草遮掩，料想就是被你找到也无足轻重。如何，你再问问他，他是如何杀的人？他怕连刀也提不动。”

钱为仕始终不看冬林，冬林每说一字，他的手便颤抖一次。

“不……我，我先两月前在陈家下药……”

“陈仁会放你入门？况且他家平日里只有妇孺，你敢堂而皇之地去？”冬林眼睛望着钱为仕，“我不知你为何替我顶罪，但你我素不相识，这个人情我欠不起。”

钱为仕忽然颤身落下泪来，他哽咽说：“你……”

“我入江湖以来，‘冬林’二字便是招牌。顶了我的案子，就是抹了我的名字，便是抢我的饭碗。”冬林神色薄凉，“此仇不输杀父之恨，你不想要命了吗？”

苍霁觉得净霖听了这最后一句，似是一顿，他指尖拎转的折扇生生慢了一刻，又落在膝头。虽然一瞬而过，苍霁却觉得他被这句话搅得心神不定。

你不想要命了吗？

苍霁隐约之间，似也听过。

折扇忽地挡在面前，净霖侧目看他，说：“盯着我看什么。”

“你都道是盯着你。”苍霁说，“看你啊。”

净霖便不答了。石头小人一下没一下地戳着苍霁后背，似也兴致不高。苍霁捉了石头小人的手指，回头问：“怎的突然就不高兴了？”

石头歪着头，用脚轻踢了踢他。

下边的钱为仕久久不语，垂手后方显平静。他拭泪憔悴，已在这短短几日内熬出白发。

“那白发老媪看得清清楚楚，却装聋作哑。”冬林说，“她家小儿在墙角撒尿，分明与我对过一眼，怎么一转头，便说是别人。这些个人证词混乱，官府竟都信了吗？”

“即便你说的是真的，可自钱为仕家中搜出的衣物也是真的。左邻右舍皆见得他与陈草雨……”下属欲争辩。

“那皆与我无关。”冬林说，“我只认我的案子。”

“你若真心实意地想让陈草雨好，便不该包庇钱为仕。”顾深寸步不让，“你们必定相识。”

“陈草雨今后如何，与我无关。钱为仕是什么人，更与我无关。你将无关之人牵扯进来，是要我假托证词，为你杀人吗？”冬林诡辩道，“若真有此意，我帮你一帮也不是不可以。”

“你这般胡搅蛮缠，我更不相信。”顾深说道。

“你信与不信不重要。”冬林腕间枷锁“哗啦”，他推臂伏案，对顾深说，“此案比限已至，府衙该给上边一个交代。一桩骇人听闻的灭门惨案，已经证据确凿，你不信，知府大人也要信。”

“你算准了比限。”顾深心中倏忽明了，“你在镇中静待几日，等的就是此案最后期限。”

冬林面上缓显笑容，他手指随着脖颈绕了一圈，“叫我人头落地，大家都痛痛快快。”

“我要查得明明白白。”顾深说，“我必要查得明明白白！”

“何必执着。”冬林坐直身体，“顾深，你怎还不肯承认，此案已经明白了。”他眼神又飘忽遥远，口中喃喃，“快些让我去，好赶得上我家囡囡。”

顾深一腔怒火无处发泄，偏偏在此刻听见钱为仕开口。钱为仕弯曲前身，推开面上乱发，在这一举一动中，与冬林有了今日头一回的相对视。

“……我要鸣冤。”钱为仕抖声说道。

“你欠了钱为仕的钱！你老母突发急症，柜上支不出银两，你便去求了钱为仕。他给你借了五十铜珠，没立字据。”顾深捏着眉心，逼问伙计，“是也不是！”

伙计惊怖不已，面色如土。

“因为没有字据，所以他若有个三长两短，这钱便不必还了。”顾深手指急促地点着桌面，“你给老子怎么说的？‘小的从不借钱’，若非他给你借的这五十珠，你拿什么救你老母！”

“小的……”伙计口齿不灵，结巴道，“为，为了办案……”

“放屁！”顾深说，“你打的什么主意，还要叫我再说一遍？”

“不，不敢！”伙计急遽地跪下，慌张膝行，“小的，小的确实借了他的钱……却，却没想叫他死！府衙办案，小的岂敢胡诌？ 他……他，他的确常带着陈草……草雨……若他没鬼，府衙如何能找出那些证据！”

“你假托证词混淆视听。”顾深点着他的眉心，“你找死！”

伙计慌张失措，拖着顾深的腿求道：“小的与这案子当真没干系！顾，顾大哥！顾大哥明鉴！啊，小的就是害怕，怕与这案子扯上干系，那我，我娘……”

“他好歹救了你娘一次。”顾深垂看他，“你便用假话搪塞来做以报答？”

“钱都能还，能还！”伙计扒紧顾深，急出泪来，“可要是牵扯入了狱……那就……那就……”

顾深踹开他，难以释怀。

冬林由知府亲自提审，投入狱中，结案待斩。钱为仕受了几日牢狱之苦，却能安然无恙地出去。他跨出衙门时，见得顾深。

顾深权职不够，之后的种种审查都与他没有干系。捕快看似威风，实际尚不如大人身边倒夜壶的来得得宠。他今日早早蹲守在这里，就是为了等钱为仕。

“我昨夜见着了陈草雨，我有些话仍想问夫子。”顾深说道。

钱为仕缓缓回礼，似是洗耳恭听。

“若是冬林不来，你便逃不了一场门前斩。”顾深踩雪走近，旧袄磨短，肘部露出些棉屑。他其实与钱为仕也有相同之处，就是邋遢间隙余出的那一点寂寞。他说，“我冥思苦想，觉得你这人有意思。这条街上孩子少说也有十几个，你偏偏要盯着陈草雨，为何呢，如有隐癖，怕不该找这么个面容平平的小姑娘。我辗转反侧，索性倒过来想，似乎明白了些真假。”

顾深呵出些热气，面容藏于空茫后，说：“孩子瘦成那般模样，不是病的，是饿的。阿鸿道你与陈仁搏斗，不是因为你对陈草雨做了什么，而是你觉察陈仁对孩子做了什么。钱夫子——陈家人到底对她如何？”

钱为仕抄着薄袖，手指在汗渍中拧得发疼。他几次欲要开口，都因颤抖而模糊下去。

“……陈家人死有余辜。”钱为仕哑声低语。

020章 冬林(上)

苍霁围观陈草雨，忍不住咋舌:“好小，连塞牙缝都不够。”

净霖绕过桌子，走近床铺。他见被中昏睡的小姑娘，一张脸不足巴掌大，瘦得见形。他手指虚虚拂过小丫头的眉目，见到她乌黑的小辫，耳边便回荡起铜铃声。

“我见过她。”净霖说，“在梦中。”

氤氲烟雾被渐渐拨开，露出陈草雨持铃嬉戏的背影。她雀跃地蹦跳在前方，时常回首对净霖弯眼作笑。周遭一切倏忽倒退，净霖听到铜铃“叮当”一声响，紧接着他清楚地听见冬林对陈草雨说。

“留心脚下。”

“冬叔。”陈草雨招手，铜铃作响，她喊，“你又要去别处了吗？我也想去，冬叔，带上我好不好？”

冬林的手落在她头顶，净霖觉察到那种厚重又坚实的情感，它们像是一直盘踞在冬林的内心深处，因为曾经的过错，所以在这时尽数给了陈草雨。这感情太过沉重，让净霖不自觉倒退一步。

似乎他也曾受过。

铜铃嘈杂地响，吵得净霖头痛欲裂。他见得陈草雨面容渐褪，变作了另一个他熟悉的脸。那小丫头不再叫“冬叔”，而是持铃唤着“九哥”。

“净霖？”背后猛地压来重量，苍霁绕臂到他面前晃了晃，“你呆什么？”

净霖如梦方醒，大汗淋漓。他甚至顾不得苍霁凑来的脑袋，怔怔道:“我明白了……不是冬林偷走了铜铃，而是铜铃找到了冬林。”

苍霁一惊:“我竟没察觉，它也长了腿？”

苍霁欲继续，却觉得臂间人转过身来，接着腰间一紧，他竟被净霖先抱住了。苍霁险些咬到舌头，纵使他说得放肆，却从未经人抱一抱。他的自负之下，

仍是干干净净的空白。

“我看见了冬林的故事。”

净霖话音一落，苍霁便听到了铜铃声。眼前景象碎成荧光，又在一瞬间重组成像。

他也看见了。

深秋霜夜，冷雨不绝。

冬林拖着灌浆般的双腿，滑栽在桥洞边缘。他蓬头垢面，气息奄奄。雨水淌成帘布，盖在背部，使得他喘息断续。冬林眼神逐渐涣散，意识飘忽。他这样伏着身，手脚泡得泛白。

冬林死咬着一口气，喉中陆续地延出哭声。他面部埋在泥污冰水间，好像要将眼泪也一同藏进去，让人误以为是雨声在吵。他哭得用力，致使暴露在雨中的脊背在无尽雨水抽打中不断地起伏。

这场雨下了一宿，他便在此哭了一宿。

清晨时宿雨初晴，牛车碾过他的上方，撩尾撅下几坨新鲜的湿物，盖着他半脸。冬林心如死灰，并不动弹。牛车经过，哨声与晨光并驱，惊动了一镇生灵。冬林始终没有合上红肿的眼，他乏力地等死，对过来过往的任何人都没有期待。

一条瘦犬颠步来嗅，从冬林的背嗅到他的头，下口舔了牛粪。温热荡开在面部，唤起一点生意。瘦犬拱偏冬林的头，拖着他的肩往桥洞底下去。地上堆积着污泥浊物，几块舔得发亮的骨头挤着冬林的脸。这犬要把他当作食粮，啃干净跟骨头搁一块。

冬林在湿腥的垂涎中合上眼，感觉瘦犬撕拽着他的肩头布料，刨着他的皮肉。利牙抵进肉里，痛得冬林闷声做笑。他张口沙哑地哄着：“咬断脖颈再刨……”

瘦犬急不可待，却又老牙无力。即便啃到了肉，也撕拽不下来，急得哼声甩尾。冬林给它一巴掌，趔身爬动。

“用点力。”冬林卡住瘦犬的后颈，摁向自己，“往此处咬，张口。”

瘦犬被捏住后颈，瑟缩地不敢再造次，一个劲儿地摇摆着尾巴，舔舐着冬林的眼和鼻。

冬林推开它:“滚……”

他倒回肮脏中，抹了把残存的牛粪。他等着死，却听河中“扑通”一声掉下个人来。冬林不想管，那与他没干系。他听着人落入水中，除了最初溅起的水花，连点反应也没有。

“掉下去啦。”桥上抄袖的路人张望，“还是跳下去的？”

“没瞧清。”摆摊的小贩缩回头，“十一二岁的小姑娘，怪可怜的……”

他们话音未落，便听桥下划出水声。那脏得发臭的叫花子扑进水里，一个猛子扎下去，不消片刻，拖抱出个小丫头。

冬林将小丫头抱上岸，他抹着脸，拍着小姑娘的颊面。这丫头的脸还没他手掌大，他稍微重一些，便能拍疼她拍伤她。冬林犹疑一瞬，改成双指轻拍。

“没人与你说不要玩水吗？”冬林冻得抽气，他抱住双肩，“这么冷的天，下回没人搭理你。”

陈草雨哆嗦着爬起身，她瘦得惊人，抱起身体时还不如只野猫有分量。冬林伸手欲拉她一把，她立刻抱头瑟缩，怕得啜泣。

冬林看着她，收回了手。两厢无语，这丫头自始至终没再放下手臂。

冬林说:“常被打吗？”

陈草雨从双臂缝隙中窥探他，用力地摇摇头。

冬林目光扫过她双腕，见腕骨往上，皆是杖痕，打得凶的地方烂到冻疮，就是方才的那条瘦犬，也比她看着像样。冬林移开目光，消寂下去。陈草雨冷得齿间磕绊，丢了一只鞋，赤着只脚踩在泥泞中。冬林不出声，她便不敢动。

冬林手在兜中摸索，触到几颗珠。他终是没有忍住，起身拎了陈草雨的后领，带着踉踉跄跄的小姑娘上了桥，为她买了热包子。

陈草雨捧着包子狼吞虎咽，将黄瘦的颊塞得鼓囊。她一边啜泣着吞咽，一边用突兀的大眼看着冬林。冬林在这目光里恍如尘埃，他受不住，他只会痛。

“滚吧。”

冬林将剩余的包子粗暴地塞到陈草雨怀中，提拎着她的后领将她转过身，然后轻轻推了一把。

“回家去。”

陈草雨仰头盯着他，捂着嘴不让包子漏出去。她使劲地咽，连一点肉沫都不肯放过。她在冬林的推力下走了几步，像是怕极了他，最终撒腿跑进了人群。

冬林看了一会儿，骂道：“白眼狼。”

他胡子拉碴，混着一身脏臭挤进人群，又回了他的桥洞底下等死。隔日早晨，冬林裹着湿衣面壁而眠，背上经人推搡了几下。

“滚。”冬林浑身没劲，烧得浑噩。他半睁着眼，说：“我没钱再与你买包子。”

陈草雨跪爬在后面，往他怀里塞了滚烫的红薯。这薯还不过他手指长，显然是别家喂牲畜的。

冬林被红薯烫得胸口涩，他盯着桥壁，喃喃道：“为何不放过我。”

陈草雨缩手依在一隅，吹着气剥她的薯。冬林翻身坐起，盘腿捏着薯翻看一下，抬手就扔回陈草雨怀中。陈草雨受惊地看着他，又缩了缩。

冬林靠在桥壁，说：“我不吃。”

陈草雨便一并剥了塞进自己的嘴里，冬林打量她，见她今日穿了簇新的衣裳，就是不大合身。鞋子也大了些，看着像男孩儿穿的。

“你有人管。”冬林说，“是不是？”

陈草雨置若罔闻。她吃东西时相当专心，专心到让人觉察到一点迟钝。冬林挪过身，拽过她手臂，拉直了捋起袖子，见昨日的伤都被人敷过药。他这样拽着她，她却还在吃。

“既然有人管，便不要再来找我。”冬林松开手，说，“跟家人待在一起。”

陈草雨突然摇头，拽下衣袖，望着冬林拼命摇头。

“哑巴么。”冬林说。

“没有。”陈草雨声若细蚊，“不是。”

“那你听着。”冬林说，“我是恶人，不要跟我待在一块。滚回家去，别再来了。”

陈草雨不动，冬林拽起她，往外搡。她死命地后退，冬林一把就提了起来，要扔出桥洞。陈草雨尖声哭出来，她扒住冬林的手，摇头喊：“不回去，不回去！求求你！”

冬林一言不发。

陈草雨蹬掉了大一号的鞋，几近耍赖般抵着身体，紧紧扒着冬林的手，哽咽着说：“求求你，求……不回去……”

冬林心口一窒，他突然收了力。陈草雨滑在地上，又迅速爬回角落。她抱着身，贴着桥壁，哽咽不止。冬林蹲身捡了鞋，给她套上。

“你……”冬林泄气般的埋头于双臂中，“为何不归家？”

陈草雨擦着眼泪：“疼……”

“什么？”冬林抬眼，“你爹娘打你吗？”

怎么会有爹娘舍得打孩子呢？冬林想，我就不会，我若找得回她，便要捧在掌心里，叫她要风得风，要雨得雨。我恨不得将这世间的一切都给她，我连根手指头都舍不得碰。

陈草雨不肯再说，她哭得脸上花成猫。冬林想给她擦，又发觉自己脏透了。于是扯了她的袖子，给她擤鼻涕。陈草雨鼻子被擦得通红，她忍痛受着。

冬林赶她不得，她便日日都来。冬林苟延残喘，却又多了一点儿挂念。他本以为陈草雨有爹娘管，不过是闹了一时的别扭。可他逐渐觉察出些不对劲。这丫头新衣不断，整日收拾得干净，可一旦掀开衣袖，便能见到各种杖痕。新伤覆旧伤，有人给她擦药，便有人打得更狠，像是凭借着那一层光鲜的皮，便可以为所欲为。

冬林蹲在桥洞下等陈草雨吃完糕点，他说：“家在哪儿？你往回走。”

陈草雨呆呆地看着他。

他站起身，将腥臭的衣物裹上头，变成个彻头彻尾的疯子样。

“你走。”他说，“我看着。”

021章 冬林(中)

陈草雨沿着路回家，她小跑着，钻过层层人海，时不时会回头望冬林。冬林埋在人群中，无视白眼跟嫌弃，不远不近地跟着她。草雨有点高兴，蹦跳了几下，撞着了人。

钱为仕兜着书，俯身牵起草雨，问:“急什么？好生看路。”

陈草雨对他露出小白牙，连比带画地又跳了跳。

钱为仕从袖中摸出糖来，塞到陈草雨手心，说:“同我去私塾吗？”

陈草雨吃了糖，摇摇头。钱为仕便不强求，摸了她毛茸茸的脑袋，说:“那归家去吧……今日他不在家。”

陈草雨越过钱为仕，欢快地挥挥手。冬林隐在人海间打量钱为仕，见夫子也对陈草雨挥挥手。他继续跟着草雨，见小丫头进了巷，便顺着墙翻上屋顶，踩着瓦看她停在院门口。

陈草雨四下寻不到冬林，有点焦急地原地回身，不肯进门。

冬林心道这傻丫头，正欲丢颗石子下去，便见得院内一妇人开了门。

周氏笑意盈盈地“呦”一声，出门来牵草雨的手，左右眺了一眼，没见到人。

“今日怎的回来这般早？”周氏说着弯腰，“好雨儿，舅娘正想你呢。”陈草雨挣手，仍在找冬林。周氏细声细语地说，“怎么了，还想出门玩呀？”

陈草雨飞快地摇头，一手捂面遮挡。周氏拉下她的手，拖着丫头往门里走。待门合上了，便登时变脸。妇人柳眉倒竖，拧着陈草雨的皮肉，一手拍打她的头。

“天天不着家，躲谁啊？可别学你娘，没声没响地就大了肚子！”周氏刻薄

道，“小小年纪就狐媚了，一天到晚往外跑。怎么着，还想求那夫子去？人凭什么帮你！你必是对人胡言乱语，才叫他起了疑心是不是？”

陈草雨在巴掌下挡脸，哭声说：“不敢……没说……舅，舅娘……”

“嘴巴闭严实了！”周氏拧着陈草雨的头发，点着她眉心，“你若敢与人说半句不对，公爹先不饶你！你舅舅也必要收拾你！”

陈草雨被拧得头皮生痛，她啜泣着，微微点头。

“哭什么！”周氏却厉喝一声，劈头盖脸地打下去，“哭给谁看？叫人觉得我待你不好吗？我可把你搁在心尖儿上呢！新衣裳新鞋袜一件没少！我儿子没受用的，我尽数给了你，你还不知满足，哭什么！”

她双目瞪大，拧得陈草雨吃痛哭声。周氏松开手，原地转了几圈，抄起了门闩。她抬头扶了扶微乱的发髻，对陈草雨点着台阶，道：“盖上衣，趴上去。”

草雨顿时泪如雨下，她退后呢喃：“舅娘、舅娘……我知错……”

“我还没问罪呢。”周氏踹在她身上，一棒砸向草雨腰间，却听空中“嗖”的一声，竟被打偏了。

周氏尖声：“你敢躲？！”

内室里传来老太太的咳声，只说：“小声些，叫人听见了……”

“听见就听见呗。”陈仁掀帘而出，搓着花生，笑嘻嘻道，“谁家不打孩子？管得着吗他们！”

陈草雨见了他，远比见了别人更怕。她浑身战栗，竟连哭也不敢哭了。

陈仁轻浮地拈着草雨下巴，端详片刻，说：“乖雨儿，没被你舅娘打傻吧？嘁，你这人，我与你说过多少次了，不要打脸！来日再长些，还能卖个价。”

他动手在陈草雨尖瘦的下巴上捏了一把，流里流气。

“指望什么呢。”周氏冷笑，“残花败柳卖个价？

陈仁目光如狼似虎，“肥水不流外人田。”

周氏轻哼，指尖掐着草雨的皮肉，说：“听着没有？你舅舅惦记着呢！他一高兴，你可就什么都有了。”

陈仁搂着她，说：“你与她说什么，她懂什么。”

草雨眼泪扑簌簌地掉，她又怕又惧地盯着陈仁。陈仁拍了周氏的手，在草雨肘间流连一会儿，说："难得逮着人，可想再玩一会儿。但赌场那头要得急，晚些我回来，你备点酒肉。"

说罢不顾周氏抱怨，塞了银珠，转身就出了门。他哼着曲跨出门，眼见要出巷，后背突然遭人一击，整个人跟着瘫下去。

冬林蒙着脏衣，拖着陈仁迅速到巷窄角。陈仁痛得哀号，以为遇着了强盗。

冬林从后一脚踩在他后腰，陈仁痛一声翻滚，求道："有话好说！哎哟！哪路英雄……"

"你欠了我的钱。"冬林沙哑的声音逼在脑后，他摁着陈仁的头，不让陈仁看自己。匕首开了刃，就贴在陈仁后颈皮肉上擦刃，"我会跟着你，片刻不离。我就盯着你，不仅要钱，还会要命。"

"钱！钱好办……"陈仁贴在地上，龇牙强笑，"兜里的正想孝敬您……"

冬林踩着他的腿窝，用臭衣物堵住他的嘴。陈仁痛得直哆嗦，嘴里塞得满，竟只能粗喘着哼哼。

"我有个癖好。"冬林不带活意地说，"最喜欢杀打骂妇孺的渣滓。我会将油烫开，从这里灌下去。"冬林的匕首抵划着陈仁的脖颈，"油浇开皮肉，熟成烂肉。那滋味特别爽快，你想尝一尝吗？"

陈仁疯狂摇头。

冬林沉声说："我会盯着你……别给我机会。"

陈草雨戴了新帽，冬林仍旧一身破烂。他胡子已经扎手，脏得看不出原貌。他除了日日睡在陈家屋顶，似乎没别的去处。雪下来的那日他想起花娣，这傻女人还在倚门等他。

冬林见她掐腰跟人骂架，回头就哭湿了枕席。他不是不心疼花娣，他是没本事。

他是个没本事的男人。他除了偷，他一点别的都不会。所以老天爷长眼，叫人把他女儿偷了。他注定是活不久的那一类，所以他从来不对花娣说我们一块过。他只是望着她，也望着草雨，好像望着她们，便能弥补一丝一毫。他不给任何人承诺，因为他明白自己做不到。

陈草雨跟着他，从小雪跟到大雪。冬林心情好了便抱她上肩，扛着她踏冰点水。但他总是心情不太好，可是草雨不怕他，她越来越欢快，叫“冬叔”的声音十分嘹亮。

冬林跟她蹲在桥洞下放灯，几个铜珠的小玩意，叫陈草雨雀跃许久。她点着灯，对冬林小声说:“夫子说可以许愿。”

“骗人的。”冬林说。

“夫子不骗人。”陈草雨一丝不苟地摆正小兔子灯，说，“叔也要许愿。”

冬林摸了把脸，说:“……你替我许吧。”

陈草雨跪在水边，虔诚地说:“我想和叔走。”

“啊。”冬林哑声应了一下。

陈草雨说完，就看向他。孩子眼睛很迫切，乞求他能回答个“好”。但是冬林佯装看不见，他错开目光，有点黯然。

“不带我走也没事。”陈草雨拍着颊面，露出笑容，“冬叔要好好进食，好好洗澡，好好过日子。不要去别处……偶尔去别处。”她说着擦了擦眼睛，更小声说，“你若是我爹就好了。”

“我怎么能当你爹。”冬林无措地捏了捏拳，“……你爹呢。”

“没见过。”草雨抱起灯，送进水里，“只有我娘见过。你也有孩子，你孩子的娘呢？”

“死了。”冬林说。

草雨看着灯漂远，揪着衣角，突然怯生生地说:“你找回女儿，你就要和她走吗？”

冬林沉默半晌，忽地抬手揉了草雨的脑袋。他也盯着河灯，颓唐地应一声:“……啊。也许。”

草雨点点头，一大一小皆安静下去。

冬林几次张口，都没作声。他听见草雨细小的哭声，却无论如何也无法坦然地回答。他觉得这一刻心如刀绞，连带着眼睛发涩，可是他只是拍着草雨的后脑，算作一点安抚。

人与人就是这点不好，只要朝夕相处，便会生出挂念。这挂念既暖回愁肠，也危险至极。冬林觉察到这样的情绪正在蔓延，于是他决意和草雨告别。

他永远无法代替别人成为陈草雨的爹，陈草雨也不能抹去他的过往成为他的女儿。他或许可以继续望着她，但其中不再需要情感，这是他一个人留下的责任。草雨只需要好好长大，不再受苦受难，他便在这场短暂的忘年交中尽了心意。

“过了年我就走了。”冬林收回手，对草雨说，“我要继续去找女儿。”

草雨望着他，哭得鼻尖通红。她讷讷道:“你不可以带上我吗？”

“……我不可以。”冬林说，“我不可以。”

草雨怔怔地掉眼泪，她说:“我吃得很少，不要新衣裳，不会欺负她……你真的不可以带上我吗？”

冬林喉间堵塞，他残忍地说:“你不是……你不是我的女儿。”

草雨说:“我也想做你的女儿。”

冬林险些哽咽出声，他埋头说:“啊。”

我也想做你的女儿。

冬林胸腔中的沉郁仿佛在这一句话中顿时消散，它带给他的温暖超乎寻常。他用了许多年奔跑在漫无目的的旅途中，就是为了寻找回这句话。此刻他得到了，却不是他最初想到的任何一种。

他红着眼说:“若是有人欺负你，你就喊我。我能飞天遁地，我会赶回来打他。你听见了吗？我不是你爹，但我不能让人欺负你。”

冬林背她回家，一路上草雨都很乖。她不哭闹也不再乞求，在落地时，她

牵着冬林的衣角。

“我喊你。”草雨求证地问，“你就会来吗？”

“你喊我。”冬林碰了她小指，说，“我就来。”

草雨松开手，在雪中轻轻地喊：“冬叔。”

冬林蹲下身，承诺道：“我说话算话。”

022章 冬林（下）

冬林本意隐身，却没料得自己真的要走一趟。他从花娣的梳妆匣中找到了账簿，上边细细地勾着赎身价。

他决意跑最后一趟。

东海之滨时现蛟龙，据闻是山间含宝的征兆。这世间珍宝，没有冬林不敢盗的，但这最后一次，他不想用偷。于是他打点行囊，赶往东海。在临走之前，他又一次堵住了陈仁。

“钱不到手我便不会走。”冬林压声说，“我还在盯着你，你要小心。”

陈仁慌不迭地点头，冬林又踹他一脚。

“叫你女人也留心。”冬林说，“她若是行为举止惹我不快，我随时会扒了她的皮。”

陈仁至今不知道他到底是何方神圣，只是自己同周氏的私房夜话他也知晓，平日自己只要对人打骂，便会被他拖在巷角一顿毒打。次数多了，陈仁也不敢再造次，如今归家与人说话都是低声细语。

冬林翻墙遁影，消失不见。陈仁从地上爬起来，揉着后腰嘶声低骂了几句。他跌跌撞撞地入了家门，周氏一见他伤，便惊声说：“他又来了？”

“闭嘴！”陈仁搡她一把，“给老子上些药来。这龟孙子……不要让我弄

清楚他是谁。”

周氏拿药的空隙东张西望，小声说：“这可如何是好，总不能，不能就让人这么盯着吧！你倒是想想办法呀！”

“他神出鬼没……”陈仁按着伤，又不敢继续说，疑神疑鬼地到处瞟，“钱钱钱，你倒是给我钱！拿钱趁早打发走不就完了！”

“公爹的棺材本都叫你掏空了，上哪儿弄钱！你若是不赌，便没这回事！如今倒拉着一家老小受罪，我嫁与你吃苦受难，难道还要给你垫命不成！”周氏掷了药瓶，“没的钱！想要？除非卖了草雨！”

她话音未落，陈仁便将她一脚踩去桌边，喝道：“你嚷什么？怕人不知道吗！”

周氏撞着桌子，掩面哭泣，不依不饶地跺脚，喊道：“那怎么办？连说也不叫人说了吗！我们自家的孩子，怎么打发难道不是自家的事情，何叫一个外人管着！你不卖她，你还卖我吗？陈二，你若敢打我的主意，我便跟你拼命！这日子还如何过！”

陈仁怒火中烧，被她散发跌足地泼妇样吵得心烦意乱，拽起人便想扇耳光。周氏哭天抢地地喊：“你打？你还敢打！”

陈仁惺惺作态，松开手，拉了拉衣衫，说：“去，叫爹回来。”他走了几步，侧耳静听，没见动静，又走回去，一巴掌扇得周氏扶桌，却相安无事。

陈仁眼珠子乱瞟，嘴里轻轻念着：“你再嚷，再嚷我打死你！”

屋顶寂静，没如往日一样飞下石头。陈仁猛地一拍腿，大骂道：“这混账竟然唬我！”

周氏捂着脸，说：“人……人不在。”

陈仁快步拽开门，推搡周氏，催道：“快快快！良机难得！快叫爹回来，省的日后他再来，便来不及了！”

几日后草雨一骨碌爬起身，从柴房的缝隙中窥探，见陈家四人聚集内室，商讨着什么。她被关在柴房一夜，现下又冷又饿，察觉出一些不好。不多时，陈

老头就掀帘出来。他搁了一盆汤水在柴房门口，草雨膝行到洞口，偷窥他的神情。

“吃。”陈老头搓了几把雪，说，“下一顿还轮不到你。”

草雨扒在缝隙，看着他。陈老头敲了敲木板，蹲近些身。

“你是不是同外人讲过什么？”

草雨摇头。

陈老头勉强露了个笑，道：“讨打吗？你不开口，那钱为仕因何起疑？你那些伤药，难道不是他给擦的？乖孙儿。在家住着白吃白喝，我们没趁你娘落你的时候把你打死喂狗，你就该存点感激之心。” 他摸到草雨的胳膊，掂量着肉，说，“不知感恩的蠢东西。”

草雨挣着胳膊，老头陡然收紧手指，拽着她细瘦的胳膊往缝隙中别，骂道：“你娘也是个不知感恩的东西！白费我这些年好吃的好喝的供着她！该还债的时候给我闹那般不要脸的事！你如今也要有样学样，你敢！那钱为仕什么东西，他敢报官，我就告他收钱辱你！他是不是怕了，故而寻了个来历不明的人，以为能叫爷爷我怕？我告诉你，没门！”

草雨惊恐地哭出声，只觉得在这缝隙之间往外看，世间尽是鬼魅。老头粗糙的皮耷拉在嘴边，唾液喷溅，透着股腐朽的臭味。

“……冬叔……”草雨凝噎喊着，“……冬叔……”

陈老头耳略背，听不大清。收了手，转身拍拍打打地摔帘入内，草雨还未及缓气，便见陈仁紧跟着出来了。此时天已将暗，陈仁鬼鬼祟祟地到了柴房边。他打开门，钻了进去。

草雨细声尖叫一声，转身爬着跑。陈仁一把拽住她的脚，将小丫头撞着地拖回来，压倒在身下。

“叫谁？叫谁！都是你叫的！让老子受了多久的苦！不还一还，说不过去罢？”

草雨被打得唇出血，她剧烈挣扎，呜声撕咬着陈仁的手臂。陈仁又一巴掌打得她两眼抹黑，险些昏过去。她尖声喊着：“冬叔！冬叔……”

“这是做什么呀。”老寡妇踮脚从墙那头看，对上陈仁的目光又小了声，嘀咕道，“吵死人……”

草雨仰头呜咽着喊：“婆婆……救命……”

陈仁捂了草雨的嘴，气定神闲地对老寡妇仰仰头，“再看我掐死你家小王八蛋！上回借的粮还没还吧？管什么闲事。”

老寡妇拐杖犹疑地点了点，哆哆嗦嗦地往屋里去，嘴里念着：“不管……我老眼昏花……鸿儿！别凑墙头……怪恶心的。”

阿鸿踩着石头察看，陈仁对他怪笑几声。阿鸿见草雨看他，便吐着嘴里的瓜子皮，对草雨说：“呸！”

陈仁说：“过几日卖了，便没了！

草雨失声哭喊：“冬叔……”

陈仁掐着她脸颊，正欲俯身，便听背后一声暴喝。

“你做什么！”钱为仕手脚并用地翻过墙头，夫子捡着一条柴，对陈仁挥舞道，“你做什么！你是畜生吗？滚开！我立刻去报官！”

阿鸿见了钱为仕，马上缩回头去。他吮着兜里唯剩的糖渣，想着待会儿要问夫子要糖吃。

陈仁泄气地“啧”声，兴致索然。他钻出柴房，对钱为仕笑：“做什么？夫子没长眼么。你来我家做什么？私闯民宅，我还要告你呢！”

钱为仕喘息急促，他咬牙冲上来，棒打陈仁，说：“你做什么人？你不是人！”

陈仁轻松将他推倒，截了棒，转而抽在钱为仕身上，说：“我是你爹，你还管到老子头上了？”

陈仁下手狠重，打得钱为仕蜷身爬不起来。他踹翻钱为仕，绕了一圈，掂量着棒，一棒抽在钱为仕侧腰。

“你又是什么好人？我也要报官！我告你用糖哄骗我侄女，哄她做着不干不净的勾当！道貌岸然的伪君子！老子非得告得你身败名裂！所以你去啊，去啊！”

陈仁拖着钱为仕几步跨到院门边，掀开盖住缸的盖，将钱为仕一头塞进水里。他敲着钱为仕的后背，说："告啊！"

钱为仕在水中呛声甩头，陈仁提起他，说："给脸不要脸。"

音落又将钱为仕掼了进去，钱为仕埋在冰水中，呛得无法呼吸。

去死吧。

钱为仕紧紧地抠着缸沿，不断地重复诅咒。

去死啊！

几千里外的尸气鼓动，露出罗刹鸟的眼睛。

钱为仕被扔在地上，他咳着水，双目无神。天已经彻底昏暗，风雪骤起，扑打在脸上，他念着："死啊……"

陈仁踹了几脚，周氏下阶看人，忧虑道："人都半死不活了，赶明儿正报官了该怎么办！"

"他敢！"陈老头坐内室觅烟枪，临窗说，"他敢报官，就说他玷污草雨。他平日不就爱和稚儿一块吗？那么多人看着呢，一口咬死了，看他怎么翻身。"

"对！"陈老太在铺上合掌，"还能叫他赔着银钱，官府盯着，他敢不给！"

"穷酸书生有几个钱。"陈仁轻蔑地吐了唾沫，对周氏说，"赶紧啊，把草雨弄屋里去。"

周氏不情愿地扭身，她扯着草雨出了柴房，在新雪上踩了一溜脚印。周氏掀开帘，将草雨推上榻，

"多添个人就多烧块炭，合着最后还要给我气受。"她说着又拉扯草雨的头发。

草雨跌在铺上，陈老太膝头的针线盆翻了一床。老太太"哎呦"一身爬起身，打着草雨的背，说："快捡！快捡！针插被褥里咯！"

草雨藏了把小剪，仓促地将针线收拾了。她抱着盆，缩去墙角。

外边陈仁还在欺辱钱为仕，雪越下越大，他呵手哆嗦，提着钱为仕去开门。

“快滚，明早别叫我……”

院门“吱呀”一开，陈仁跟见鬼似的往后跌到，连滚带爬地向阶上蹿，口齿不清道：“怎，怎的……”

院门在大雪中合上了。

冬林跨了进来，铜铃若有似无地响动，他步子很轻，轻到还不如刀口摩擦的声音响亮。

“英雄，英雄……”陈仁滑跌在地，慌忙退后，抬手欲阻挡冬林的靠近，“有，有话好说！”

冬林疾步上前，不由分说地拉起陈仁，提着他掼进门内。陈仁仰身跌倒，滚身痛呼。内室女人的惊叫乱作一团，陈老头持着烟枪斥道：“你要做什么！”

然而老头话音未落，便听得陈仁惨叫。血迸溅而出，陈仁捂着腹爬躲。

“救命、救命！”

他话音不全，冬林从后将他腿脚拖住，只听骨骼碎声，陈仁竟然被生生压碎了双膝。他哀号变调，成了雪夜里的奇怪哭腔。周氏捂着嘴惊恐地大叫，推着陈老太自己往后躲。陈老太老眼昏花，摸不着东南，被这满室的惨叫声吓得六神无主，四处摸索。冬林已经站起身，他踢开陈仁，跨入室内。

“要钱、要钱！好说！”陈老头情急中抓破了布兜，滚了一地铜珠。他慌张地跪倒在地，扒过珠子，捧给冬林，“啊，好说！孝敬给您，统统孝敬给您！”

冬林摘了帽，被汗蒸湿的发塌下来。他握刀的手翻过来，用手背擦了汗珠。

“我不要钱。”冬林对陈老头的惶恐视而不见，“我要命。”

023章 漆夜

陈老头倒地时，周氏被溅了一脸的血。她哭喊着躬腰蜷曲，指尖颤抖地抹着脸上的湿黏，嘴里叫着：“与我无关！与我无关……你不要杀我！”

周氏栗栗危惧，手脚并用地爬向草雨。

“我是她的舅娘，舅娘！”周氏拼命地把草雨往怀里按，“我们相依为命！平日都是他……都是他！”她失声地指着陈仁，“都是他打骂差使！他还想对草雨下手。草雨，草雨这般的小，我是不从的……我是不从的！你不要杀我！”

冬林虎口沾了血，他换手提刀，把血在衣袍上一下一下擦掉。他看着周氏，就像是街头随处遇见的那种目光。他把手擦得干干净净之后，冲周氏招了招。

周氏寒毛直竖，她摁紧草雨，不肯靠近。草雨在她怀中挣扎起来，小丫头哭哑了嗓子，喊着“冬叔”。周氏恐慌万状，犹如抱着救命稻草，勒得草雨喘不上气。

“我与她情同母女！”周氏声嘶力竭地哭道，“你饶了我……你不能杀我！你若是杀了我，孩子怎么办？草雨必会害怕的，所以你……你饶了我！”她边哭边转过草雨的头，推向冬林。催促着说，“你，你与他说，说舅娘待你好！草雨，啊，草雨，你说……你说！”

草雨抗拒地摇头，周氏掐着她的胳臂，哀声说：“说……你说，你说啊！”

冬林上前一步，周氏犹如惊弓之鸟，靠身在墙无处可逃，便将草雨拖在身前做以阻挡。妇人勒着草雨，蓬头散发双目通红，口中仍道：“好汉……饶我一饶！我从未短她吃穿！我待她好，我待她好！”

可是纵使她浑身用力，哭喊号啕，都未曾使得冬林动容。冬林甚至一字都不出，他的身影遮挡了昏光，将周氏最后的期盼也压得干干净净。周氏濒临疯狂，她陡然勒紧草雨的脖颈。

“你饶我、饶我！不然我便掐死她！大家一了百了！我活不成，她也别想活！”

草雨受惊大哭，推搡着周氏，被勒得呛声窒息，只能用力地捶向周氏的胸口，喊道：“冬叔救我！”

冬林猛地踹翻周氏，周氏滚地哀叫。冬林将草雨提抱起来，她掌间的小剪“哐当”落地，她抱住冬林的脖颈声泪俱下：“冬叔……冬叔……”

周氏滑躺下去，她胸口血浸湿衣襟。她还未断气，喉中“咕噜”响动，难以置信地捂着胸口。

钱为仕脚下一滑，跌坐在门槛。他六神无主，被这一地的红激得两股战战："杀……杀人了……"

陈仁双臂爬动，喊道："救命……夫子救命！他们两个，他们两个杀人了……"他扒住钱为仕的腿，涕泗横流地求道："夫子，夫子救救我！"

钱为仕抖着身向后挤，陈仁死死拽着他的腿。钱为仕胡乱摸寻着地面，拿起碎碗照陈仁的门面奋力地砸下去。

"你去死……"钱为仕说，"畜生！"

陈仁瘫倒在地，不知死活。钱为仕慌神扔掉碎碗，磕碰几下才爬起身。他畏惧地挪向冬林，脚踩过血泊时几欲再次跌到。他怕得几乎魂飞魄散，却仍要试探地抬起手臂。

"草雨……"钱为仕泪流满面，"草雨……"

草雨抬头望他，哭得上气不接下气。钱为仕盖住她的眼睛，对冬林说："你……你们快跑……"

冬林说："仵作会检查尸身，伤口不一，府衙就会察觉不对。我跑了，顾深也不会相信是你干的。"

"那该如何是好！"钱为仕惊声，他看向周氏，见她已经临近咽气，不由怕道，"他们该拿草雨如何？我与他们说，说陈仁……"

冬林却回过头，打断了他："你是这丫头什么人。"

钱为仕瑟缩道："我……我是……"

他备加狼狈地说出个词，让冬林听后定定地望着他，臂间已经松开了。草雨拖着冬林的手，被钱为仕抱入怀中。她被遮着眼，只能牵着冬林的手，一遍遍地问："冬叔……冬叔不与我一起吗……我要与冬叔一起！"

冬林抬手揉了她的发，仅仅是一瞬而已。他转开头，说："你带她先行，去东市五柳街的通明钱铺，我稍后便至。"

钱为仕说："侠士要做什么？"

"侠士。"冬林默念着这两个字，说："善后罢了，你们且去。另外。"

他刀翻入手，留给钱为仕一个后背。

“我不是侠士，是亡命徒。”

阿鸿被老寡妇嘀嘀咕咕的碎念吵醒，他揉着眼爬起来，对老寡妇嘟囔道：“我要撒尿。”

老寡妇双臂搂着他，小声说：“乖孙，不成，咱们等……”

“我要撒尿！”阿鸿蹬踢着双腿，推开老寡妇，滑下床，提着裤子就往门外跑。

老寡妇披衣摸着拐杖追，念着：“鸿儿慢着些！尿完了就快回来，外边冷！别往隔壁看，啊，他家都不是好东西。明日跟着祖母去捡菜，别与那小贱人玩，脏死了。”

阿鸿迷瞪地脱下裤子，对着墙角，听他祖母老生常谈。

“宝贝金孙，可不能碰了她！小丫头心眼还多，整日将那钱夫子哄得五迷三道，什么都舍给她。可给过你几颗糖没有？都给了她！你看看那陈仁，也不是好东西，都是腌臜货，连亲侄女也碰！呸！鸿儿，鸿儿啊，可不能学他们脱衣裳，脏得很！贱到骨子了！”

阿鸿打着哈欠，提好裤子，他低头看着墙下潺潺淌过血来。热而黏稠的血越过他的鞋底，跟他留下的黄渍汇成一团。他踩着石块，攀上墙头，望了过去。

陈家内室还亮着灯，昏黄黯淡地光投在院中。陈二叔被堵着嘴，瞪着眼拖出内室，他还没死，胸口起伏剧烈。

一个人背着身，拾起了门闩杖。

“我与你讲过话。”冬林蹲下身，扶正陈仁的脸，“我与你讲过什么？”

陈仁嘴里塞着布，他疯狂地摇动着头。

“你记得。”冬林俯视他，低声嘱咐，“我让你记得。”

陈仁口中“嗯嗯”，绝望地注视着冬林。

冬林往掌心里呵了口热气，说：“你家没油，叫你逃了一劫。但我担心你在黄泉路上不记疼，所以仍旧要叮嘱一番。”

陈仁见那木杖高高举起，自上而落，越来越近。他用力挪着身，口中含糊地溢出惨叫。击打声让阿鸿鼻酸，他害怕地捂住脸，从石块上摔下去的最后一刻，见得那人回头，如同厉鬼般的眼神直刺得他哭起来。

老寡妇拄着拐杖疾步来寻他，他扑到祖母怀中，怕得浑身抖不停，耳边仍是老寡妇颠倒重复的念叨。

“钱夫子看不上咱们孤儿寡母……日后不要寻他！叫他继续跟那小贱人一起……他们不干不净的……指不定在哪儿偷搂在一块！鸿儿……鸿儿记着没有？乖孙，不要再跟钱夫子……”

阿鸿马虎地点着头，跟着说：“钱夫子……钱夫子……”

直至深夜，冬林才洗净手，他仔细地折好腰带，进了门。钱为仕率先惊醒，陈草雨已经肿着眼在他怀中睡着了。

冬林单膝着地，看了会儿小丫头。钱为仕示意给他抱，他却摇头不接。

“我……”冬林说，“手脏。”

他就这样呆看许久，突然俯下身，以额触到草雨的额。

草雨迷糊半醒，念道：“冬叔……”

“就这样吧。”冬林说，“叔其实根本不会飞天遁地，我这般骗你，我不该骗你。”

草雨的眼睛近在咫尺，小姑娘的眸澄澈又明亮，让冬林尽情卸下一身肮脏。

“你寻到她了吗。”草雨关切地问。

冬林说：“寻到了。我要与她去别处，从此便不能见你了。”

草雨眼中慢慢蓄起泪，她擦抹着：“冬叔，这一次也不可以带我吗？”

“她会不高兴。”冬林说，“她跟她娘已经等了我许多年。”

草雨说：“那我不跟你走，只见见你，也不成吗？”

“中渡如此之广。”冬林说，“你必然寻不到我，何必白费工夫。如今坏人已除，你只须高高兴兴地生活，便还了我的恩，从此水里捞你的那一场就不需要再记着。”

“你要丢下我了吗？”

“……我永远不会丢下你。”冬林喉结滚动，艰难道，“不要哭……”

他望着草雨啜泣的脸，耳边却响着是深秋那一场雨。

“我的囡囡经此上了去往北方的马车，她在何处？你告诉我，我自去寻找。”

“冬林。不必去了。”

“怎可不去！”

“……冬林。”老友目光回避，“当年途中遭逢大雪，那一车的女孩儿尽数……尽数冻死了。”

冻死了啊。

冬林难以自持地垂下头去，颤抖地滚落泪珠。他几次张口，又戛然止住，只是颓唐地抬首，冲草雨努力地笑。

“我怎会丢下你。”冬林哑声，“但我已停留了太久，我不见日光久居冬夜，离开于我而言是种诱惑。叔想……”他对上草雨的泪眼，忽地失了声，却仍要坚持说完整，“……我想解脱。”

草雨伸手触到冬林的脸颊，她说：“我是不是……”她哽咽着，“让叔很难过。”

冬林温柔地贴着她小小的手掌，说：“你让我活得比过去几十年都要勇敢。”

草雨低声说：“可我不想和叔分开。”

“我们路不相同。”冬林说，“你往前去，我们就此别过。”

草雨少见的执拗，她贴着冬林的颊面，拼命摇头，泣道：“我不想和叔分开。”

冬林起身后退，草雨挣扎起来，她欲脱离钱为仕的怀抱，可是钱为仕抱紧了她。她看着冬林转身要走，不住凝噎着喊:“冬叔……冬叔!”

她像是要把过去和未来的眼泪都在此流干流净，甚至咬破了嘴皮，打着钱为仕抱她的手臂。草雨伤心欲绝，埋头咬着钱为仕的手臂，喉中悲怒地呜咽。钱为仕紧紧抱着她，草雨只能见冬林打开了门，侧身回看她一眼。

“叔走了。”

草雨觉得那扇门不像是阻隔着木板，而像是阻隔着天堑。纵然她哭喊捶打，冬林也只会这样遥远地注视她。他将她留在了永远靠近不得的地方，就像是他永远追不上的女儿存活的地方。

草雨泪眼蒙胧，见他最后一眼，那身影随着漆夜逐渐隐没。而后屋檐折光，透来新晨的芒。

冬日已逝。

024章 死志

苍霁听得草雨哭声渐远，身体犹如下坠在水面，周遭诸景顿时破碎。他如梦初醒，身侧骤然暴发咳声，怀中一沉，但见净霖蜷身痛苦。

“怎么回事?”苍霁捞起人来，触及冰凉。

“旧疾发作。”净霖掩唇，“时辰将至，冬林要死了。”

“他本就一心求死，纵然救得了，也救不活。”苍霁捏开净霖掩拳的手，见他唇间残红尚存，皱眉道，“不过是虚景中走一遭，你怎么虚弱得如此厉害?”

净霖倦意深深，他道:“……不对，纵使钱为仕的恨意促生了罗刹鸟，却不足以让其赶赴此地。”他渐合眼，过了半晌，“冬林必做了什么。在他人头落地之前，我要见他一见。”

冬林伏身，听台下嘈杂不绝，日光刺眼。他的脖颈触及粗糙槽口，刽子手已踩住了他的脊背。冬林用力喘息，额前被晒得汗珠不绝。

菜场的地面脏污，鸡头狗血坏菜烂果通通丢弃一处，被雪捂得恶臭，如今直直灌进冬林的口鼻中。不消片刻，他也会融入其中，变成一地烂肉、一摊脏血。

“……冬林！”人群间挤钻着谁的哭喊，女人撒泼怒骂，推搡着别人往里间去。花娣踮着脚，越过层层人头，看见冬林的脸。她失魂落魄地望着冬林，更加泼辣地推踹着人，“让开……让开！都给老娘让开！”

“挤个什么劲！”人群里男人反手推回去，骂道，“我当谁家娘们不要脸，净往男人堆里挤！原来是深巷道口的贱人！”

“呸！”花娣猛地啐他一面，扯回衣，昂首挺胸地说，“贱人怎么了？贱人脏着你家的榻了？一双贼眼净往老娘身上溜，你可比贱人更贱！让开！不然老娘刮得你找不着东南西北！”

“欸，欸！”男人拽着花娣的手，往自己颊面轻拍，油嘴滑舌道，“我人可给你白刮了，那你是不是得……”

他话音未落，便化作哀号。花娣踹了人，巴掌劈头盖面地往下砸。周围哄乱，谁也拿不住花娣这劲，她给人赏了几个结结实实的耳光子，才正了衣襟，插着腰点着周围。

“都给我让开！凑热闹瞎起哄！我呸！一个二个赶着来看砍头，急什么！下回指不定落在谁头上！说老娘贱，你们谁不比我更贱！见人落难便心里痛快，巴不得这天底下的人各个都活得跟自己一般无二！窝囊货！肮脏鬼！贱人卖笑蹬的鞋底泥都比你们干净！”

花娣骂得喘不上气，她声抹着面，擦了眼泪，昂然道：“老娘今日偏生不是贱人，我不是来凑热闹的。”

她和冬林目光相对，冬林听得她说。

“我是来送我夫君的。”

男人破口大骂：“这是什么人？是杀了陈家一门的恶鬼！好啊，便只有这等

凶残之人才受得住你！她竟还敢打人？他杀人全家，活该偿命！”

“你知道个屁！”花娣尖声，“张嘴浑说！”

“府衙告示张贴明明白白！你认不认？”男人煽动两侧，“恶鬼的女人又是什么好货色？必也是蛇蝎心肠！指不定这其中也与她有些干系！打！陈家人死了四个，凭什么就叫凶手一个人偿命？打死她！能偿一个是一个！”

“打死她！”有人奋声，“为陈家人报仇！”

花娣被杂物击砸，她躲闪不及，被拖着手脚埋在人群中。无数张脸交错在眼前，她被摔得骨头疼。发间撕扯着，她哭声难抑，连踹带咬的要爬向冬林。

冬林束缚在后的双手挣起来，刽子手怕他要逃，便踩得更重。冬林抵着槽口，一双眼充了血。

“住手！”冬林嘶喊，“都住手！杀人偿命，刀子尽往我身上来！人是我杀的，尸是我分的，跟她有什么干系！”

他梗着脖子喘息，牙齿咬得作响。

“来啊。照我这里来！我不仅杀了陈家人，我还将他们一个一个剖开了踩。”他断续地笑，挣得脖子通红，丧心病狂的模样便是他们心中所想的亡命徒，“我杀了一个！再杀一个！陈仁先断了腿，我踩碎的。我没用刀宰他，我用木杖砸烂了他那张人畜难分的脸！我为何要分尸，因为我要叫他们连黄泉都入不得！什么畜生道，我要让他们成了孤魂野鬼，没有来世！”

冬林淌着泪哈哈大笑，他说：“爽快，此事当为我生平第一快事！你们将奈何？杀了我，杀了我！”

全场惊悚，喊打喊杀的反倒被他吓住。他们状若鹌鹑，慌乱后退。花娣爬起身，跌跌撞撞地伏到台前。

“我叫你多少回，你从不带我走。”花娣呸一声，用手掌打了一下冬林的脸，她哽咽着，潸然泪下，骂道，“这下好了！要变作真正的死鬼！你走这一程，我怎么办？囡囡怎么办！”

“你匣子底下藏了一袋金。”冬林咬住她的衣袖，终于垂首，吻了花娣的掌心，低语着，“知你大手大脚，惯留不住钱，所以藏在了底下。你回去，拿它跟老

鸨赎身，回头的剩余，带身上，去哪儿都行，你……”

花娣狠狠扇了他一巴掌。

冬林偏了头，反倒更加温柔。

“我对不住你。”他转动着眼，“耽误了太久，叫你等了一年又一年。傻女人，此后跟了别人，嘴上留点情。”他说完又仓促一笑，说，“罢了，你不要改，便叫那人受着。他受了我的福气，让你骂一辈子也是该的。”

花娣扳正冬林的脑袋，不管不顾地贴着他，她恨声道：“我这次蠢不了！你想丢下我一个一走了之？去跟你那死婆娘逍遥，我不！我偏要跟着你！他们砍了你的头，我便撞死在这里，我要跟你走，我要跟你走！”

“我谁也不带。”冬林转头抵住花娣的额，他突地笑出声，“囡囡在我前边，我心里痛快。我找遍了中渡，我心以为这辈子遇不着了，可笑我忘了，死了便能见了。”

“老娘不准！”花娣抱着他，“你又忘了我，你总是忘了我！你这狠心人，你要抛下我去跟一家人快活！”

冬林说：“这世间两条腿的男人多的是，各个都比我冬林好。”

“是啊，谁都比你好。”花娣说，“可谁叫我没遇着别人，偏生遇着了你。讨债的是冤家，这半生横竖都是你欠下的，如今还了我，也圆了我一场惦念。”

“不成。”冬林说，“下辈子再说，这一世你得渡过去。遇着我是耽搁，今后没了我便是轻松。你也要过两天轻松日子，走吧，回家去，拿了金子去赎身。我自会等着你。”

时辰已到，旁立的府衙当差上前拽人。花娣抱着他不肯松手，当差的难办，只得几个人架着花娣往后拖。花娣呛声叫骂，也止不住被架着后退。她脚滑在地上，离台越来越远。

冬林背上跟着一沉，见他名牌摔地，后方刽子手举刀，带起风声呼响。他额上火辣辣的痛，忍不住咬牙喊出声。刀刃“咔嚓”起合，人头一瞬落地。花娣尖叫失语，跌地昏倒。

两侧久待的鬼差一齐抖链，套住冬林的魂魄就要走。

“不好。”净霖从半空现身，旋身掷出折扇，“留他魂魄！”

凌风随扇掷射，鬼差铁链一沉，被净霖隔空定在原地前行不得。他仰头一看，见净霖桃眼艳色，不曾见过，便知净霖必然使了什么障眼法挡着容貌。鬼差沉身一抬，喝道：“黄泉执巡，谁敢造次！尔等宵小，久候多时！”

他声音一出，便见地面顿显无数纸片黑影。乌压压的鬼差一齐甩动铁链，严阵以待。降魔杖猛插掷在镇心，醉山僧单足而立，双手合十，奋力一推，顿时推出滔天金芒。

“让老朽好找！”醉山僧斗笠一掀，露出他的青皮脑袋来，他冷冷一笑，“此番看你往哪儿跑。”

金芒掀浪，净霖反脚一踏，一手牵出苍霁。苍霁腾空而现，重落在浪潮涛口。苍霁踢球一般将金芒一脚撩起，回身一击。

“一别多日。”苍霁邪气凛然，“老头儿，再教我几手。”

醉山僧翻手将这惊涛骇浪化作云烟，他说：“你果然不是寻常妖物。”

“那是自然。”苍霁不以为意，“这天地间只有一个我，宝贝得很呢。正逢我今日腹中饥饿，不如就将你剩下的灵气也一并交出来，也算我半个师父。”

“一日为师终身为父。”净霖在后悄声，“你要叫他爹吗？他还不如我年纪大呢。”

“想做我老子。”苍霁指尖捏住净霖肩膀，倚身咬字道，“没几分姿色可不行。怎么，他做不了，你想试试？”

“当爹可是头一回。”净霖说，“叫一声听听，看合不合适。”

“我要是叫得好听。”苍霁凑耳，“你给我吃吗？”

净霖随着苍霁的目光一并落在自己半开的领口，锁骨隐现。他微挑了眉，轻轻道：“脆骨易嚼，你试试。”

话音方落，苍霁背后风声呼啸。他对净霖露了个笑，骤然俯身。降魔杖扫荡而来，净霖抬手握扇，一面打开，退后几步。

“我身娇体弱四肢乏力。”他从扇下微露下巴，扬了扬，“靠你了，乖儿。”

“占我便宜须得加倍奉还。”苍霁一臂拦住降魔杖，稳身倒提。

醉山僧只觉得掌间金杖如陷巨壁，竟被苍霁生生拉动了。他面上不现，心中却惊骇异常。

这锦鲤了得，不仅吃了他的灵气，还混融一体。短短几日，连降魔杖也辨不清他的气息是敌是友!

“晖桉!”醉山僧喊道，“你还待什么!快出来与老子一起拿了他们!”

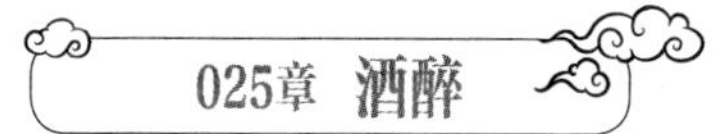

025章 酒醉

白袖如鸟，扑簌而落。缎带遮眼，使得晖桉面容不清。他背负双手，责怪道:“人尚未跑，你便着急出手。待我问个明白，你再动作。”

“问个屁!”醉山僧跺脚，“妖物狡诈，惯会愚弄善心，直接将其投入追魂狱中，什么算计都藏不住!”

“不问青红皂白便拿人下狱。”苍霁说，“那追魂狱中怕是冤魂不少。”

“追魂狱自立起便严查审办，从未有过一件冤案错案!”醉山僧震杖而立，“你原身为鱼，却能贪食人灵，捉你不冤!你可知天地间自从君父分立九天境，便再无苍龙凤凰，食灵之物多育邪祟。如今你不但有食灵之行，更兼邪肆性情，教人不得不防!”

“天资如此。”苍霁懒怠收手，“嫉妒吗?”

“那怕是不会了。”晖桉面向苍霁，缎带一松而落，他目光似如穿透，将苍霁里外看得清楚。他说，“见你灵海新筑，想必化形不久，故而不知无罪。这个人叫醉山僧，虽看起来凶神恶煞五大三粗，却是九天境中威名远扬的大能。他当年渡劫入境的期限，可比临松君还要短。论天资，只怕当今诸神也无人能出其右。可惜他如今老了丑了，心思尽在捉妖上了。小友，休与我等胡闹，随他去一趟，若当真冤枉了你，放回来便是了。”

“我也想去，可惜有人不同意。净……”苍霁促狭地改口，“净哥哥，有人

拐我。”

净霖说:“一会儿是爹一会儿是哥哥,我到底是你什么人?”

苍霁越身躲闪,擦着降魔杖,口中道:“家里人!”

晖桉飞身而至,眼见苍霁就在跟前,却又经扇面一挡,将他的目光阻断了。净霖的扇“啪”地一合,绕指横扫。晖桉脖颈之间竟乍起寒意,他果决仰身,鬓发竟被扇风扫断。

晖桉捉发凝眉,沉声:“挟风为刃,你是何人?”

净霖扇点唇间,眉间疏离,淡淡道:“这肥鱼的家里人。”

晖桉目及净霖,却什么也看不见。那皮囊之下空荡无物,连灵气都是朦胧隔绝,让他看不清、辨不明!怪哉怪哉,难道这世间竟有非人非妖非神仙的存在不成!

“此两人古怪!”醉山僧踏空杖击苍霁,“只怕来头不小!”

“先前尚能留你。”晖桉紧接着出手,“如今我也起了兴趣!”

下方杂市正迎喧沸,明明是晴空万里,却不知为何骤起狂风,刮得人群左右摇晃,身形不稳。凡人皆以袖掩面,弯腰寻挡风之处。妖怪深知头顶上的厉害,各个钻去缝隙间,连看也不敢看。鬼差拖着冬林魂魄,踉跄要走。

净霖多次掩唇咳嗽,晖桉觉察他击力不足,只是躲闪间颇显功夫,便知道净霖内耗枯竭,灵气不足。晖桉突身擒拿,白袖呼风。净霖避而不应,几步晃身。

眼见鬼差将去,净霖突地扇划虚符,见青光暴涨,足下四方顿陷于地。鬼差不及防备,东倒西歪。晖桉眼前青光刺眼,他不得不抬袖以挡。苍霁腰间一紧,被净霖拽着腰带拉回身去。醉山僧一杖击空,勃然回首,却见青光正撞于面,他嘶声而退,一时间看不清周遭。

再抬头时,哪里还有两人身影。

醉山僧却并不急怒,他一改方才的神态,抱肩询问:“你可看出了什么?”

晖桉遮着眼说:“空负皮囊不见灵海,他多半重伤在身,尚未痊愈,故而无法正常聚灵。这等伤势绝非寻常人能留下,他必然受过毁灵灭魂的重击,险些

丧命。”晖桉渐露出眼睛，也不似方才那般激进，有条不紊地说，“他那夜分明受过你的一杖，该知晓你的厉害。今日又听了你的名号，却始终不见慌张之色，若非城府太深，便是真不害怕。中渡之地不怕你的妖怪没有几位，可九天境中却有不少。那鱼不好说，但这人，许是从九天境中来的。”

“他身手不凡，另寻蹊跷。”醉山僧摩挲着下巴，“我总觉此人似曾相识。”

“近百年之间，既没有神仙贬谪下界，也没有妖物逃脱追魂狱。能让你似曾相识的。”晖桉转头，“你心中自有估量。”

“不错，我是猜了个人。”醉山僧说，“五百年前临松君泯灭佛前，九天四帝一并查看，他若没死，也逃不掉诸位君神的眼睛。既不是他，那剩下一个，便是……”

“便是君上。”晖桉接声，又摇摇头，“不像。你知我家君上脾性，即便忘却前尘下来渡劫，也不该是这个性子。”

“既然忘了前尘，冥冥之中模仿念想，也不是不可能。”醉山僧说，“杀戈君这一睡就是百年之久，知他越不过临松君的死劫。只望这一次当真不是他。”

晖桉静了静，说：“他们情同手足，临松君犯了那样的孽，叫君上如何不痛心疾首。君父当年一并收了几个孩子，现如今竟凋零至此，只有承天君完好无损，我家君上这一睡会不会醒还尚未可知。”

“不论如何我都要查个水落石出。”醉山僧踢杖扛上肩头，“那皮囊之下，到底是谁。”

净霖累得厉害，他伏在苍霁背上，已经渐入昏睡。苍霁颠了颠他，说：“魂魄还在这里，待你问完，送他去投胎。”

净霖扶额撑颈，枕着苍霁的后肩问：“冬林？”

袖中无人应答，只有石头小人钻出脑袋。

苍霁走了半晌不听下文，便又颠了颠净霖，说：“问完啊。”

净霖迷迷糊糊地抱紧他脖颈，抵着额“嗯”了一声。苍霁心觉不对，反手顺着净霖的手腕摸去他袖中，却只有石头小人。

“他丢了？”

“多半是走了。”净霖阖眼说。

“他如今成了孤魂野鬼，走去哪里？”

“不知道。”净霖说，“兴许是回家了。”

苍霁停了步，说：“人鬼殊途，别说那小丫头，就是花娣也看不见他。他一心求死，要个解脱，该过黄泉饮孟婆，从此忘了这些人事，寻个新生。这样跑了，可要孤独一世。”

“他若想，自己便会去。” 净霖声音渐沉，“如今他自由自在……”

“那你的问题呢？”苍霁回头，见净霖已经枕着肩睡了。

净霖这一睡睡得久，久到春寒料峭时方醒。他整个人变得懒散易倦，能横着便不会坐着。苍霁用金珠觅了个好住处，不仅带廊带院，还有人伺候。

虽然净霖未曾提起，苍霁却觉得冬林案子在他心里下了结，让他变得似有不同。他从前在山里也会枯坐整日，如今坐时听雨，神色却常恹恹欲睡。

“你做什么去了？”

净霖持卷倚廊下，看苍霁打伞换鞋。

苍霁脱了大氅，抬手让人退干净。他拿了净霖的温茶，一口喝了暖身，又差人烫了酒来。

“有钱能使鬼推磨。”苍霁合了盖，“如今我也有钱了，自然是去逍遥了。”

“说来解闷。”净霖搁了卷，将自己拢进大氅里。他眉间疲倦不改，又快睡了。

那光滑洁润的下巴隐进皮毛间，颊面线条流畅，便叫半睁半合的双目变得更加引人瞩目。

“铜铃了无踪迹，你便该吃胖些，待我寻个好日子，吃下肚去算了。”

“快下口。”净霖打了哈欠。

苍霁觉得自己似乎进入了净霖的圈套，在某些时刻对净霖束手无措。可偏偏净霖一直面色如常，像是没那么做，也没那么想过。

这个人比别的人更难对付。

苍霁开了口：“外边吃的玩的应有尽有，你从前做人的时候就没什么喜好吗？”

“没有。”

“好生无趣。”

“是啊。”净霖说，“因此养了鱼。”

“我都不记得了。”苍霁坐下在净霖身侧，搭着栏杆，看湿雨淋漓，“好像睁开眼便见的是你。”

“山中无岁月，”净霖扇支额角，冥思苦想，“我也记不清多久了。”

苍霁斟酒与净霖，净霖端详片刻，苍霁说：“上了年纪，连酒也忘了？”

净霖接了酒，说：“我常觉人间缺道菜。”

“什么？”

净霖饮了酒，慢吞吞地说：“蒸鱼舌。”

“蒸鱼舌确实没有，但人舌倒可以试试。”苍霁面着他，“你的舌头也不讨人喜欢。”

“吃的时候记得摘了去。”净霖新添一杯。

苍霁对此一笑，端详着净霖，接着说：“冬林投胎了。”

净霖面色平常。

苍霁继续说：“我追他魂魄，见他游离几日，待花娣赎身之后，便自投了鬼差门。我问他话，他也不答，奇怪的是，他竟一眼都没瞧陈草雨。”

“陈草雨如今生父在侧，他尘缘已了，便只求个‘死’。”净霖杯口渐斜，雨声滴答，他怔怔地说，“死便是种解脱。”

“他已了了。”苍霁问，“那你还郁结什么？”

净霖吞了酒水，闻声迟缓。他半晌后才蓦然抬首，仍是怔怔地看着苍霁。

苍霁见他眼角泛红，一贯冷清的面上浮现种要哭的神情。

“你不明白。”净霖指尖酒杯滑滚，他似如赌气一般的拨开酒杯，将折扇丢给苍霁，呢喃道，“你不明白。”

苍霁心下一动，坐直身。他试探地接了折扇，凑近些。他这双撩人的眼笑意波荡，哄着问净霖：“是了，我确实不明白。你告诉我不就行了，好净霖，说出来听听。”

两人面对面，近在咫尺。廊外雨珠敲枝，净霖却觉得热得很。他被酒气蒸得颊面微红，忍着酒嗝说：“……她与我妹妹一般年纪……”

“你妹妹？”苍霁仍是耐心地说，“净霖有妹妹啊。”

“我还有兄弟。”净霖巴望着他，竖起手指给他看，“云生，黎嵘，澜海……”

苍霁一个都不认得。

净霖又贴近些，直望进苍霁的眼里。他的眼此刻又含水又蓄雾，简直不像是净霖。他说：“好些个呢。”

“你与他们关系好吗？”苍霁低声细语。

净霖诚实地说：“有的好，有的不好。”

“跟谁好。”苍霁问，“黎嵘？”

净霖点头：“黎嵘好。”

苍霁逗他：“苍霁好不好？”

净霖沉吟半晌，使劲摇头：“总凶我，不好。”

苍霁笑出声，他说：“这该如何是好，他日后必然还会凶你。”

“那就。”净霖认真地回答，“那就凶少一点。”

苍霁仰身靠在栏杆看着净霖，说：“你竟不想杀了他或者丢掉他么。”

净霖摇头，苍霁目光复杂。

026章 妖物

雨声骤疾，檐下铁马被敲得摇摆不定。苍霁看着净霖稳不住身体，又撞着额头，闷声蜷了身，之后便不再动作。苍霁唤了他几声，皆不得回应。倒是石头小人听到低唤，扒开层叠遮挡的衣物，下了地，拖着苍霁的衣角，拾起一根被风刮断的枝丫。

“他醉成了猫。”苍霁以为它要自己带它玩，便说，“今夜我不出门。”

石头用枝丫挽出个剑花，跨步摆出把式。岂料没转回身，先被自己绊倒在地。苍霁开怀大笑，见石头坐在地上揉着脑袋，一双黑眼又气又恼。

“他喝醉了，你也醉了吗？”苍霁抱着净霖撑首，“要玩什么给我瞧。”

石头爬起身，捡回枝丫。他扶正草冠，对着苍霁煞有其事地作揖拜了拜。苍霁看他拎着枝丫，陡然挥了起来。那脆枝划弧，竟带起一缕凉风经转环绕。

雨声忽疏，听得廊外风声涌起。

石头身晃叠影，枯枝渐脱钝感，化出游龙之势，锋芒汹汹。雨珠溅栏，凌飞而起。石头步伐从容，但见枯枝横挑，雨点便犹如戏龙之珠，游走于石头左右。枯枝挟风如刃，石头翻步凌接，雨珠斜滑，它腕部一抖，雨珠腾跃，劲风一推，便直直滚向苍霁。苍霁倚栏而坐，颊边冷风掠过，不待他抬手，雨珠突然半途摔地。他垂眸一看，石头已经趴在他膝头呼呼大睡。

那若有似无的松涛声还在回荡，苍霁几乎以为自己也醉了。他就着姿势抱起净霖，又拎起石头。进了内室，苍霁二话不说，将石头丢进软垫中。

“你竟偷偷教它使剑，待我扔了它。”苍霁放下净霖，恨声，“叫你找不到别人，便只能教我一个。”

净霖模糊应答，半搭着大氅睡了。

翌日清晨，净霖醒时宿雨方歇。他披衣临窗，见得外边泥平如掌，院里已经冒出三四点绿芽。苍霁从他身侧经过，漱口后顺路捎带杯热茶给他。净霖昏头

昏脑地饮了。

苍霁面对着他倚在另一边，就着他喝剩的茶一饮而尽，悠悠道：“见你眼下发青，昨夜梦哪儿去了？”

净霖抿唇不语，他宿醉才醒，正浑身难受。

“你过去没沾过吗？”苍霁扣着茶杯，盯着他神秘地说，“酒可是好东西。”

净霖有些受寒，压着咳嗽说：“春日已近，东君该下界唤灵了。”

“东君又是什么人？”

“司春神。”净霖说，“此地不得久留，他不似晖桉，我瞒不过他的眼。”

“这么说便是旧相识了。”苍霁问，“唤灵是什么意思？”

“中渡广阔，分界司人力不支，承天君便分设掌职之神以镇地界。此等小神，多半都是未曾入过九天境听凭九天境差遣的大妖。因为数目繁多，所以习性各不相同，每遇冬日便有归巢休眠的，春时将至，需要东君走访唤醒，以确保他们能归岗当职。”

“这可是个苦差事。”苍霁拍了拍窗木，“这样惬意的院子，就要送给别人了。”

“即便东君不来，你我也该动身了。”净霖化出折扇，拍掉正在往苍霁袖上爬的石头小人，说，“我晓得铜铃的去处了。”

苍霁心情颇佳，竟没骂铃铛，只说：“它跟着冬林弄出许多事情，现下又跑去了哪里？”

净霖轻敲了敲窗棂，沉声说：“它去找顾深了。”

顾深离镇往北去，他轻简上路，带着匹马风餐露宿。捕快的腰牌已递呈衙门，他的刀却仍留在了身边。钱为仕与陈草雨送他一程，他心中百般滋味，最终也只是化成一声叹息。冬林之死成了他的心结，他决意寻家，此生定要见一见爹娘。

顾深途径客栈，下马歇脚。他走几步，还未掀帘，便见脚下踩着红氍毹一直铺进了里边。他晃身进去，差点被这客栈里的陈设糊花了眼。

净霖正拭着手，边上一溜仆从静悄无声地等候着。客栈的老桌抬了出去，新置办了四角包金的，桌面擦得反光。茶盏碗筷一律丢掉，换作贵瓷象牙的。凡事都讲究至极，凡物都金贵至极，就差门面上也贴着俩字。

有钱。

正是这等俗不可耐的做派，方配得上净霖此刻的这张脸。他桃花眼潋滟，却不苟言笑。折扇并放在手边，帕子还叠得整齐，一丝不苟地叫人生笑，既觉得他娇生惯养，也觉得他脂粉气忒浓。

顾深认得这张脸，不想净霖这次还多了个伴。一个落拓不羁的年轻人锦袍裹身，坐在净霖对面。虽不见起身，但顾深已能料想他站起来后的压迫感。

净霖侧目而视："好巧，顾大人。"

顾深觉他语气淡淡，不似"好巧"，反像等候多时。顾深卸刀入座，说："不想在此遇着公子。"

"我也不曾想会在此遇见大人。"净霖说，"上回那骇人听闻的案子，已经结了吗？我路上听了诸多，反倒不知哪一个是真，哪一个是假。"

"我说的便一定是真吗？"顾深自嘲一笑，"如今我已不兼差职，公子直呼顾深便成。"

"岂敢。大人既不为办差，怎会来如此偏僻之地？"

"为私事而来。"顾深顿了顿，"此地确实偏僻，又兼路途不畅，公子这般的贵人，又因何而来？"

净霖话音一滞，看向苍霁，说："舍弟年幼，未曾出过远门，此番是带他游访名川。"

苍霁筷子一拨，花生便滚掉下去，坐他膝头的石头小人探手嗖地接了。苍霁方看顾深一眼，正见顾深也在看他。两人对视不过是眨眼间的事情，却皆心下起了疑。

顾深赶路辛苦，匆匆用了饭便上楼歇息。苍霁搁了筷，说："他适才看我，我竟觉得他似能看破。"

“他生了双利眼。”净霖说，“此人虽是凡人，却不可小觑。”

“他若知道你我不是人，怎么不逃。”

“他怕什么。”净霖喝了茶，“他自幼孤身，走南闯北许多年，所见所闻皆超于一般人。遇着几个妖怪，不觉惊奇也是情理之中。”

“那铃铛跟着他做什么？”苍霁问道。

净霖不答，因堂中来人。他搭了折扇，点了点楼上。苍霁便抄起石头小人，抛了金珠给正掀帘而入的伙计，与净霖一并上了楼。

“我还未曾问过。”苍霁入内便说，“这铜铃到底是什么东西。”

净霖褪却外衣，随口答道：“一只铃铛。”

苍霁脚勾板凳，阻了净霖的去路。谁知净霖错开一步，便晃了过去。苍霁骑着凳子伸腿绊他，他又行云流水地差了过去。苍霁来了兴致，长腿回勾，净霖索性回身，苍霁正撞他身上。

净霖神色自若，说：“它若不是只铃铛，难不成还是个人吗。”

“那也说不准。”苍霁问，“你从哪儿得来的它？”

净霖说：“故人送的。”

苍霁便顿了片刻，净霖正欲抬步，便听苍霁问：“黎嵘送的吗？”

净霖缓露出诧异。

“九天杀戈君黎嵘。”苍霁脚踩凳栏，“听说这人修为大成，妖怪对他闻风丧胆。凭靠一把银枪统率了云间三千甲，是如今三界之主承天君的兄弟。”

也是净霖的兄弟。

君父九天君座下共八子，早年血海之战丧失五位，安然晋列君神之行的只有三个。一为承天君云生，二为杀戈君黎嵘，三便是临松君净霖。除此之外，在九天境初设之时，为镇八方平定，又外收东君与菩蛮君两位，共组九天六君，分治一方。换而言之，现如今的三界共主，以及这位杀戈君黎嵘，皆是净霖一脉相通的兄弟。他五百年前弑父杀君后遭遇围剿，除了真佛坐镇，也少不了剩余四君的功劳。

苍霁从妖怪口中得知，多数人认为，临松君净霖之所以败北，其缘由正是

这个杀戈君黎嵘。因为他率云间三千甲正面应战，与净霖打得血海翻覆，两败俱伤。临松君泯灭之后，他也沉入血海之中，从此长眠不醒。

这样的人，净霖竟用了一个“好”字。苍霁捉摸不透，反生兴趣。

“你既然待他兴趣颇浓。”净霖说，“不妨去通天城，期间陈列九天诸神的神说谱。黎嵘名列承天君之下，翻个页就能见得。”

“我对他的兴趣不比对你。”苍霁说，“你人在此处，我何必舍近求远。”

“他与铃铛没干系。”净霖还真偏头想了想，说，“这铃铛来历平平无奇，到我手中许多年，过去从未有过奇特之处。不想我睡了一觉，它便通了灵。”

“好吧。”苍霁了然地抱肩，后靠身看着净霖。

净霖说：“嗯？”

“我好奇。”苍霁坦率地眯笑，“你们反目成仇了吗？”

“兄弟反目，亲朋背离。”净霖冷笑，“痛不痛快。”

苍霁见了净霖这个神情，便不自觉地生出许多想法。他战栗地、亢奋地露出笑容来。因为净霖每每这般，就好似将皮囊褪去，剩下一个与他一模一样的凶兽，他们具是冷情寡义、抛却常理的同类。

苍霁舌尖抵过牙尖，贪婪道：“这算什么痛快？你若变得无人可信、无人可记，无人可念的时候，我方觉得是滋味。只有这样食进肚来，你才是只属于我的。”而后他压着声音诱惑道，“要别人做什么呢，这世间唯独我是真心待你的。我是这样朝思暮想，一心一意地想要贪食你。兄弟骨血皆不可信，我远比他们更值得依赖。”

“你是否想过。”净霖偏头，颊面蹭过苍霁的指腹，眸中却孤傲冰凉，“最终被吞下去的人到底是你还是我。”

“是我也无妨。”妖怪的狡诈从眸中一闪而逝，苍霁说，“与你在一起便成。”

他眼神真诚，用自己全部的伪装企图从净霖这里夺取走至关重要的东西。他是无畏且无谓的。他根本不在意自己会夺走什么，他只是全力以赴，并且料

定自己不会输。

但是不巧。

净霖固若金汤。

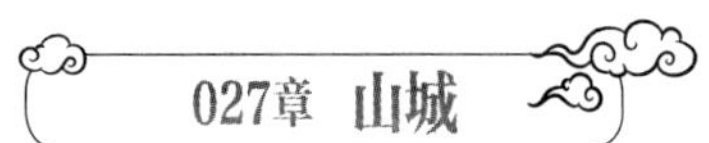

027章 山城

夜间两人相背而卧，石头睡在苍霁的胸口，随着苍霁的起伏而上下。它睡着了，净霖反倒醒着。窗外新雨，响起了春雷声。

净霖听雨沉思，正待闭目养神，便听得雨中若隐若现地亮起了铃铛声。他的神思被铃铛牵引游荡，逐渐出了内室，见到了另一番景象。

仍是大雨。

竹篱笆间钻出赤脚孩童，顶着肥叶蹦蹿向茅草屋内。屋内阴暗，沉淀着污垢般的药味。这稚儿踩着泥印奔去里间，陈榻上睡着个男人，病容蜡黄，骨瘦如柴。

稚儿跪地伏在榻沿，一双眼经雨淘洗得更亮。他从单薄的衣布下掏出油纸，层层拉开，里边躺着个只有他掌心大小的糖糕。他看着糖糕，不禁吞咽几下唾液，推了推男人。

男人双目紧闭。

稚儿小声地唤着:“爹，吃糕。”

男人充耳不闻。

稚儿将糕推到男人枕边，起身跑了出去。他才跨出门槛，又调头跑了回来，用手指蹭了糖糕渣，送进口中尝味。甜味还没来得及回味，便听门外有脚步声。

“川子。”女人摘了湿乎乎的方巾，露出脸来。她生得不美，比旁人还要壮些，因此才扛得动柴、拿得动锄，养得活家中夫儿。她拭着脸上的雨水，坐在门下歇脚，对稚儿招手，“怎的又不穿鞋。”

稚儿嘻嘻笑，伸出泥脚丫给她瞧。女人面容隐在暗影中，净霖看不真切，只察觉稚儿上前几步，投进了女人怀中，亲亲热热地唤着“娘”。女人揽着他，与他头抵头地说着话。那些话被雨声扰乱，净霖听不清。稚儿抬臂抱着女人的脖颈，可劲地撒着娇。

净霖似乎是冷眼旁观，他没有娘，故而不知道这样的乐趣在何处。他见稚儿越发雀跃，而后倚在女人怀中睡熟。这女人抱着稚儿，一手揽在他背上，望着门外雨，有一下没一下地哼着曲哄他入眠。

雨声渐疾。

净霖背上一沉，几乎被压进了被褥里。他倏忽清醒，在被褥中艰难地翻过身，苍霁的脸便贴在咫尺，正睡得昏天昏地。

净霖脱出手来，揉捏眉心。苍霁突然嗅了嗅，闭着眼说：“趁着夜黑雨大，快让我咬一口。”

“你如今能吞百物，粮食也能用了。”净霖反手摸索在枕边，没找着扇子。

苍霁抬手打开折扇，呼扇几下，说：“凡粮只能垫腹，我才不稀罕。你方才做梦了是不是。”他眼睛睁开一条缝，“你刚唤了娘。”

净霖说：“不是我。”

“从这口中吐出来的。”苍霁猛地翻坐起身，用力扇了几下风，“哼哼唧唧的，像只奶猫。”

他音方落，从他胸口掉下去的石头小人就磕到了脑门。苍霁看它撑着脑袋又趴回去，打了几个滚，才听净霖回答。

“我哪儿来的娘。”他回答得有点懒洋洋，石头小人舒展四肢，也懒在被褥里。净霖更是动都不想动，他说：“这铃铛狡猾，每次捎我看风景，都借的是我的力气。”

“你的意思是……”苍霁侧头，“那是顾深的梦？可它叫我们来到底所图

为何？”

“不知道。”净霖面上薄风阵阵，他说，“看一次价格不菲。”

他不过是看了几眼，此刻已堆上了睡意。灵海枯竭的干涩感似如乏力，他现在跟着铜铃颇为费力。上一回带着苍霁却要好些，这铃铛还会看人下菜。

次日天尚未亮，大雨滂沱。顾深披上蓑衣，头戴斗笠再次上马。他漫无目的，只是在这群山间流荡，窥寻着一丝半点熟悉的感觉。离家的那一年他还太小，致使如今除了茅草屋前的竹篱笆，便只记得湿雨天里的浓郁药味。

苍霁在窗边注视着顾深的背影没入雨帘，说:“他这样找，要找到何时？”

“无止境。”净霖也看着那影消失。

“如此执着，所求为何？”苍霁说，“家在哪里都能安，何必非要过去的那一个。”

“终究是不同。”净霖指间溅了碎雨，他说，“他将过壮年，仍是孤身，即便已经习惯了孤独，却未必情愿永远孤独。家中有他心心念念许多年的人，也有他始终丢掉的自己。”

“我不明白。”苍霁翻身坐上窗，“真是难以理解。找到了又如何？人的寿命何其短暂，即便他找回去，也不见得家中人仍记得他是谁。况且天大地大，自己一个人方才能四处逍遥，家室累赘，不要也罢。”

“所以你不是人。”净霖拭了水，“我也不是人。”

“这般的你我才最合适。”苍霁抬指勾了个空，他浑然不在意，晃着指尖说，“他既然专程到此地来，可见还是有所目的。跟着他便是了，对吧？”

“不知铃铛的用意。”净霖说，“跟着罢。”

“那么出门之前，我尚须填饱肚子。”苍霁示意净霖过来。

窗外雨声急切，掺杂了些吃痛的叹息。

苍霁最终只食了个半饱，因为净霖气血不足，被他咬得淌了冷汗，他怕一使劲将净霖咬死了。自从吞了醉山僧的灵气后，苍霁不仅修为长进，就连胃口也长了不少。他那点贪欲越发像是矢在弦上，有种不得不发的架势。

两人皆未察觉，苍霁本相睡在灵海中，锦鲤蜷衔着身体，额前麟片静悄悄地顶出两点凸起。

顾深的马蹄印从蜿蜒曲折的山路伸往深处，穿过荒无人迹的险峻之地，便能见到霎时开阔的一方平坦。这里是位居北边的山中城镇，从高处俯瞰，能见得高楼屋舍鳞次栉比，井然有序。

苍霁与净霖入了城，石头坐在苍霁肩膀，做了个打喷嚏的动作。苍霁也揉了鼻尖，说:“妖气冲天。”

他们不过方踏进门，四周的窥探的目光便群聚而来。不仅是净霖，就连苍霁也被垂涎三尺。放眼看去，周遭竟皆是披着人皮的妖怪。

“我道群山之间怎来的城。”苍霁指尖撩过自己的唇线，对四周露出纯良无害的笑容，口中却说的是，“够我吃个饱。”

净霖撑伞，说:“此地亦有掌职之神。”

“分界司连妖城也管？”

“正是他们职责所在。不过，”净霖打量街市，“妖气这般外漏，此地的掌职之神多半还在冬眠。”

“除了那东君，别人便唤不醒吗？”

“看运气。”净霖说，“东君……你若见得他，便知为何偏偏要他来做这等差事。”

“莫非他生着三头六臂，连妖怪见了也怕？”

“正相反。”净霖说，“他生得很好。”

他二人并肩伞下窃窃私语，那边顾深已经下马投店了。他在堂中用了些饭菜，见一个赤脚稚儿巴巴地望着他，便掰了馒头递过去。

这小儿接了馒头，小口抿着。顾深点了点对面的空位，说:“一道用。”

小儿翻爬上桌，却不碰筷，只是趴在对面盯着顾深看，口水几乎溢出来。顾深见他馋得厉害，便又给了些馒头。

店中女儿捧着盘上酒，弯腰时对着顾深亲热媚笑，推了把小儿，自个跟没

骨头似的滑坐在顾深一旁，捧面凝视着他，含情脉脉道：“壮士从哪里来呀？”

顾深吃着菜：“南边。”

女儿杏眸微眨，贴近几分：“南边繁华……”她面色一滞，又生生笑出来。

桌下绣鞋一晃，将钻在桌底下的小儿踢了一脚。小儿踉跄扑地，对着那莲足无声龇出獠牙。

女儿继续说：“奴家居山中，还没见过船呢。”

顾深几口扒干净，拭嘴喝酒。女儿软若无骨的手顺着顾深的肩臂下捏，一寸寸，那结实的肉感叫她更加殷勤。

“城中少有人来，奴家从没见过像壮士这般神武的人物。”她捧心羞涩，“此刻心儿还怦跳呢。”

顾深捏过她的手，将她端详片刻，忽地一笑：“这脸捏得好看，你爹娘教的吗？”

女儿登时色变，顾深从怀中掏出一符，与酒同咽下去。女儿被抓着的手立即化现毛爪，她连忙哀声掩面。

“无礼！休要窥我真容！”

周围食客随之惊恐万状。

顾深松手：“老子不欲扰你修行，你也莫要误我时辰。”

女儿掩面哭哭啼啼地退下，顾深见四周人俱看自己，也不理会，只从桌下拉出稚儿来，往他手中塞了几颗银珠。

“这店是妖怪开的，你去别处讨饭吧。”

这小儿哑口无言，结巴道：“妖，妖，妖怪！”

顾深拍了他脑袋：“寻常猴精，不害人。休要怕，去吧。”

小儿被他拍脑袋时怕得牙齿打架，抱紧银珠调头就飞奔而去。顾深搁了银钱，便出门牵马，准备重新寻处客栈。　他从热闹的街市上过，察觉雨声滴答将停。只是他不知晓，他所经之处，人人举头相望，脑袋都跟着他转。

小儿跌了一跤，脑袋骨碌地滚出去。他又赶紧捡起来，提在手上对另外几只惊声：“我遇着神仙啦！他不仅一眼看破侯娘的原身，还给了我钱！”

苍霁说:“自长的。”

朱掌柜想挤出柜，腰身却卡住了。他慌不迭地拔身，想亲自带苍霁上楼。苍霁却示意不急，抛着金珠问:“适才听你说话，夜里有什么宝贝吗?”

“有的!有的。”朱掌柜卡得脸红，他抹了把汗，说，“来了个人!够开个小宴，您要也好这口，我紧着位给您空一个!”

“多谢。”苍霁又撒了一把金珠，“但爷要两个位。”

折扇搭肩，净霖从苍霁背后晃出来。他神色淡漠，似有似无地睨过朱掌柜一眼。朱掌柜寒毛直竖，刹那间便窥得一点心惊胆战。他本欲攀上苍霁的手生生退回去，无处安放地抹拭在身上。

“好说，好说。”朱掌柜胖脸虚白，“两位楼上请。”

待他二人入梯，朱掌柜还卡在下边冷汗不停。伙计想拽他，他却自己一个屁墩坐在地上，他掏了帕子哆哆嗦嗦地擦汗，对伙计挥手。

“去!快去!”朱掌柜说，“叫他们都藏妥，我忧心这两人来者不善。”

苍霁上楼时贴在净霖后边，他不经意般地问:“你吓唬他做什么。”

净霖拾级而上:“嗯?”

“我还想再问一问。”苍霁长腿一跨两个阶。

“他心中有鬼。”净霖说，“自会害怕。”

“有鬼不稀奇。”苍霁说，“稀奇的是此地各个都有鬼。我方才见此城街市严谨，与人城一般无二，便觉奇怪。”

人讲究三六九等，街市屋舍分划井然，非特殊不可僭越。但妖怪哪有这般多的规矩，明月楼挨着茅草屋也是理所应当的事情，管他什么高低贵贱。因为太拘于礼数，反倒让苍霁生出些怪异之感。

“城是人城。”净霖合门，“住的却是妖怪。”

那这一城人去了何处?

苍霁移开脚下，说:“埋了?”

净霖略思索:“不论是埋了还是吃了，一城亡魂休说黄泉，靠北的分界司也该有所察觉。即便分界司不曾顾及，此地的掌职之神也该文书上报。食人之妖

按律当诛，一经九天境觉察，这一城妖怪一个也活不了。”

“难怪。”苍霁松懈地靠进椅中，后仰起来，“你我一进城便被盯紧，他们不是想吃，而是想杀人灭口。”

“顾深不会莫名到此。”净霖说，“其中定有缘故。”

“比起顾深。”苍霁撩开衣袖，盯着方才朱掌柜摸过的地方，“他竟敢在我身上烙印。”

净霖两指滑过，苍霁鳞片隐现。净霖突然偏过头，指腹贴着苍霁的鳞片摸了回去。

“你。”净霖眉间微皱，却没说出来。

锦鲤的鳞片色泽略微沉暗，不再似最初的金红招眼。随着苍霁修为渐长，净霖偶然摸起来竟觉得不似鱼鳞。那坚韧刚硬的手感追溯过往，倒像是他曾触摸过的一般。

苍霁捉了他指尖，眸中闪烁：“你这般盯着我，想干什么？”

“想炖汤。”净霖收手。

苍霁便说：“鸳鸯锅。”

“好。”净霖目光掂量着他，“剐鳞下水，我动手还是你自己来。”

苍霁一把扯下衣袖，骂道：“讨厌！”

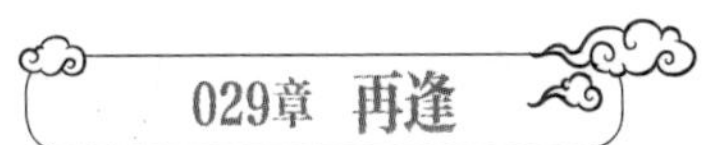

029章 再逢

黄昏时云散风来，街市上热闹更盛。地上雨水成泊，客栈的生意络绎不绝。大堂里坐满宾客，伙计捧着托盘挨桌收钱，那“当啷”的落子声敲得朱掌柜心花怒放。他钻进后厨，盯着人忙活。

厨子正在磨刀，朱掌柜催促道：“差不多便行了，待会儿站在堂中，记得把血都放缸里，好些人求呢。”

厨子说:“那人生了一身的胆，待会儿怕不好收拾。要不先打个半死，不然不好宰。”

“不好宰才正中下怀！”朱掌柜精明道，“待会儿你们来一番龙虎斗，将诸位食客看过瘾了，打赏少不了。”

“楼上那两人怎么办？”厨子讪讪地说，“还不知是哪路兄弟，若是个外山大妖，我也要被吃了。”

“有我担着，你操什么心。”朱掌柜哼哼道，“我早差人在外边蹲候，他二人若真是来扫兴的，我必不会放过他们。”

厨子诺诺应声，将刀磨得更亮些。

苍霁在楼上听得一清二楚，他抬脚踩在窗沿，看天色将暗。

“一城妖怪皆汇集此处，顾深也算了得，引得无数妖怪一掷千金。”

“此城古怪。”净霖说，“即便久居深山，也不该会为一个人引来如此盛状。”

“我倒有个问题。”苍霁说，“分界司平日里不许妖怪进出吗？”

净霖说:“那倒没有。”

“可此处的妖怪都像是从未见过活人。”苍霁俯身探出窗口，风卷长发，他听见满城喧沸，举家赴宴的妖怪们兴高采烈，街市间甚至张灯结彩，如同过节。

净霖临窗，顺着苍霁的视线望出去。他的折扇有一下没一下地搭在膝头，从近处街市一直眺望到远山残云。

“是啊。”净霖沉吟，“……不该如此。”

不该如此。

既然此地本为人城，如今被妖怪占据，其中缘由可以料想。但若是这些妖怪吃的人，那么今日见得顾深便不该稀奇。可他们各个双眼冒绿光，跟顾深对答时甚至要露出原形。

两人正张望间，听得隔壁门启。顾深几步下楼，准备用饭。铃铛“叮当”一声，随着他的脚步晃去楼梯，石头小人踮脚从门缝往外望，却正撞见一只乌溜溜

的大眼睛盯着它。

“哥哥。”小野鬼贴面在门缝，咯咯笑起来，“石头！”

石头小人被他扣来的手指吓了一跳，扑通后坐在地，又爬起来就往净霖身边跑。

苍霁提了它，嘲笑道：“胆子还没鬼大。”

石头小人顺着他的手指钻进他袖中，窝着不肯再出来。

顾深一下楼，便被店中人挤得东倒西歪。他抄抱起番薯，番薯却浑身战栗，用双手掩着眼睛。

“两碗面。”顾深给伙计抛了珠，却发觉无处可坐，便说：“端屋里。”

伙计接着珠，冲他不怀好意地露出牙：“小的给您寻个好位置。”

大堂倏忽寂静，众人皆将目光落在顾深身上，番薯越抖越厉害。顾深扶刀跨步，扫过一众人，觉得怪异非常。

朱掌柜以帕拭额，小碎步颠进堂中，对四周哈腰赔笑：“诸位觉得如何？这个头，保证让大家今晚都花得值当！为求一个‘鲜’字，我特差人现宰现割，薄肉蘸血，岂不美哉！”

满堂喝彩，这被堵得水泄不通的客栈里外，不论男女老少都盯着顾深。顾深见他们一个两个獠牙渐露，不安分地扒着桌木。

“还待何时？”他们督促道，“开菜！”

朱掌柜连连应声，厨子掀帘而出。他提着刀，大步流星地跨向顾深。顾深几步后退，却发现后边也拥挤着青面獠牙。他定神四望，但见周遭竟无一人。客人们褪皮露形，在夜色中乌压压全是妖怪！

顾深刀滑出鞘，他大喝一声，震得朱掌柜险些滑倒。他单手抱着番薯，说道：“我道哪里古怪，原来个个都是妖怪！”

正言语间，忽觉颊边微痒。顾深低头一看，耗子的大耳朵抵在眼前，番薯捂着渐凸出来的嘴，呜呜地说：“神仙快跑！”

这也只小妖怪！

顾深将撒手，番薯却先行跳下地。他抖着耳朵拽起顾深的手，小野鬼们呐喊着冲向厨子，用小拳头捶着厨子的腿。番薯趁乱拽着顾深就跑，他精于逃跑，挑得都是刁钻空隙。

“快跑，快跑！”番薯乱了阵脚，嘴里胡乱喊着，却也不知道还能带顾深逃向哪里。

这满城都是妖怪，如何跑得出去！

果不其然，番薯没出几步便被只猫妖拽了个正着。他尖声挣扎，喊着：“不能吃他！不能吃他！”

“不吃他还留着养膘吗？”猫妖磨着爪，急不可耐，“待吃他之前，先拿你开胃。”

刀光一闪，顾深悍然夺人。他骂道：“你敢！”

“摘了他的刀！”朱掌柜从桌子后边冒头，“此人并无修为，仅凭一个‘正’字。你们拿了他，随便分便是！”

“老子切了你的猪耳朵下酒！”顾深哈哈大笑，仗刀威色，“在这中渡之地妖孽也敢造次！老子既然敢孤身深入，难道还没点倚仗吗？”他的怒势唬住了山中群妖，对猫妖昂然道：“把这小耗子还我！他既敢骗我，今夜老子便要拿他喂刀！”

“气势足了。”苍霁嗤笑，“可惜本事差点。净霖，他与你一样，都靠唬人行走江湖。他今夜若是被吃了，那也是命，不必救了，拿回铃铛就算了事。”

净霖倚栏俯瞰，容貌在灯影中渐化寻常，说：“只怕你要算空了。”

苍霁抬指摸鼻，冷笑道：“好臭，那臭和尚还真是阴魂不散。”

“臭么。”净霖鼻尖微动，“倒也没有。”

“那是因为爷内自生香。”苍霁一掌贴在净霖鼻尖，供他闻个够，“抵了他灵气里的那点臭味。”

下边猫妖狡诈，眼珠子一转半信半疑。他晃着番薯，脚下移动，说：“什么

倚仗？净是胡话！必是在虚张声势！”

顾深说：“真话假话试试便知。”

猫妖拽出另一只妖怪来，推搡道：“咬他两口！”

大家反倒客气起来，厨子被小野鬼们捶得无暇顾及，拎走一个又扑上一群。朱掌柜见势不妙，又钻出头来急声说道：“一介凡人能有什么倚仗？他若当真厉害，怎么方才才察觉我们是妖！诸位，上啊！此等良机千载难逢，若是叫他跑了，再等一个又到猴年马月去了！况且山神将醒，你我哪还吃得上热的！”

猫妖按捺不住，霎时扑身：“内脏不要，胸肉是我的了！”

顾深抬脚便踹，猫妖灵敏异常，四肢着地飞快奔蹿。顾深刀未砍出，便被“咔嚓”一声咬成两截。群妖见他并无还手之力，不禁兽血沸腾，蜂拥而至。

番薯抱头大哭：“不能吃他！娘还未找到！”

顾深肩头一沉，被登时掀翻在地。他腿上吃痛，竟被咬住了。顾深撑地抬手，从怀中拽出一把符来，以迅雷不及掩耳之势塞进口中。符一下腹，妖怪便一齐惊声，那血肉像掺了铁，咯得先下口那位满口鲜血。

“九天金芒！”猫妖顿时化作大猫，飞身欲逃，“不好，是追魂狱的凶神！”

天际金芒大涨，只见群山之巅拨云见光。降魔杖飞凌而掷，街市地面一齐龟裂，碎石迸溅。杖一插地，顿荡金光。群妖齐声嘶叫，各色兽嚎回荡不止。朱掌柜已经蜷身化成野猪，撞翻桌凳就跑。城中一时间只见群兽奔跑，都被吓得魂不附体。

醉山僧提着酒葫芦，倚到树边“咕噜”几口，打了个餍足的酒嗝。他步态不稳，指点着周围：“跑，跑什么！我虽为天道，却未开过杀戒。你们怕个鬼！”

苍霁指节咯嘣，他森然道：“如今差他一半灵气，竟像是被他压了一头。”

“他丢在你这里的半身灵气权当消遣，此人若非太过疯癫。”净霖说，“只怕当日九天六君之中该留他一席之地。”

醉山僧蹒跚着撞到顾深，他眼扫客栈，冷笑道：“该跑的没跑。”

苍霁勾笑：“见你追得辛苦，便停下来请你杯酒喝。”

“小子。”醉山僧仰头喝酒，末了指向苍霁，“短短几日，你便更加邪性。他予了你什么好处，叫你这样死心塌地地钻研邪魔外道。”

“冤枉。”净霖散漫地说道。

“确实冤枉。”苍霁笑出声，“我天生正气不侵，又遇着他这样冷心冷面的坏人，自然越发不对劲。”

“我再给你一次机会。”醉山僧挂回葫芦，拔出降魔杖，“你若随我走，我便既往不咎，为你寻个正道师父。九天之上，但凡你仰慕的，除了承天君与杀戈君，旁的老子皆能给你说动。你干不干？”

“上回见面还喊打喊杀。”苍霁抬眸看了眼天色，说，“这话该信几分？”

“八九分。”净霖说，“醉山僧说到做到。”

苍霁便说：“那我还当真有个人选。和尚，你说除了那什么承天君、杀戈君，别的都成吗？”

“怎么。”醉山僧单肩扛着重达千斤的降魔杖，“你小子难道想拜我吗？”

“秃头不成。”苍霁半真半假地说，“我仰慕临松君。”

030章 痛快

“我劝你回头是岸，你却仍要执迷不悟。”醉山僧面色铁青，“临松君堕魔弑父，人人得而诛之。他在真佛坛前神魂泯灭，你既然想拜他，那我今夜便送你一程！”

降魔杖呼呼转风，醉山僧陡然跃起。但见金光挥影，客栈陈设一齐被碾作齑粉。净霖倒身落地，折扇飞甩，正敲向苍霁后脑。苍霁劈手捉住，“啪”一声合扇。

“既想要他剩余的东西。”净霖说，“便去自取。”

醉山僧已跃至身前，整个木梯轰然塌陷。降魔杖扫断木柱直取苍霁腰身，

却见客栈顶柱“噼啪”骤断，高顶刹那倾斜，苍霁踏足凌身，一扇点在降魔杖顶端，随着醉山僧的巨力反跃而上。屋舍摇晃，塌陷木料紧贴在苍霁的后脚跟，醉山僧杖击在地，借力冲上，穷追不舍。

苍霁倏地止身，降魔杖夹风扫过，金芒掠擦着侧面激起一阵刺痛，鳞片覆现，他蓦然回首。醉山僧凌踏之处瓦片横飞，见苍霁停步又岂会错此良机，当下杖震向苍霁腰侧。

劲风临面，周围一切尽数模糊！

苍霁的发逆吹向后，他在这漫天掩地的威势之中忽地脚步凌乱，浑身破绽。净霖的折扇转指握进掌心，苍霁突兀地挽出剑花，晃身挥扇，使得竟是那夜石头醉态百出的剑法。劲风一缕调头倒戈，随着扇尖游动，拨开醉山僧的降魔杖。

这世间万物除水之外，唯有风能以柔克刚。醉山僧杖法如人，一经操动必是雷霆万钧。而今遇到这醉剑，好似万般力气皆撞入戏弄之中，击不致命，打不见伤。

可惜苍霁粗糙仿学，劲风断续，全凭机敏勉强应挡。一时风转过头，一时收不回力，虽然颇得妙处，却也打得磕磕绊绊。醉山僧早已不耐，势如猛虎一杖击风。那折扇不过是净霖从街头小铺寻来把玩的俗物，当即“刺啦”一声破开扇面。杖力撞身，击得苍霁内灵翻荡，竟有些头昏眼花。他足下敏捷而退，瓦片下饺子似的簌簌溅地。

可是对上醉山僧，最退不得。果见醉山僧威势顿涨，越打越狠，越打越厉！

扇木震裂，碎在旦夕。

苍霁衣袖鼓风，正待化手为爪，便觉察腕间一紧，竟被人拉向后方。莹线在夜间细若无物，却是苍霁当初自己系下的。醉山僧紧追而起，口中“呵”的一声就要击他在此！

冷风自苍霁后颈传来，净霖不知何时已落他身后，手掌滑过他的肩臂，轻推在他腕间：“心止如泓。对上此人，急不得。”

风转扇梢，原本嘈杂急乱的气氛一瞬而定。夜风如水般随臂而游，苍霁激荡的灵海倏忽而宁。他背靠净霖，却感觉浩瀚无垠。耳边风声从容，那隐现的松涛声如潮迭起。净霖冰凉的手指轻带在他腕间，醉山僧的千斤之力如沉大海，化在扇影风声间。

苍霁看不见净霖，却处处感受得到净霖。净霖的呼吸近在他的后颈。他本是清醒的，此刻却又真的有点醉意。他通身混沌无序的灵气经那只冰凉的手牵引着，一扫朦胧，流转浑身，化为己用。

“学以致用。”净霖叮咛，“这世间万物皆有迹可破，纵然他势如巍峨也定藏破绽。”

降魔杖重击荡身，苍霁稳如泰山。折扇横挑，风倒乾坤，那赫赫威名的杖便轻飘飘地被推开。杖身坠地，醉山僧周身皆跟着一沉，他踏步稳身，逆力撞回！杖芒刮得地面石砖碎块迸溅，他冷声喝道:“碎你三魂六魄，看你如何妖言蛊惑！”

强风袭面，净霖大袖后飞。他身形似如只白鸟，轻得一刮便会倒的样子。苍霁鳞片涌覆双臂，在这无与伦比的压力之下衣袖裂碎，双臂狰狞化爪。醉山僧随杖近至眼前，苍霁猛振双臂，一爪扛杖，足踏地面。

金芒击臂，鳞片锋利削刮的声音咯咯刺耳。醉山僧咬牙下压，苍霁脚陷地面，觉得骨骼碾压之痛，见金光涨翻两侧。苍霁汗滚鬓边，听得净霖道一声“来了”，另一爪陡然击地！

罡风参灵自醉山僧脚底一并裂开，他金杖滑荡，露了破绽。苍霁反握降魔杖，使得醉山僧仓促难退。苍霁紧跟着滑步趋近，两人脚下交锋，苍霁掼力骇人，掀过醉山僧一肩。万顷灵气皆汇于这刹那，醉山僧只觉得那夜噩梦倒溯重来，自己的灵气强逆四窜，被同脉之灵震得内脏翻覆。接着他后脑一重，被苍霁强掼向下！

客栈支力不足，应声而塌。醉山僧头抵于地，撑臂难起，竟在混乱间呛血而出，才发觉自己已经头破血流。降魔杖“哐当”倒地，醉山僧撑爬片刻，只觉得被拿过的肩头剧痛难耐，似如火燎。

他跟谁都能打，唯独没料想过要跟半个自己打！

“妖物了得……”醉山僧咬牙强撑，喉中冷笑，“吞了半个老子……好生了得！”

苍霁气息不稳，他双臂脱力，却也没料得这一击之力竟如此之强。可见他虽吞得快，却不一定能化为己用。他现今好比璞玉待琢，醉山僧说得不错，他需要个师父。

净霖拨开碎石，停在醉山僧之前。醉山僧仰头盯着他，恶声恶气道：“你往哪里跑？老子会如疯狗一般追着你不放！你是谁……你究竟是谁！”

净霖垂眸看他，说：“你何必自贬，那九天之中疯狗无数，唯独你还算是个人。”

“你有心养虎。”醉山僧气喘如牛，看着净霖，指却向着苍霁，“你居心不良，有心养此妖孽，意欲何为！”

“欲加之罪。”净霖说，“他尚不知尘世，不是邪祟。”

“我等未雨绸缪！”醉山僧擦掉血迹，“待他长成，上可吞天纳神，下可翻云覆雨，到时死伤无数，他人何辜！”

“你自参不透，又何必妄算他人前路。”净霖冷声，“你既想遁空门避红尘，何不先扒出深心一探究竟。”

醉山僧暴怒：“我剃发明志，本无情丝！”

净霖不答，沉默却教醉山僧更加愤怒，他几近疯癫地抓紧胸口，狠声道：“我无情丝！这世间唯独‘情’之一字最最难缠，老子没碰过……”他切齿痛恨，“没碰过！”

“秃驴骗鬼。”苍霁抬臂回力，眼中却恶意深深，“这么看来，你碰得还深。口中说着六根清净，心里却想着红尘滚滚。”他嘲讽道，“好不要脸。”

醉山僧痛苦道：“……住口！”

苍霁嗅得了更大的破绽，他惯会如此，比起肢体上的痛苦，似乎教人肝肠寸断才更为快意。一旦容他得了缝隙，他便会坚持不懈地乘胜追击，人越痛，他越快。但他聪明的没有在此刻进攻，因为净霖在侧，他不欲再在此时节外生枝，只不过来日就说不准了。

醉山僧扒着青皮脑袋，对“情”字深恶痛绝。他本就不似常人，突然发起疯来便忘了自己身处何地。他喃喃自语：“你们血口喷人！我几次三番刮骨剔发，早已抛却俗尘，铲除情根！我，我！”他发狂似的大声说，“我不记得谁……我没误过谁……你们怎的还不肯放过我！”

他大哭大笑荒诞无稽，竟滚身在地碎念不止。

苍霁压在净霖的肩膀，由他搀扶着向前。城中鸦雀无声，妖怪皆狂奔入山，随处可见破屋塌舍，都是先前那一架震掉的。

“我当他是个高人。”苍霁衣袖被刮得光秃，赤着臂搭在净霖肩头，说，“原来是个疯子。”

净霖说：“他从前不疯的。”

“我怎知他从前是个什么样。”苍霁倚着净霖，“你说我听。”

“……太久了。”净霖撑着他的腰，道，“我怎记得你适才只伤到了手臂。”

“谁说的。”苍霁抬了抬左腿，“浑身上下没有一处不痛。我们去哪儿？顾深怎么办？”

“他离不开此城。”净霖说，“寻个地方睡觉，醉山僧一时半会儿不会离开。”

“我双臂乏力。”苍霁说，“待会儿换不了衣裳。”

净霖便道：“用脚。”

苍霁冷笑：“你怎的不叫我用嘴。”

“你还有如此殊能。”

苍霁侧敲旁击：“醉山僧就叫醉山僧吗？”

“飞升之前应有俗名，但他跪于梵坛之时便将一切抛了个干净，从此只叫醉山僧。”

“净霖。”苍霁侧目问，“‘情’字难缠吗？”

净霖侧脸平静，踢开了尚未坍塌的门。妖怪跑得急，跌了一地的萝卜，应是个兔子精。净霖撑着苍霁进门，随后松开手，转身寻石头。

“我不知——”

净霖音未落，腕间便被强力梏桎。

“学以致用。”苍霁重复着净霖的话，“这世间万物果真皆有迹可破。”

净霖一言不发，苍霁继续说：“你到底意欲何为，想做我师父，还是想当我老子？给个痛快，趁早说明白。”

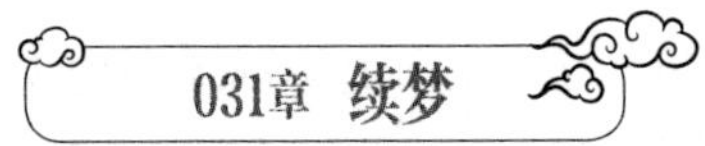

031章 续梦

“我想做你老子，你便会乖乖张嘴叫爹么。”净霖皱眉，随着苍霁的移动而微仰起头。他喉中逐渐吐出气，眼眸中仍旧是拒人千里的寒冰。

“你不杀我，反倒煞费苦心地教我。”苍霁半敛着眸，“我思来想去，总觉得自己在被你掂量买卖。”

“按斤称量也换不了多少。”净霖并不挣扎，“醉山僧的话你信了七八。”

“是啊。此刻越想越怕，怕得心肝慌乱，怦怦直跳。不过，”苍霁停顿片刻，倏而一笑，“你比我更怕。”

净霖抵墙不语，苍霁说：“我竟一直未察觉，我一靠近，你便害怕。你怕得颤身发抖。”

“没有。”净霖额触墙壁。

“你的破绽是为何而出，是为了那个‘情’字，还是为了我。”苍霁没有咬净霖，只是擒了净霖，他对此事愈发得心应手。

苍霁觉得躯体之内某一处正在无尽膨胀，这不是他的错，这是净霖的错。因为是净霖牵引着、纵容着，用那双看似无情的双眸注视着他，才让他变得更加贪得无厌。

怎么能对一只妖仁慈以待？

净霖是有意的。

皆是净霖的错。

“铜铃是真的吗？”苍霁说，“还是从离山之前，你便对我说了假话。”

“我所言非虚。”净霖感受到利齿的森然，然而这并非他畏惧之处，他忌惮的是这样滚烫的苍霁。

“也罢。”苍霁陡然松开他，滑身靠在他的一边，“……权当消遣。”

“醉山僧道你有吞天纳神之能，你便信了。”净霖泛红的手腕隐进衣袖，“稚儿好哄。”

“我时常觉得自己有异。”苍霁眼睛随着净霖移动，“你养我时，我便是条锦鲤吗？”

净霖静了半晌，说：“我不记得了。”

净霖眺望夜穹，思绪万千。他实话实说，他不记得了。他仍记得杀父的那一日，却全然不记得如何隐居深山。仿佛他醒来，苍霁便在缸中，他们已这般度过了许多日，将探究消磨得一干二净。

苍霁看着净霖，净霖沉思时轮廓清晰，窗外灯笼半投朦胧，他便隐在这里，像是离开自己的遮挡便会无处可逃。那副极具魅力的皮囊在苍霁看来皆不如他的一双眼睛，它让苍霁血液奔腾，又让苍霁杀意不减。变为人好生复杂，苍霁还是条鱼的时候便只想吃了他，如今却觉得这念头既像甘糖又像砒霜，苍霁根本不明白这是什么。

这皆是净霖的错！

苍霁烦躁地想。

皆是他，皆是他……

净霖霎时侧过脸来，看着苍霁。他们此刻都滑坐在地，在窗下凑得很近。正安静间，苍霁忽然靠着净霖的肩膀，泄气地握紧净霖的手臂，才惊觉自己全身上下疼痛无比。

“你……”

“嗯？”

苍霁眼皮沉重，意识模糊，说：“不准看我……”

净霖被苍霁压得背靠墙壁，颈后正硌着窗沿，他摸了摸苍霁的脑袋。

石头小人坐在窗沿，晃了晃腿，和净霖一起看星辰。

净霖低语：“好暖和。”

石头收回腿，摸了摸净霖的额，顺着窗沿滑到苍霁肩膀，静静地蜷缩起来。

苍霁似乎抱着一团棉花，他霸占着整只，睡意浓重地等待着灵海修复。然而他神思恍惚，听得铜铃细碎响声。他拨开厚重烟云，疑心是铃铛来叫他看顾深。

不出所料，苍霁抬了头，便看见一稚儿蹲在对面。稚儿见了他，立刻起身挥手，喊着：“娘！”

“娘个鬼。”苍霁脱口而出。

稚儿已经向他冲来，赤脚飞奔，乳燕投林一般。苍霁晃身躲避，稚儿便与他擦身而过，扑进女人的怀抱。

女人粗壮结实的臂膀抱起稚儿，扯下汗巾拭汗，说：“娘在路上替人磨豆腐，耽搁了时辰。”

“我蒸了饭。”稚儿嘿嘿一笑。

“走，家去尝尝。”女人经过苍霁身边，脚步有些蹒跚。

稚儿踩着凳给娘舀饭，说是饭，实际是掺了苞谷面的水汤。女人坐在篱笆院里，脱了鞋，看脚底磨出的水泡。她腰酸背疼，撑着额歇了会儿。稚儿端着碗给她，她加着两个粗面馒头吃了。

“爹今日好。”稚儿蹲在她跟前，说，“早饭和我说了一会儿话，教我认字。”

“认的什么字。”女人擦抹嘴。

“川。”稚儿在地上给她画，“川——”

娘俩头对头学字，不过须臾，女人听见室内一阵巨响。她忙踏上鞋，急匆匆地入内。见男人趴在地上，撑着臂往榻上爬。

“出去。”男人青白的面上仓促羞愤，“我自个来。”

女人挽袖搀他，他奋力挣扎：“我自个来，我自个……”

女人拖抱着他上了榻，男人看见稚儿贴在门边看，突然愤怒起来。他推搡着女人，喊道：“你出去……你出去！”

女人摸进被子底下，男人面如死灰。他不堪耻辱地抱头蜷缩，一遍遍地说：“何不让我死，死了多好。”

“川子。”女人背身对稚儿，说，“烧盆热水来。”

稚儿点着头后退，内室里男人仍在重复。女人手脚麻利地掀了被，褪了男人的衣裤，将污秽弄脏的地方一并卷收拿掉。她拨拉着男人湿漉漉的发，温柔道：“大夫说药用够了，便能好了。怎么能随便说死，川子还等着你带他上学堂去。”

她的温声细语让男人逐渐平静，他仍是呆呆的，像是已经认命。女人给他擦拭汗，她不优美的侧影呈现另一种坚毅。她一边说着话，一边轻拍着男人的后背。男人渐渐睡了，她才沾着热水，将污秽都擦得干干净净。

“川子。”女人从腰带内侧摸出几颗垢迹斑斑的铜珠，“去镇上，叫大夫来家里。娘在家等你，路上留心。”

稚儿接了钱，转身跑出门。外边日头大，他赤脚飞奔，被晒得大汗淋漓也不管。他没跑到镇上，途中太累太渴，便擦着汗继续走。

羊肠小道上转出个山羊胡的道士，丁零当啷地边走边念。稚儿晒得眼发昏，喘气时喉咙冒烟。

道士解了水囊递给他，蹲下来和蔼可亲地问：“小友何处去？”

稚儿饮了水，懵懂道：“寻大夫。”

“噢，家中谁染了疾呀？”

“爹。”稚儿擦着冒不完的汗，掌心一片湿黏，他说，“爹病了。”

道士打量着他，又笑问：“何病？说不准我能给瞧瞧。”

“不能动。”稚儿如实说道。

道士搭了稚儿的肩头，笑眯眯道：“好说，这病我能瞧！我抱你回去，好不好？”

稚儿被道士抱回家，道士入院时先张望了会儿。他跨进去，半恭着身试探：“主家在否？”

屋里无人应答。

稚儿想下地，可是道士并不松手。稚儿便喊：“娘！大夫来了！”

女人不知去了何处，道士入了门。里间寂静，他便在外间翻翻捡捡，随口哄着稚儿：“银钱都放在何处？你告诉我，我斟酌开药。”

稚儿觉得道士手劲极大，勒得自己并不舒服。于是他怔怔地摇摇头，有些恐慌。

道士越翻越急，他扫掉桌上碗筷，连柜角灶下都没放过。最后他进了内屋，男人正在闭目休息。道士起初不敢造次，只是轻手轻脚地找，稚儿逐渐挣扎起来，他喊道：“没钱，没钱！”

榻上的男人被惊醒，他见状爬身，呵斥道：“何人！”

道士已经翻到了衣着柜，他倒出衣物，终于摸到一包铜珠。他立即塞入怀中，转头对男人横眉冷对。稚儿即便不知道他想做什么，也知道家中贫苦，钱都是娘留给爹治病的。他对道士拳打脚踢，喊道：“不是你的！”

道士甩手给他一耳光，扛起他就往外走。男人慌乱撑身，扑拽住道士的衣角，被拖摔下地。他下身动弹不得，只能死死拽着道士衣角。

“你做什么？你把孩子还于我！”男人被拖着擦行，他说，“钱都予你，孩子不成！”

道士扯衣，竟一时间扯不回来。他抬脚照男人心窝几脚，骂道：“去你娘的！穷得叮当响，就孩子还值几个钱！”

男人被踩得面目狰狞，他指节紧扣，一手扒住了道士的腿，高声喊道：“素娘！素娘！”

稚儿大声啼哭，他胡乱捶着道士：“爹！爹！”

“松手！”道士猛力跺得男人口冒鲜血，“你松不松手？再不松手，我便下狠手了！”

男人抱着道士的腿，咽不下的血都往外涌，他说：“孩子还我！孩子，孩子还我！”

道士见状，掀翻榻边小桌，对着男人就砸下去。男人被砸得头破血流，就是不松手。道士拾起碎罐，剐着男人的手指：“松手！快松手！”

男人一双手被剐得血肉模糊，道士踢开他，带着稚儿跨门就跑。男人爬身追着，听见从外回来的女人正撞着道士。

稚儿哭喊：“娘！”

女人抡起锄头就冲上来，道士原以为他家女人柔弱可欺，若是个头娇小，能与稚儿一并掳走，却不想竟是个分外壮硕的女人！他掉头就跑，稚儿撕扯着他后领，踢踹不停。

女人拼命追赶，嘴里念着：“川子、川子！”

道士腿上功夫了得，竟逐渐甩开女人，钻进深山老林，净挑坑路跑。女人鞋掉了一只，赤着脚踩在碎石杂枝上，被刮绊摔倒。道士趁机疾步而逃，稚儿听得他逐渐消失的娘传出撕心裂肺的哭喊。

稚儿发着抖，呜咽着看路越来越长。

032章 来人

苍霁不懂“离”字苦，对于稚儿的哭喊无动于衷。但是女人最终的那一声，却听得他毛骨悚然。他正欲拨开杂枝看个究竟，便觉着虚景如水沉过，眨眼间碎在脚边。铃铛发作一般的叮当乱响，吵得苍霁霎时睁眼。

岂料睁开了眼，铃铛仍在急遽而响。

苍霁六感敏锐，猛地回首，却见顾深坐于房中，正手持铃铛摇晃。

顾深见苍霁醒了，方才止住。他对苍霁颇为忌惮，故而指间捏着纸符，对苍霁说:“你们俩人跟了我数日，到底有何贵干？”

苍霁道:“见你皮肉结实，做菜正好。”

“这一路上风餐露宿多有机会，你们皆没动手，怕不是为了口腹之欲。”顾深盘腿撑身，正色道，“我一贫如洗，流落至此，二位到底所求为何？”

“你既然知道我跟了数日，怎的偏到今日才来询问。”苍霁倒了桌上的冷茶，嗅了嗅又泼了。

“我原本尚不确认，直至昨夜再见两位。”顾深说，“若是有事差遣，大可今日坦然相告。”

“无事相求。”净霖倏忽睁眼，“却是有事相助。你寻家而至，在群山之间兜转到此，便没觉察早已顺了人的摆布吗？”

“摆布？”顾深面露狐疑，“难道绕我入城，便是为了给妖做菜吗？”

“寻家方为关键。”净霖说，“若说冬林之丧可归于‘死’字，那铜铃找你便为了一个‘离’字。昨夜一梦方提醒了我，它既来了，便不是毫无缘由。”

“我家在何方自己尚且不知，旁人怎可相助。难道……”顾深话音一滞。

“你不知。”净霖终于能揉捏后颈，阖眼说，“此地必有人知。”

朱掌柜被捆得结实。他欲哭无泪，只得求道:“三位手下留情！我就是贪个口，没想杀人。”

“刀都磨你爷爷脖子上了。”顾深抱肩，“还在这儿放屁。”

“没，没死啊。”朱掌柜小眼眨弄，挤出泪来，他晃着身嘤嘤不绝，“我等山野小妖，几百年才能见次活人，这怎能怪我们呢！”

“看你皮薄肉嫩，往油里滚一遭，炸得外酥内软，想必味道不错。”苍霁脚踩着他后背，将猪精压下去。

“不成！不成！”朱掌柜啼哭，“比我好吃的妖怪这山里多得是！您高抬贵手，炸别人去吧！”

“此地的妖怪皆住在城中吗？”净霖拨开已催发嫩芽的枝条，转身出来。

“都，都住在这儿。”朱掌柜一抽一抽地，委屈至极，“昨夜那么多伸爪的，您不能厚此薄彼啊！要吃一并吃了，我倒也服气……”

“待在山里不痛快吗，来人住的地方装模作样。”苍霁脚下留情，没将人踩进泥里。

“本身都住在山中。”朱掌柜胖手抹面，咂了咂嘴才继续说，“这地本是凡人之城，后来人死绝了，山神爷爷独居寂寞，便要我等一并进来。每年冬春交错之时，方能出城会友，平素进不来别人。”

“城中百姓因何而亡。”

朱掌柜目光回避，摸着自己短粗的鼻子，悻悻不语。

“摘了他的猪耳，下酒来吃。”顾深从腰侧拔出匕首，“整日听说妖吃人，今日便叫老子尝尝妖怪的味道。”

朱掌柜赶忙埋头进泥潭，憋着气慌声：“不忙不忙！我说便是！此地原先并无山神，因此城中人不拜诸神，故而四周妖怪簇生，就连分界司也不欲接管。这城中邪乎，女人们大多不苟言笑，也不出门上街，整日被关在屋中，偶尔入内一瞧，还当此城尽是男人呢！只是他们虽不拜九天诸神，却一直香火鼎盛，子嗣繁多，比那鼠妖兔精生得还快！我彼时出山望一眼，只觉得此城死气沉沉，心里也怕得很。怪异至此，不像是妖物，倒像是邪魔了。而后又过几年，大抵是分界司看不过眼，便差山神爷爷来驻此地，不消三日，此城中人死了个干净。”

顾深骇然道：“全部死了？”

朱掌柜说：“群妖狂欢，以为能得尸体吃个痛快。岂料山神爷爷不许，将这一城万人尽数埋压在地下，不，不知是独享了，还是就此搁着了……”

苍霁正欲开口，唇间便轻搭折扇。净霖若有所思，却并未询问。

朱掌柜抱头大哭：“我已尽数道来！各位爷爷放我一马！我历行百年方修人身，不仅岁数大，皮也糙肉也厚，吃起来必定味如嚼蜡！”

“山神……”顾深似也觉察些蹊跷，“山神现在何处？”

“落日余晖斜扫山脚，哪座山接了光，他便睡在哪座山下。”朱掌柜说，“各位爷爷可休提是我说的！山神醒时常游山林，不似巡夜，倒像找人。只他找

了一年又一年，此处根本无有过客。”

朱掌柜答完，便经苍霁一脚踢回原形。野猪拱在泥水中打足了滚，方才脏兮兮地狂奔而去。

“神仙怎会做滥杀之事。”顾深说，“我是不信的。”

“兴许不是个神仙。”净霖目光随着日头而晃，他道，“山间小妖不常遇神，九天文书也非人人可见，要有意捏造，此地也无人察觉。”

“这么大的胆。”苍霁说，“修为低浅的妖怪可兜不住。”

“亲眼一见，方能明白。”净霖说道。

此时日已倾斜，酉时将至。

醉山僧被巴掌拍醒。

他侧卧在地，不情不愿地牢骚:“扰人清梦！滚滚滚！春分在即，南下诸地早已插种秧苗，靠北群山还没走遍！误了北人农时，不怨人人骂你！”

“哎哟。”乌青常服垂袖扫在醉山僧的脸上，来人解了他的酒葫芦，摇晃一阵，苦着脸说，“怎的一滴也没留，我从南徒步而行，走得口干舌燥。”

“当差不力，怪谁！”醉山僧翻个身。

“几日不见，你倒是越活越落魄，九天之中奇葩无数，你是最闪耀的那一个。旁人再不济也睡枝丫上，好歹能唬一唬人，你就横在这破烂塌街头，活像被人打了。”东君抛了他的酒葫芦，就着醉山僧背上坐了，“容我歇歇脚。”

“快滚。”醉山僧烦道，“老子爱睡哪儿就睡哪儿，关你屁事。”

“我这不专程来放个屁给你听么。”东君环顾四周，道，“被我说中了，你当真被人打了。有趣，这中渡之中还有这等英雄好汉，敢问对家姓名？我要亲自提笔写个赞辞，好好夸一番，真是大快人心。”

醉山僧猛地起身，不及拾降魔杖，脱了鞋就兜头扔东君脸上。东君敏捷而避，接了鞋，又面露难色，嫌弃地翘指丢开。

“恼羞成怒了。”东君拍手称快，“打得狠，打得好！”

“我有一日必当撕烂你这张嘴。”醉山僧啐声，“臭不可闻！贱得皮痒！”

东君后领插着折扇，他若立着一言不发，仅凭这张脸，也能在九天之上混出个名声。可偏偏这人就爱张嘴，硬是将自己的美名搅成万人嫌的臭名。九天诸神谁不怕他？就连承天君知道他进殿也要避退装睡。

他断续地吹了个欢快小调，半点不生气，哈哈笑：“何必呈这口舌之快，你我兄弟情深，你怎舍得。况且这副皮囊不说颠倒众生，骗个宽恕还是使得的。醉山僧，对不住嘛！”

醉山僧连另一只鞋也脱下来：“你滚不滚？”

“滚！”东君二话不说，当即在地上翻个滚，然后起身继续，“这不就完了吗。如何，昨夜跟你交手的人怕不是一位。”

醉山僧套回鞋：“老子追魂狱办事你……”

“我见地面龟裂自一处崩生，可料想必是你一杖掷地率先动手。此地隐于群山，绝非追魂狱寻常办差能至之处，可见是你私怨追踪，是跟着别人来的。常人恩怨必不会叫你挂在心上，寻常妖物都不足提起，想来这个‘别人’多与九天境脱不开干系。近来不闻旁人下界，那么这个‘别人’，怕不是位故人？”东君俯身捡起碎石块，啧啧称奇，“你与人家打了起来，不想人家有几把刷子。哈哈，你必吃了个哑巴亏，故而负气横地睡上一觉，想待养精蓄锐再追再战。倒是让我好奇，这两位……”

他戛然而止，转着指间的石块。此时日已西沉，城中渐暗，他摩挲着，轻轻道。

“这痕迹酷似剑痕，使得什么物件？你不必说了，我心猜是把扇子。有趣有趣，扇子使得这么凌厉，倒让我记起个人来。”

醉山僧立刻紧张询问：“谁？”

东君丢了石块，从后拎出折扇，“啪”地打开，说：“可不正是在下。”

醉山僧一脚撩起降魔杖，闲话不说，直接当头敲去。东君不急不躁地避闪，扇横接住杖，微微一沉，又陡然笑开。

“不要动手嘛。”他说，“你与人交手，竟真未觉察，那一招一式仿了谁吗？”

醉山僧心下一凛，便见东君晃身醉挽剑花，风随扇走，惊龙环绕。他虽未喝酒，步态却醉了个十足！醉山僧当真大骇，几乎要以为是他变作别人来诓自己耍。

那两人究竟是谁？

净霖忽地咳嗽几声，苍霁背着他，转头问：“冷了吗？”

净霖说：“……背后一凉。”

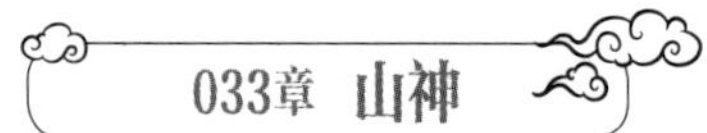

033章 山神

山间夜色漆深，既不见鸟兽，也不闻虫声。彻山寂静，番薯牵着顾深的衣，和小野鬼们噤若寒蝉。山神不知歇在何处，气氛诡秘，越发前路莫测。

苍霁脚踩腐叶，说：“这山中不见旁物，连条虫也没有。”

顾深拾叶细闻，随后揉碎在指掌间。他虽然没有超越凡胎的飞天遁地之能，却有洞察秋毫的眼力。顾深环顾四周的遮天树木，说：“此山树木丛生，根藤生状远比别处更加错综复杂。莫非山神还有催生枯朽之能？”

“不该。”净霖说，“复苏万物，化腐催新该是东君。如若这山神也能如此，九天境中应有他的一席之地。”

诸神聚于九天境，各显神通持有大能。诸如醉山僧，降魔杖渡灵震邪，靠的并非他那叫人钦羡的天资，而是他的本相。凡有修为，必生灵海，灵海浩瀚，簇拥本相。本相由心所筑，为灵所催，人各不同。醉山僧本相即为“醉山”，是以此人本性刚毅，难以屈服他人之下，并且执念尤重，所以他迟迟不能清净六根。

东君则更加不同，九天君当初点他时，三界哗然，足见争议。他为列君神，却仍需做这唤春之事，并非如今的承天君有意打压，而是除他之外无人能任。

净霖与顾深的对谈未止，忽见苍霁绕树一圈，用脚拨开堆积厚实的腐叶。他趋身轻嗅，说："这地方味道古怪，泥里生着股没闻过的恶臭。"

顾深半蹲着搓泥，他沾指而嗅："我闻不见。"

苍霁在番薯屁股上轻踢一脚，说："你来。"

番薯攥紧衣襟，耳朵垂挡起来，又畏又怕地说："不，不必闻了，是尸臭……"他哭丧着脸，"这里死了好些人。"

顾深以鞘掘泥，挖至两掌深时，掘出一只森然指骨。他说："那猪精说的万人尸骨，想必就在此处了。"

如果他们此时揭开泥土，便能见得此山白骨叠覆，堆积成山。参天之树扎根其中，漫山葱郁基于尸骨。

顾深拨动指骨，说："骨上留痕，若是勒死的，应该在脖颈处，怎的指骨上会留下痕迹。"

"那要看这位山神爷爷到底是何物。想必不是走兽，但若是虫蛇一类，倒也不像。"苍霁指尖划过指骨间的勒痕，"太细了。你们也生于城中，就没见过他吗？"

番薯战战兢兢地回答："没，没见过……若是见过，便能找娘了。"

净霖一直未曾出声，他抬指抚过树干。林叶摇动，摩擦间似有韵律。

顾深说："连他们也见不到，难道还能遁地不成？"

"虽然见不到。"番薯悄声，"但城中一举一动，山神爷爷都知晓。他素不许人擅自出去，便无人能出去。"

"此处不见灵界，想跑便跑了。"苍霁说，"他用了什么法子让人这般听话。"

"害怕。"小野鬼们揪着各自的衣角，糯糯齐声，"哥哥，害怕！"

"何物不常见，又能隐于眼前。"顾深思索着问道。

"与其道不常见。"净霖衣袍由风吹拂，他抬手抚树，"不如说最为常见。"

古木佝偻，闻声不动。

但见星光挥洒，闭目倾听。那风间呼吸轻细，周遭万木随息摇曳，凝聚成群山浪涛，再化于风中，归泯夜色。

东君倏忽驻步侧耳，止住醉山僧的问询。他道:“你听。”

醉山僧立杖静气凝神，过了半晌，道:“屁都没放一个。”

“此等妙音，你却只想听屁。”东君说，“可见你孤独一世必有原因。”

“废话少说，你听得了什么？”

东君双目半敛，流露出种愉悦。他道:“此地群山环绕，天然屏障。外物如不打扰，便该是个世外桃源。因此草木一心，山水同源。可偏偏坏在由人筑城，非但乱了灵气，更因孽债添得死气。”

“我见此地地势讨巧，内孕天灵之气，因此滋养万物化灵，妖怪多得满山跑。哪里来的死气？”醉山僧困惑道。

“你察觉不到那是自然。”东君负手，“不然还要我做什么。不过你身为追魂狱首辅官，却连中渡掌职之神管辖地界都记不清，难怪他们见了你，便要明里暗里的下绊子。”

“中渡的掌职之神浩如烟海，待我头发长出来也记不清。”醉山僧问，“此地归哪个管？”

东君轻快道:“没人管。”

醉山僧几步环视，说:“此地既然孕纳天灵，为何没派遣掌职之神？”

“因为此地孽债未偿。”东君道，“分界司衡量各地，香火兴盛之处便立祀庙，依照功德驻入掌职之神。你先前待得镇子，既能请到晖桉这等资历的神仙驻守，与它数百年来香火不绝有必然干系。此地一不拜天，二不求神，叩的是血海邪魔，休说分界司，就是寻常大妖也不欲管。”

“何等荒谬，既拜邪魔，除了便是！岂能置之不顾？”

“不过五百年，你也忘了。”东君瞥他一眼，“你是斩妖，那除魔的，除了黎嵘，不就是临松君吗。”

醉山僧哽了半晌，才固执道:“虽说我只担斩妖之责，但若是除魔，也不是不可以。再者净……临松君之后，难道整个九天境，便再挑不出人了吗！”

东君却轻叹一声，幽幽道：“人岂是这么好挑的？斩妖容易，除魔却难。天地间除了葬身血海的那几位，便只有黎嵘的破狰枪、净霖的咽泉剑。如今破狰沉眠，咽泉已断，承天君再从何处挑人来？修为易求，本相难得。除魔卫道常涉血海，若非心志坚定，岂敢随意接任。”

“梵坛有诸佛，我不信便再无人能够除魔。”

东君突然仰天大笑，他负手而去，道：“呆子！你何时方能明白个中曲折，若是真佛易请，那黎嵘又何必沉眠血海。这世间一物换一物，历来是功德相抵，因果成圈。”

醉山僧紧跟其后：“你说此地人拜邪魔，可我瞧去全是妖怪。人呢？”

东君耸肩：“还债去了呗。”

“不对。”醉山僧说，“既然邪魔未除，谁能叫他们还债？”

“债自己咯。几个人便能积怨化鸟，但罗刹鸟毕竟算不了什么厉害东西。可若是成千上万个人积怨血溅，生出什么来，我也料不到了。”东君兴致勃勃，“可叫我碰上了。”

顾深被息声所诱，他缓步上前，触到了树干。始终岿然不动的古木陡然垂枝，从顾深的肩头，摸到了顾深的眉眼。那枯枝糙皮，一寸寸滑过去，有些疼。

“他……”顾深喉中倏忽漫上哽咽，他强压而下，“认得我吗？我虽到过北边，却从未来过此地。”

古木的根茎从泥土间拔出，随之翻上皑皑白骨。藤须越渐增加，古木被坠弯了腰，变作了一个拖根混泥的庞然怪物。根须滑行，缓慢移动。枝条像是辨认一般摩挲过顾深的面容，然后渐渐越过顾深，靠向番薯。

番薯四肢着地，耳朵被藤枝抚摸。他怔怔地见这怪物移至身前，没由来地叫一声。

“娘。”

小野鬼们踩着泥，翻爬上怪物的藤条。他们俱露出天真活泼的笑来，俯首

趴在藤枝上，一齐欢快道："娘！"

番薯被藤条抱起来，小野鬼们也被藤条环起来。它既没有脸，也没有口，苍霁和净霖却皆听见哼唱声。在那含糊缥缈，混杂千万人音的哼唱声中，它轻轻摇动着稚儿们，番薯抱住它的藤，哭出声。

"娘。"番薯倚着它，"是我娘！"

"是娘！"小野鬼们在泥与藤间嬉笑打滚，"是娘！"

"它"带着稚儿们，移动下山。满山草木分离成路，白骨从他藤间不断掉在泥地，它像是仍在寻找，游动向更远的地方。

"它要去何处？"苍霁转头见顾深，却发觉顾深已泪流满面。

顾深握着刀鞘，不能明白地拭着泪："……我竟以为它认得我。"

净霖望着去路，并未接话。他似已经明白什么，却不能对顾深一吐为快。

顾深回头，看"它"巡山远离，忽地生出种难以忍受的疼痛。他甚至分不清到底是何处在痛，只是重复道："……我竟以为它认得我。"

山神在夜中巡山，漫天星芒为其指路。它就这样一圈一圈、一遍一遍游荡在群山之间。从草丛中探出的小野鬼愈来愈多，他们赤脚打闹，乘着山神的藤条，参差不齐地唤着"娘"。

顾深腰侧晃起铜铃声，催促着他跟上去。铃声敲醒了顾深，却没有敲醒净霖。他的目光流连在铜铃上，仿佛见得什么故人。

石头小人从袖中跳出来，追到顾深身侧，蹦起来摘够铜铃。铜铃绕着顾深，藏进了他腰带里。石头落在地上，看着顾深带着铜铃追向山神，不知为何，背影显得有几分落寞。

苍霁蹲在它身后，一指摁在它的草冠间："拿得回来，急什么。"

石头抱着苍霁的手指，被他带上肩头。

"你既一言不发，想必已明白些缘由。"苍霁看前边，"此物非妖非魔，不具恶性，却背杀孽。我观他没有灵海，内外皆是一团混沌。它到底是什么？"

净霖脚踩白骨，垂头静观片刻，道："若我猜得准，顾深便回不得家了。"

"这跟他什么干系。"苍霁说道。

“既没干系，又有干系。”净霖不留情地轻踢开白骨，“此地本是风水宝地，却由人乱了天灵。此城为人所造，却置于深山，既不通道路，也不入外人。城中只有一条通外之道，筑了重门铁锁。妖怪尚觉无法逃脱，更何谈凡人。”

“倒像个石罐。”苍霁说，“四面环山，天然险阻，人住此处多有不便。但城中修筑精心，也不似逃灾逃难。”

“确实为逃而筑。”净霖说，“却是为罪责而逃。冬林杀陈氏四口便能引去罗刹鸟，此地死万人却不见邪祟物。分界司没有察觉，是因为黄泉没有通报。”

“怎么。”苍霁问，“此地有阎王亲戚吗？”

“阎王怕不敢认。”净霖稍作停顿，“多半是杀人之后，连魂魄也一并吞了。”

“那这么多小鬼从何而来？”

净霖看向苍霁，道:“稚儿们死得早。”

苍霁问:“这到底是什么地方。”

“此城不是桃源乡，而是藏人巢。冬林境中曾有一段话，‘那一车女孩儿尽数冻死了’，中渡虽广，但能到冻死人这等地步的，不正是我们来的这条路吗？”净霖微顿，不再继续。

却依然听得苍霁问出了关键。

“为什么。”苍霁神色冷冷，“只将女孩儿送过来。”

034章 顾深(上)

为什么只将女孩儿送进来？

因为她们不仅能够维持城中原住民的生计，还能让城中原住民发家。她们或鲜嫩或成熟都无关紧要，因为进了城门，她们便会成为一种人，成为永不见光、生不如死的那种人。

那一列列的马车从中渡各地汇聚而来，又从这里分散出去。密封的车厢里拥挤的都是十几条无辜的命，不论是不分年龄进来的女人，还是不分男女出去的孩子，他们一齐变作了其他动物，不再是人，而是供人买卖的牲口。他们脖颈上套着绳索，蓬头垢面，破衣烂衫，被运向哪里都没差别，因为到处都是长夜。

中渡的牙行成千上万，如若从北往南画一条曲折的线，便能从其中连出一条血泪铸就的长途。这条途中既有冬林冻死的女儿，还有至今找不到家的顾深。

这是一处精心构建的隔绝地，巧妙地隐于深山，避开官府。从这里能够延伸出人世间最冷酷的爪，它紧紧攥着丢失女眷和孩童的人的心，又以此为契机拖进更多的无辜者。

铜铃唤顾深来到此地，并非想告诉他家在何处，而是催促他找到心中的执念。

那个有关“娘”的所有回忆。

顾深不叫顾深，在拜师学武之前，他应该叫川子。道士扛着他奔穿山林，用了足足半个月，才跑到了人烟稠密的地方。

川子被道士有意饿得双腿发软，他趴在道士背上，却连跳下去的力气也没有。他已经哭肿了双目，喉咙因为哭喊哑不出声。不过半个月，他已饿得瘦小干枯，即便是这样趴着，背脊上也是冷汗直冒，胃间甚至连酸水都倒不出。

“这孩子看着要饿死。”称算斤两的汉子转过川子的头，手贴在他侧颈，说，“这不好卖，谁要搞个病秧子回去？人家花钱来买儿子，不是买主子。这跑不了蹦不得的东西，你叫我怎么跟人说？”

“没病，您看这都是饿的，哪是病啊！要是个病秧子，我抱他不是自找麻烦吗？这一路上府衙盘查，万一死在我背上，还真说不清楚了！”道士原本抄着袖哈着腰跟在汉子后边，闻言赶忙将川子摆弄起来，拉着川子的胳膊掂量着，“您瞅瞅，这骨头，将来长出来保准儿是个能干农活儿的，好养得很，给口吃的就能长。这来买孩子的，不都是为求个能劳能干，将来还能传宗接代的吗？

这个都成！我见他娘长得壮实，他还能差？”

“他娘你也见着了？”汉子笑骂，“人怎的没把你给逮着？”

“我头也不敢回，扛着这小子就跑。那女人整整追了两里路，要不是我灵机一动，钻了个林子，还真甩不掉。”

“听着不错，好生养，要是一并带过来了，我二话不说给就你个好价钱。”汉子起身，觉得川子差强人意，随口道，“近来家里死了一批，正急求好生养的女人填缺位。”

道士说：“不是年前才补过一批吗？怎的就死了。”

“小的不好养。”汉子抽了账簿出来，给道士新添一笔。

“可这不好弄啊。”道士愁眉苦脸，“这种耐折腾的多是乡野村妇，能干农活，人自己就看得紧，根本不给机会。到手了也不好整，那一巴掌呼过来，身板小一些的哪招架得住。孩童抱起来就能跑，路上也不招人探查。要不您跟家里边说说，一次少揽点生意，咱们如今也不愁这点钱是不是。”

道士越说汉子脸色越沉，他冷哼道：“我看你小子是忘了起初的不容易，钱要觉得多，家里边随时能给你减。你怎不想想家里边人有多少，还要养着女人。”

道士嘘声，不敢反驳。

汉子搁了笔，说：“去，自个去柜上要钱，趁早滚。我告诉你，雪一下来，不论东西南北，都要归家递账簿。若是交不出老爹满意的数儿，来年你我都吃不了兜着走！”

道士不寒而栗，赶忙赔了不是，疾步去柜上支钱走人。

川子被拖进牢室，他如今手软脚软，连绳子也套不住。汉子扔给他几个馒头，便锁门自忙去了。

川子似乎压着人了，他不是有意的。因为这狭窄逼仄的牢室里密不透风，像是专门为藏孩童凿出来的，连两个成人都横不下，却挤着十几个孩童。他们肩臂相抵，随便蠕动一下都能引来含混的哭声。

川子脏指扣着馒头，艰难往口中送，用唾液濡湿屑，一点一点地往下咽。

他横着身，眼角淌出泪，泪把眼睛扎得刺痛。

不能再哭了，双目要瞎了。

身子底下的人只动了几下，便没动静了。川子顾不得别人，他扣了大半个馒头，才觉得胃中舒坦些，酸水冒出来。他压不住，只能由着它们沿着嘴角向外淌，川子想呕，牢室里的味道熏得他胃几乎拧起来了。可是他磨着牙，用力向下咽，不叫馒头屑涌出来。

吃一顿少一顿，这两个馒头要藏一半，因为不知道何时才能再得。

川子就这样横着，下边的人热乎乎地硌着他，让他捂出了臭汗。汗珠顺着往下砸，敲得底下人像是淋着雨。但是人一直不见反应，川子缓缓移过头，对上了底下人空洞的眼。

死了。

川子舌尖乏力地抵着那个字，用尽力气嚼着它，像是想要凭借这个字活下去，又像是能从这个字中得到现下奢望的一切。

他气若游丝地唤着："娘。"

牢室里困了一夜，翌日孩子们便被兜进麻袋里，扎紧口。伙计们大剌剌地扛着麻袋穿过人声鼎沸的街道，在一片牲口交易声中将他们送上充斥牲口粪便的马车。川子运气不好，扔上去的时候倒了头，便只能头冲下边，脚向上戳。他浑身的重量都向脖颈挤压，他逐渐觉得手脚冰凉且发麻，脖颈处压得他不自主地溢出痛苦的声音，一种无法呼吸的恐慌侵袭向他，他哑声挣扎，终于引来伙计查看，在挨了几脚后被倒回去。

川子卡着喉咙，大口喘息。马车颠簸起来，不知向何处去。川子蜷着身，抵在边缘，用长指甲扣着麻袋。

粗糙的麻绳织得不结实，他指甲刮抠出一只小洞，他将眼睛抵在上边向外往，乌黑的车厢里咣当作响，并无别的人看守。

川子将手指插进小洞，奋力地撕拽。手上无力，便用牙咬，拖着那一根根麻线拉扯，磨得口中齿间碎屑和血水混杂。他胸口起伏迅速，聪明地意识到，

如若不能在这一段无人看管的途中逃出去，便彻底寻不到家了！

川子宁愿将自己变成耗子，变成野狗，他一定要出去！他蹬着麻袋一角，口中撕咬时来不及吐便直接吞下去，喉咙刮得火辣辣疼，他疯子似的啃咬，终于听得“刺啦”一声，麻袋破开头能钻的口。

川子吐掉绳子，将双臂探出去，卡了肩臂也顾不得，只能死命地向外挤，将脑袋跟着递出去。洞口紧紧勒着他的胸腔，他呛声扒着壁，指甲被刮得掀掉也感觉不到痛。他挣扎着身体，面朝下跌在车里。木板被撞得“咚”响，他下半身还在麻袋里。

马车应声喝止，前边谈笑的男人下来一个，抽着马鞭绕向车厢。

川子听见男人开锁的声音，他心跳骤急，暴雨仿佛涌在他小小的胸膛。

“……”男人骂骂咧咧地拉开车厢门，探进头来，挥着马鞭。

外边日光刺眼，他眯眼陷入一瞬间的漆黑模糊，骂声也跟着迟缓。

川子突然暴起，他用尽了昨日那一个馒头的力气，像他曾经在田间跟人摔跤似的，倏地蹬扑向男人。男人的口鼻被川子的脑袋撞了个结实，他顿时两眼泛酸，边低头捂鼻边呵斥起来。

川子带着麻袋摔滚在地，他弯腰爬起来时男人已经拽住了他的后领。川子口中发出幼兽走投无路的嘶喊，他绝望地咬向男人的手，蹬掉麻袋，踹着男人的裆下。男人立即松手，川子摔地就跑，狗似的四肢着地，甚至摔了一跤才爬起来。

背后的怒骂几乎要抵在后脑，川子不敢回头，他把这一生的努力都用在这双腿上，他把过去在山间奔跑的力气都灌在这双腿上。

跑！

川子咬紧牙关，泪眼模糊，在风中甚至分不清表情是哭是笑，五官都在这一刻变得狰狞像兽。他冲向深林，踩着乱石和荆棘，飞一般地跑。

跑啊！

川子哽咽着。

跑回去就能见到娘了。

035章 顾深(下)

川子跑得气喘吁吁依然不敢停，他钻在杂草灌木中，枝丫抽在头面，他抬臂遮挡，双臂被打得火辣锥痛。耳边什么也听不到，唯有自己急促的喘息声。

川子浑浑噩噩地跑，直到被绊倒，身体跟着倾斜翻下坡，滚进溪流中。他撑身时，双臂正在颤抖。他还想跑，却发觉双腿根本不听使唤。川子以肘撑身，让上半身爬出溪水，伏在了泥草上。他大口喘息，只觉得天旋地转，终于埋头在草间呕起来。

直至日沉西山时，川子方才缓过来。他的手哆嗦着摸索胸口，掏出已经被压成饼似的馒头，就着溪水大口大口地吃起来。待肚中有了底，他便扶着树，缓步走着。

漆夜似梦，川子辨不清方向。他身上阵冷阵热，只是这样走着，好像便能走回家去。他在后半夜触到自己浑身滚烫，泡湿的衣裤兜风夹凉，他烧得眼前晕眩，连自己的喘息声也隔在了云端。

川子栽倒在地，起身不能。他似听得了犬吠，一双靴踩过荆棘枝杈，止于他的眼前。

川子烧得凶猛，身上被人擦了一遍又一遍，额间的冷帕更是彻夜不停地更换。妇人倚坐在榻边，为他低哽拭泪，那玉似的手拨开他的湿发，一次又一次地轻抚在他额头。

川子在梦中是惨白的，他像是陈列在日头下的尸体，除了供于暴晒，再无用途。他是如此的贪恋那手指，它让他记起了一个女人，却忘记了她的样貌。接踵而来的疼痛已使得他招架不住，他离开了家，好似永远也回不去了。

川子不知所以，他只是在这烈火一般的煎熬中啼哭起来。他畏惧着一切，

因为他记不得娘的样貌了。他唯剩的勇气被病痛剥夺，变回毫无防备的稚儿，啼哭便是唯一的发泄。

妇人环住了川子，那温柔暖和的肩臂成为川子躲藏的堡垒。他倚在其中，陷入了深不见底的昏暗。

川子醒时天已大亮，他呆傻地侧头而望，不记得逃跑，也不记得瑟缩。他望着窗外景，像是很久不曾见过花草。

门开时进来个男人，生得虎背熊腰。他照川子的床沿坐下，探手摸了川子的额。

“稍等片刻。”男人声音洪亮，“粥便来了，吃些东西再开口不迟。”

川子目光挪向他，男人不由暗赞一声，见川子双眸锐利明亮，瞧不到半分该有的害怕。

这一双利眼，却并非天生。

“我姓顾。”男人正色道，“单名志。此处乃沿江镖行，不必害怕，昨夜便是拙荆在陪。我们夫妇两人虽尚无子嗣，却已有徒弟七八，不是坏人。待你能开口之时，告知家乡，我便差人送回。”

顾志光明磊落，川子却没能归家。因为他能够开口之时，脑中却空白一片，休说家乡，连娘是何等模样也记不起来了。顾志夫妇带着他屡次沿江上下，在城镇间多般打听，却始终未寻得川子家在何处。顾志不忍将他置于旁人，便收在膝下，成了小徒弟。

“既记不得名，便随为师姓，就叫顾深吧。”

顾深从此为寻个“归”字奔波半生，他先任镖师，后担捕快，日子清贫，脚却从未停过。不论是沿江诸城，还是南下众地，他都挨个寻访。可是哪里都是陌生地，“娘”的记忆逐渐被师娘的温柔填补，“爹”似乎便该是顾志那样顶天立地的好汉。

可是他亦不明白，自己怎的还不停下来。他像是被推动着，在这场漫无目

的的跋涉中跌撞前行。他背负着自己的债，此生都没有尽头。

铜铃清脆，顾深已追到了山神的身后。他慢下脚步，走在山神身侧。山神被藤条积压，已经变成拖泥而行的丑陋怪物。

顾深进一步，便觉得心中柔一分。他问山神:“……你可识得我?”

山神柔情似水的环抱着小野鬼们，对顾深视而不见。顾深跟着他，自己尚不明白自己为何要跟着他。顾深像是着了魔，变得不由自主。

苍霁背起净霖，踏步凌身，踩着摇晃的树枝追上去。他们俯视下边，草丛间奔跑而出的小野鬼越来越多，它们追着山神，山神来者不拒，将它们妥帖地安放在藤条间。

“如此多的小野鬼。”苍霁说，“此地死了多少孩子?”

“许多。”枝头风盛，净霖和石头一起拽紧苍霁的衣，被风吹得长发飘散。

“全埋在了山间?”绕是苍霁铁石心肠，也被这漫山遍野奔跑的小野鬼惊骇。

“许是喂给了邪魔。”净霖指尖收紧。苍霁看不见，说出这句话对净霖而言绝不容易。

“稚儿亦是凡体肉胎。”苍霁说，“人便这样对待人，作践至此，反倒连猪狗都不如。那邪魔盘踞此地时日不短，又由人投喂，只怕不好对付。”

“想来确实不好对付。”净霖拨开苍霁的发，让他看向山神，“它非神非妖，亦不是邪魔。它诞于此地，由群山天灵加注，方才得以化成这个模样，能够行动自如。你知它是谁吗?”

苍霁见山神蠕动，无数藤条像蛇蟒一般延爬，可是小野鬼们分毫不觉怕，它们安详地躺在山神的臂弯中，听山神在月下哼唱，带着它们摇动在星夜。

他们皆唤他为“娘”。

苍霁有些艰难地确认道:“莫非是顾深的娘?”

“是顾深的娘。”净霖道，“亦是这世间所有在此罪途中饱经离苦的儿女们的娘。”

所谓万物生灵，草木亦有心。群山听得见儿女们经年累月的哭声，亦看得见无数追寻至此的母亲。山中之城坚不可摧，群山日夜聆听，那无时无刻不在回响的哭喊浇灌着天地灵气。在这愤恨与憎恶之间仍饱含着最为赤诚的爱意，人神共愤之事未引得九天垂青，却叫山石为之所动。

顾深的娘兴许也曾追至此处，不知是多少年前，强壮的妇人倚墙而听，为城中彻夜不息的哭声肝肠寸断。她亦追了半生，追得白发遍生，追得双目已瞎。

吾儿，吾儿。

群山之外的呼唤经久不衰，山石随人垂泪，草木因唤得心。它们变作她们，成为非人非妖之物。

“其中若也有顾深的娘。”苍霁说，“她为何不理会他。”

“顾深离家时不过六七岁。”净霖说，“如今已过了三十多年，即便他娘仍活着，也不一定认得出。”

苍霁停了身，他居于树梢，见群山风啸，似乎也能听见那一声声呼唤。

“我不明白。”苍霁说道。

难道顾深多年艰苦，半生所累，便为的是一场素不相识的相见。即便苍霁不知苦，也在这一番咀嚼中尝得些苦涩。他舌尖化开的是锦鲤初识人情的味道，从冬林到顾深，皆是一个苦字。

这世间情字，难道除了苦，便再无旁的了吗？若是如此，做人又有什么值得愉悦？尚不如生而为鱼，沉眠清池，不识旁物，自在一生。

他二人于高处旁观，见顾深亦步亦趋，好不凄凉。正静待时，忽闻风中渡来醉山僧的声音。

“此物混沌未开，善恶难辨，虽有除魔之功，却也负杀人之罪。况且草木之心不似磐石，旦夕经转也是常事。若他来日以杀生为欲，岂不正是此地的祸患！”

降魔杖顿显金光，阻拦住了山神的去路。可山神无知无觉，仍怀抱稚儿们，恍惚前行。

“你有除魔之功，眼下随我去一趟追魂狱，待我禀报君上，你便能将功抵过。九天之上贤能辈出，待我为你寻个师父，教你通明善恶，再放下来也不迟。”醉山僧单手翻杖，横臂而挡，“有我在，必不会叫人随意处置了你。”

“此话何等耳熟。”苍霁嗤声，遥遥喊一声，“它何错之有？此地喂养邪魔，本该是你们神仙办事，它亲身代劳，难道还要受一番刑罚吗？”

“规矩如此。”醉山僧对苍霁甩袖，“此为天地律法！”

“我上不着天，下不挨地。”苍霁冷笑，“天地律法关我屁事。今夜我定要它留在此处，你能奈何？”

“胡言乱语！”醉山僧恨铁不成钢，“你道行尚浅，竟已不知天高地厚，胆敢非议天地律法！你可知晓，千年之前三界混沌，邪魔纵横，万物叫苦不迭，若非君父力挽狂澜，制定律法，今日你我哪能在此论道！”

“我既不认得他，也不识得这等律法。”苍霁一指指天，“我诞于白瓷间，非天之所生。你的君父只怕也认不得我，我便仍要听他的吗？好儿子已叫你们做了，还要叫别人也跟着当孙子，便宜占得不小，臭和尚。”

醉山僧杖震金芒，山神臂弯间的小野鬼们一齐吃痛叫出声。山神藤条遮挡，泥根翻垒，欲阻住醉山僧的芒。

醉山僧当头棒喝：“我等遵法，难道还要由你小子首肯？抓他便抓他！如何，你又能奈何！”

山神受杖重击，听得群山嚎声，草木痛叫。苍霁无名火蹿上心头，他自高空一跃而下，净霖离身，他便翻身踹在醉山僧的降魔杖间，重身下压，踩得降魔杖节节下沉。

“不识好歹！”醉山僧暴喝一声，猛力翻杖。

苍霁掀身后仰，便听杖声已至耳边。他回手绕杖，正欲擒杖，却见素来只会刚劲直冲的醉山僧竟迂回一绕。苍霁掌心落空，不及回身，醉山僧已经击中他左侧，苍霁顿时擦地滑身。

苍霁展开被震麻的五指，掠地突起。醉山僧只觉得眼前一花，胸口便如遭重砸。他呛声一退，降魔杖呼翻绞阻，拖得苍霁收拳迟了片刻。醉山僧当即翻

踹，苍霁“砰”声撞地，降魔杖已砸在门面。听得一声震天响的撞声，醉山僧如击当面，定神一看，苍霁竟在情急之中抬臂挡住。那鳞片滑显，降魔杖再进不能！苍霁双臂一振，降魔杖顿压不住。

醉山僧却张口道:“找死！”

苍霁双脚抬踹，醉山僧踉跄后退。他握杖的虎口被震得生疼，可见苍霁的修为长速惊人，竟似每一日都在长！这是何等的骇人听闻，原先只料他来日会成祸患，如今却觉得这个“来日”，怕远不了了！

“邪魔外道。”醉山僧啐声，“你修为精长古怪，他莫非喂了你什么？天道好轮回，杀人可是要偿命的！”

“早说过你休要嫉妒。”苍霁被击得双臂尤存麻意，他忽然心中不快，只觉得哪里不对。待他一回首，却发觉净霖不见了！

“不必再看，我已请人今夜将他扒个干净。”醉山僧寒声，“看看到底是何方神圣！”

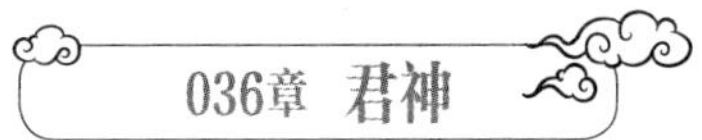

036章 君神

净霖眼前之景骤然缩小，他身陷飞转的草木环绕间，见得枯枝浮苞，绽开春色。待草木停驻，眼前清晰时，他已然立在簇花的池边。净霖目光下放，见池面澄澈，倒映着他。

那是临松君的脸。

“东君。”净霖转目池心亭，他说，“一点生机，成此世界。为探究竟，大动干戈，怕不值得。”

“那须看你是个什么人。”东君坐在池心亭，斟酒侧观，“若是黎嵘、净霖那般人物，休说成此世界，就是做个千万叠境我也心甘情愿。”

“那依你之见。”净霖说，“我是谁。”

“此池乃心镜，你是谁你最明白。只是可怜我苦望不得，至今没有看破。”东君示意，“如不介意，来亭中小憩片刻。醉山僧要打起来，没个把时辰是收不了场。你我聊一聊，权当交个朋友。”

净霖知东君必已封了境，便落座于亭中。东君不急，他亦不急。东君难缠之处不在于手底下，而在于口齿间，此人最厉害的是洞察。

东君劝酒:“正所谓酒入愁肠，我愁着赶路，你愁着摆脱那呆子，你我喝上几杯方好深交嘛。”

净霖来者不拒，东君搭着折扇，说:“我一见你，便觉亲近。想来是缘分了，既然是缘分，就更要结识。不过奇怪得紧，醉山僧却是与你二人八竿子打不着的关系，你怎么会被他撵在屁股后边？”

“说来话长。”净霖晃杯时瞥见杯身刻着几字，这是九天君的喜好。君父收东君为义子，想必在偏好这方面也曾悉以引导，简直如出一辙，然而这便更值得净霖讨厌，他待君父已憎到见到相似亦会抵触，

“我最不怕人话长。”东君说，“我只怕人命长。可惜我老爹也是个短命鬼，连带着兄弟们各个都命途多舛。我的兄弟你可曾听闻过？你这般熟悉九天诸神，连醉山僧的痛处都摸得一清二楚，必然是听过的嘛。”

“谁人不知。”净霖指尖划过杯上字，“醉山僧有何痛处？他皈依不得三界尽知，算不得什么隐秘。”

“我指的可不是皈依。”东君俯身，微掠桌面，道，“我说的是为‘情’所疯。他今日疯癫至此，是因为他病了，是相思病，也是情痴病。此事即便九天皆知，中渡可不曾透露过一分一毫，你从何处知晓？”

“诸神亦曾为人。”净霖不以为意，“但凡是人必有破绽，可不是人人都如你这般守口如瓶。”

“也是。”东君了然于胸，接着道，“再来几杯。”

净霖指盖杯口，道:“所谓吃人嘴软。”

“你家小鱼吞了醉山僧的半生灵气，嘴巴怎没凹回娘胎里。”东君不容置疑地倒了酒，“说来不喝酒的，我兄弟中倒有一位，你猜是谁。”

净霖说：“我跟你非亲非故，不知晓。”

“那我告诉你。我兄弟中有个特别的，叫作净霖，人称临松君。此人怪哉，众位兄弟间，独他最不讨喜，也偏他最得君父欢心。可惜慈父溺爱，将他养成了天地间最了不得的邪祟。”东君斟酒时侧容冷静，他稍抬眸，“你知晓他为何叫作临松君吗。”

净霖觉得掌中杯似带着匕首，淬了毒一般的从掌心刺进空荡荡的胸口。他看着东君，对东君这个眼神最熟悉不过。他们皆是这样望着他，早在杀父那一日之前，他们便这样望着他。

净霖唇角延出放松的笑，他道：“不知晓，这个人尚不如杀戈君黎嵘名震三界，我岂会知晓。”

“那可当真有番来历。”东君微微睁目，像是遇人说什么稀奇，他道，“据闻净霖归入君父门下那一日，万顷松涛入雨响，他跪下去叩拜父亲之时，松海无风偏掀浪。整个山间松声覆雨，他叩了三个头，灵海未筑，心相却已成。这世间从来没有人无生灵海便生本相，况且他那本相还生得讨巧，让君父威颜展笑，亲扶而起。”

松涛似在耳边，净霖转动着酒杯，略有兴趣地问：“这人的本相是什么？”

“一把剑。自诞时便锋芒毕露，不讨人喜欢。却又这般难得，本相化剑，便意味着他一生都该斩妖除魔匡卫正道，也意味着他心如铁石难以撼动。若说人间有人生来便没有心，便定是他了，一个心似利剑的人，谁也焐不热。”东君说罢看向净霖，道，“可君父将他视为天赐，视若己出。兄弟诸人，他位列第九，却偏偏首封君神，这份尊荣，休说杀戈君黎嵘，就是今日的天地共主承天君也比不了。可偏偏是他成了邪祟，你说奇不奇怪？我百思不得其解。”

“既成邪祟，杀了便是。”净霖说，“天底下没有击不断的剑。”

“想不到你也是性情中人。”东君添酒，笑了笑，“说得不错。既成邪祟，杀了便是。可我听闻你那小鱼口口声声说自己仰慕临松君，这可如何了得，若来日他也成了邪祟，便也是挫骨扬灰的下场。”

“那他若是说自己仰慕东君，来日岂不是也会稳列君神，号令群芳。”净霖

倾杯，酒水泻在地，他说，“仙家酒，果真不好喝。你言已至此，那我便先行告辞了。”

“来去随意。”东君倚桌摊手，颇显无赖道，“若你出得去，便尽管去好了。我言已至此，你还不肯显于原形吗？”

“我身在咫尺。”净霖轻抛开酒杯，终于能抽出帕来细细擦拭指尖，“你若看得破，尽管看好了。”

所谓试探，皆为疑惑。只要疑惑尚存，便有机可乘。

东君道：“净霖，休要涮哥哥玩儿啊。”

净霖从善如流：“哥哥。”

东君反倒骤然生疑，因净霖坐得端正，与他对视不躲不闪，但他岂能相信，净霖会叫他哥哥！休说哥哥，净霖待承天君都是直呼其名。

“我初入此境。”净霖盯着东君，“便觉得构建了得，无处不含所指，待听完故事，才恍然大悟，原来是认弟弟的吗？如何，我这个弟弟像不像？想来是像的——否则你怕什么？”

“我疼爱不及，哪里会怕。”东君说，“诸位兄弟都是在下的心肝儿肉。”

“我劝哥哥的心头刺还是早日拔去为妙。”净霖缓缓讽笑，“若不日成了心劫，疯的就不止醉山僧了。”

“为了我心刺早去，便叫我看看真容，如真是净霖，我巴不得早日团聚。”东君音落，便见亭下水注疯涨而起。

“既然想团聚。”他一指向下，“便去陪他好了。”

水浪旋集成龙，群扑而入。小亭摇晃，净霖稳身不动，他甚至叠了帕，连个眼风都欠奉。水龙未至，幻境先天崩地裂，只见花鸟瞬散，那晴空裂口，震得全境剧烈晃动。晴空裂口渐大，先是露出双手，然后扒出苍霁的脸。听得“噼啪”的崩裂声，苍霁甚至毫无耐性，从晴空猛坠跃下，字句咬磨。

“还人！”

东君折扇挡住，抬头喊道：“不还不还！今日便将他煮来吃了！”

苍霁落于池中，水花迸溅。东君便觉黑影瞬现眼前，他不急不忙地一扇搭在苍霁的拳上，如同止住稚儿玩闹。风自身侧顿刮向后方，听得池沿震飞，苍霁气息未定。

东君见自己扇隐约凹陷，便道：“听闻你很厉害，便叫我也领教领教。”

苍霁拳面一重，整个人不及回神，便已沉进池水。东君不过是扇面轻拍，便似如泰山压顶。

苍霁挺身而起，东君足下踢点，口中振振有词：“不过尔尔，如何？吞了醉山僧多少灵气，今日便给我吐多少。”

苍霁被这下压得几欲翻吐酸水，听东君笑道。

“我便是最不讲道理的人。打吐多少算多少，吐不出来嘛，便只能往死里打。”

东君每说一字，这地面便崩陷一寸。他甚至不必如醉山僧一般横杖怒目，他只是这般风轻云淡地立着，苍霁便已领教了“君神”到底该是何等威慑。从水中仰视东君，那皮囊之下灵海似广袤无垠。净霖是取之不竭，却从未有过这般直面显露的骇人之景。灵气波涛之间，屹立着东君的本相。

东君的皮面生得有多美，那本相便有多狰狞。怒相形如恶神，张牙舞爪地静立在灵海。

苍霁胸口一滞，灵气疯转，竟是本相畏惧，自行退了。他骂声尚未出口，便觉得双耳剧痛，陡坠深水。沉身不到片刻，又觉得背后贴上人。净霖带着他，准备遁水而去。

东君掸净袯，见醉山僧拖杖而行，他随手从袖间摸出两只果，抛了一只给醉山僧。

醉山僧接了，道：“人呢？”

“这我怎好回答呢。”东君啃着果，“兴许现在是活的，下一瞬便死了。”

“你已知他是谁？”

“原本猜到了一星半点，如今又觉得不像。”东君摩挲着下巴，“此人真真假假，滴水不漏。你若猜他是谁，他便学着像谁，倒让我游移不定了。不过那鱼

有点意思，你道这鱼像谁？罢了，你未见过。”他“嘎嘣”咬碎果核，嚼在齿间，“喉生逆鳞，口吞百物——这不是苍龙之能吗？”

不待醉山僧回答，他又道：“不过他如今尚为锦鲤，只道有化龙之资。何必着急？放他过几日又何妨，即便来日真成祸患，区区一条龙，也翻不起风浪。当日苍龙何等威慑，亦被黎嵘枪刮鳞片。他如无师父带引，光凭吞食就想独步天下，未免太过痴心妄想。”

“防患未然，你都看不破那人，我岂能放心容他养条祸乱之物。”醉山僧降魔杖一震，“我定要捉他二人。”

“谁说我看不破！”东君哼哼，“只待我再……”

他话音未落，便觉风声一紧，面前水珠炸溅，苍霁转瞬抡起东君的衣襟，但听“砰”地巨撞，东君竟被掼于地面。

苍霁双目被遮，净霖喘息混乱，掩着苍霁的双目，贴在他耳边道：“他非人非妖，以相惑人，只要不见，便也有破绽。”

东君轻笑出声，躺在地上眨了眨眼。

“——我想明白了，乖弟弟。”

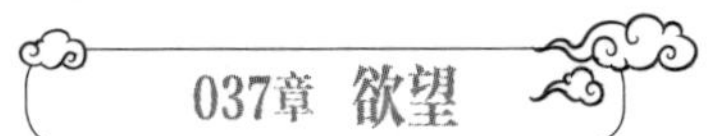

037章 欲望

净霖湿发延身，整张脸瞧起来更加颜色寡淡，狼狈得实在不像临松君。东君的话未使他动容，因为料定东君不过是吓唬他。

东君被砸得结实，衣襟皱如波纹，见苍霁闻声一愣，便立即在苍霁臂间翻推一掌，见苍霁倒身后退。他被净霖蒙着双目，唯有一双耳朵辨得清方向。他落地即闪离而出，不待醉山僧下杖，便带着净霖蹿出几里。

“非人非妖。”苍霁浑身滚烫，充沛灵气腾转急躁，正在迫不及待地寻求出口。他压着气息，奔跑着问，“那他到底是何物！”

净霖身滑在苍霁后背，被苍霁拽回捞起。他沉首在苍霁颈边，昏沉沉地说:“他原身乃血海邪魔之一。”

“邪魔？”苍霁纵身山林，不由抬高声音，“他是邪魔！”

“本相即是原形。”净霖经风刺痛，他松开手，说，“你本相会被惊退原因正在此处。”

正因为如此，君父当日立东君，三界犹掀骇涛惊浪，如非梵坛首肯，只怕此事还有待商榷。

净霖音方落，脑后便风声一紧。他撑于苍霁的肩头，陡然松臂翻身下滑，苍霁一脚踏石，稳接住净霖的身形。两人兜风一转，已经迫至险峻山侧。醉山僧从天而降，降魔杖撞击地面，山骤然崩裂，苍霁身斜一滑，抱着净霖陷了下去。

醉山僧欲再追，却见山神根冒地面，将碎裂处扎挡严实。

“你自顾不暇，还要包庇他人。”醉山僧砸杖。

山神根藤纠缠，山间泥土瓦解，似水流动。它像是听不懂醉山僧的话，将包陷净霖二人的泥团捆成粽子塞于身下，藤条抓没，如同吃掉一般。

醉山僧眉间一锁，却并没有如他所言动手拿人。他在原地回首呼啸:“你出来！”

东君探出首:“做什么？”

“叫你助我拿人！”醉山僧说，“你却将两人放跑了。”

“你何时叫我助你，你分明是叫我探查一番，我确实探查了啊，我连幻境都架了。你不仅不夸我，还要埋怨于我。”东君好不委屈。

“这鱼已经畏了你的本相，方才若是你肯神行，休说跑，就是一步他也走不掉！”醉山僧气不打一处来，恨不能执杖敲他。

“抓了他他便会说吗？”东君转而又问，“抓了他你以为你我二人便能解决？”

降魔杖忽地指在东君鼻尖，醉山僧怒目而视:“你说‘我明白了’，你明白了什么了？”

东君在降魔杖的威慑下抬起单掌，老实地说："我什么也没明白，糊弄他罢了。"见醉山僧色变，他又说，"此刻好像明白了些。"

醉山僧说："到底明白还是不明白！"

"明白明白。"东君说，"纵然他对答如流，真假难辨，却也有奇怪之处。不论他该是谁，都不应这般虚弱。你见他屡次涉险，皆靠那条鱼所救，真是奇怪，他若是净霖，必得入大成之境方能死里逃生，既然是大成之境，又岂会被你我追赶，我就是露了原形也未必打得过。不过他举止轻佻，不露真容，刻意冒充也是有的。只不过……"

"只不过？"

东君说："他叫哥哥还怪好听的。"

"闲话休提！眼下如何？"醉山僧看向山神，"杀不得除不掉，难道便留他在此？"

"你不是嚷着要捉它回去吗？我正想看看你如何捉。"东君说，"此地群山皆是它的本体，你须得把它们都扛去追魂狱方算'捉住'。"

纵然是醉山僧，也做不到扛山登天。

"我念它慈心为儿，也算除魔，便替他讨个宽恕。但若放纵于此，疏而不管，日后怕也会再生事端。如此，便不如就度他一度。"东君说道。

"你要度他成神？"醉山僧愕然，"休说笑话！你我须得先禀报九天，由君上……"

东君随意道："我回头再给他说便是了，区区一个掌职之神，不打紧。"

醉山僧似有踌躇，他忍耐片刻，凑近东君耳边，小声道："你若先斩后奏，君上必然不会高兴。"

东君亦小声说："你见他何时高兴过？没事，自家兄弟。"

醉山僧见东君坚持，终不再谈。只是他被绕了两圈，便忘记问被山神吞纳的两人如何处理。待回头想起来，既找不到东君的影子，也丢了净霖二人的踪迹。

东君笑嘻嘻地哄得他晕头转向，拍过苍霁的一只手却始终背在身后。醉山

僧不知，他那只手露了半截白骨，竟是被烫融掉了皮肉。

净霖扶地缓神，侧旁的苍霁已经缩成一团，变作衔尾锦鲤。他一口吞了太多，又遭逢东君凶相威压，致使体形难撑，需要变回原形缓慢消融。净霖倒于一旁，听闻根茎涌没泥土的声音，觉察他们渐陷于根茎与泥交错封闭之中，不仅越陷越深，而且越来越黑。

净霖身沉臂轻，他环住苍霁，双臂之间如撑水泊。锦鲤滑身其中，再不动弹，净霖便抱着一汪水昏睡过去。山神的根藤滴答水珠，净霖只觉得自己似也成了条鱼，陷于温水之中。他越泡越昏沉，耳边犹自回荡着东君那一句。

“众位兄弟间，独他最不讨喜。”

苍霁被铜铃晃至昏吐，伏案时见白袍银冠的少年郎负剑经过，他正胃中打鼓，却仍觉得此子眼熟。

那不是净霖吗！

苍霁滚过桌案，踩着窗探身而看，说道：“你怎么这般……”

日光晃眼，苍霁眯眼而观。见净霖面容青涩，个头比如今矮些，不过到他的胸口，便猜这一次不是别人，而是净霖的回忆。

少年净霖白袍玉立，行至阶下时卸剑单跪，苍霁如愿以偿地听见他那把仍存稚感的嗓音。

“父亲。”少年净霖单臂撑膝，俯首说，“我回来了。”

阶上殿中迎出人来，见得同样白袍银冠的诸兄弟分离两侧，中间绛紫深袍的男人稳步下来，亲自扶了净霖。

“此行如何？”

少年净霖说：“尚可。”

男人继而关切道：“可有受伤？”

少年净霖微顿，说：“不曾。”

男人便拍他肩头，赞道：“为父等你许久，由你诸位兄弟为你接风洗尘。此

番南下，功德无量！若是想要什么，尽管与为父开口便是。”

两侧寂静，各个神色难测。

苍霁心觉奇怪，即便他没有兄弟，不懂团圆之美，也知晓兄弟相见，必不该是这个气氛。

唯独男人左右两子迎上前来，其中一个丰神俊朗，抬手便握了净霖一臂，冲他私展一笑。

“我料得你该这会儿到家。”他略为得意道，“云生还道再晚些。”

“我不知你脚程这般快，回来便好。”另一个生得颇为清秀，倒让人如沐春风，苍霁怎也没想到，此子便是后来的承天君云生。

少年净霖由他们带入室内，见屏风之后冒出个头来。小姑娘黑眸漆星，遥遥冲净霖挥了挥手。

“清瑶可不许哭了。”黎嵘说，“你九哥终于回来了。”

清瑶捂着耳朵念：“不听不听，四哥念经！”

苍霁忽觉得心下一软，他立刻捂胸怔忡，却立即明白这感情并非他的，而是净霖的。从前他们也入别人的梦。却从未有过共情一说，苍霁颇为新奇，又将胸口摁了摁。

这便是净霖口中的妹妹了。

苍霁摸了摸鼻尖，有些出乎意料。他见桌上虽有别扭之处，却也算其乐融融，既然如此，他便也想不明白。

净霖为什么要杀君父？

少年净霖的侧颜远比如今更加稚嫩，他安静得犹似魂荡天边，从他的一言不发中苍霁渐悟得了心不在焉。他只是在君父开口时有问必答，既不与诸兄弟说笑，也不曾看过一眼。

一顿饭用得比意料之中更快，云生与黎嵘将少年净霖送至归处，三人方站院中说了会儿话。苍霁见净霖头顶的银杏垂落搭在他发间，他便微带笑意随手拈下。他有些变化，此时的他远比在席间轻松。

他声音仍旧，却平添了一些轻快：“南下妖物虽多，却皆是小妖。如为精进，

兄长们还是前往北地。”

“来月你我更替，你在家中监学，我便去那北方看看。”黎嵘身量高出他俩人，臂间隐约可见力道，他说，“北方参离树下息凤凰，云海端间游苍龙。爹欲意联合此两位一并出征血海，我此行是探个口风。”

“凤凰尚可，但那苍龙。”云生温言，“听闻狂妄恣肆，怕不好打交道。”

“如今东部沦陷，血海迫近，不论如何，都要知会一声。”黎嵘说，“若不能如愿，便罢了。”

少年净霖指转银杏，他道:“如是不成，便由我去。”

“急什么。”黎嵘突然拍了净霖的背部，看着他说，“爹尚未开口，你便在家待着。此次我已与他们商量妥当，必不会再为难你。”

“你倒也该待他们有些笑脸。”云生说，“俱是兄弟，不该如此生分。即便打断骨头还连着筋，眼下局势渐危，家中还须稳固些好。”

少年净霖颔首不语，他两人便一起走了。苍霁随净霖进屋去，见里边冷冷清清，好生无趣。他翻身躺在净霖的床上，撑首看净霖卸剑宽衣，自行提水入桶。

苍霁捡了净霖方才捏着的银杏，只笑:“果真一模一样，连沐浴这毛病都不曾变过。”

净霖冷水灌桶，坐在床沿，苍霁只闭了一只眼，看着背对自己的少年人渐褪衣物。十八九岁的骨肉正值诱惑，是除了生吃微炸也不错的样子。苍霁见那白袍滑落，逐步露出背部的伤来。

那大小交错、深浅不一的伤透露出仗剑而行的不轻松，说什么“不曾”，扯开纱布，新伤覆在旧伤上，像是诡异的花纹铺叠在白缎上。

苍霁忍不住翻身而起。见净霖冷水浇半身，甚至连镜子也不要，熟练地擦拭。

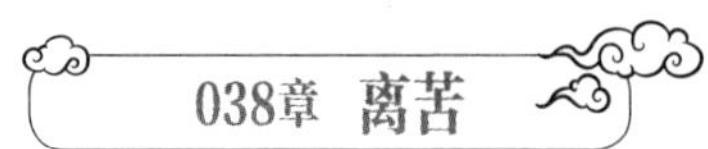

038章 离苦

苍霁听得铜铃急促地摇动，正在唤他脱离。他的神识犹如被铃声吸纳，倒退之景一瞬破碎，苍霁在眨眼间便沉入自己的灵海。锦鲤以肉眼可见之速暴涨一倍，原本的金红色已被略沉的暗色覆盖，鳞片表面微凸锐利，一眼瞧去已不似条鲤鱼。

苍霁缓化人身，他的手臂从净霖腰侧探出，肩膀似乎变得更加宽阔，待到腿也现出来时，已能完全将净霖纳藏。黑暗间妖物新筑人身，一如他当日所愿，变得更高大，已经远超净霖。

苍霁睁开眼，耳侧便能听见几里之外的虫鸣，那些曾经细不可见的微小倏忽放大，变得清晰。苍霁体内热流经转，灵气汇于四肢百骸，使用起来更加得心应手。

他稍动身，察觉自己被藤与泥包裹成茧。山神的低喃绕而不散，净霖浑身冰凉，仍在沉睡。

苍霁道："多谢。"

泥团稍开，日光探入。苍霁眯眼起身，扒开藤根，在灰尘浪滚中向外看去。他原以为会面对仍是怪物的山神，岂料入眼的却是个人面藤身的模样。

苍霁脱泥而出，周围草已至膝。群山间万枝放花，紫粉色云海一般地染就群山。飞禽走兽各奔其中，神态闲适，灵动自由。番薯坐在藤上，小野鬼们惬意地滚地玩耍。山神的低喃窃语构成奇特的曲调，它由稚儿们围绕着，拖着庞然身躯，坐在草中用藤条编织花环。

番薯一甩尾巴，从藤上跃下，绕苍霁一圈，说："你怎还活着，你们睡了许多日呀。"

苍霁说："多久？"

番薯坐在草中，耳朵抖了抖，说："谷雨已过，正逢立夏啦。"

苍霁虚拿新衣，披身覆体。一点也不关心时至何时，反而问道："那两个神

仙呢？”

“一并走了。”番薯说，“其中生得美的那个说娘从此居于此地，只是不能再枉自杀生，该禀报什么司，按规矩办事。”

东君这般好打发？

苍霁又问：“顾深又去了何处？”

番薯滚地，皮毛蹭在草间，举着爪说：“走啦。”他歪头，“他说他找到了娘，却是哭着走的……你去哪里？”

苍霁背起净霖，直跃山间，踩枝向外疾奔。

他道为何突然梦见了净霖的过往，原是这铃铛用来拖延时间，待他一醒，这家伙便又跑了！

苍霁心有不甘，却在凌空时发觉身体似乎轻了些，不仅如此，还变得更加灵敏。他掠经那大片花海时，甚至生出一种一头扎进去游动的冲动。苍霁猛地着地，四周顿卷荡风，无数碎花震落飘散。

苍霁走在下山的林间路，脚底下已被花叠铺垫。他走不到两步，便觉脖颈间的手臂微紧，便知背上人醒了。

“我嗅顾深的气息仍在此地。”苍霁说，“你还能觉察到铜铃吗？”

净霖鼻尖微动，被花瓣扑了一脸，没忍住打了喷嚏。他埋头在苍霁背上，微哑着声音说：“不能。”

净霖即便埋了头，却仍觉得花瓣无处不在。他接二连三地打着喷嚏，便觉得头上一沉，盖上了一件衫。

净霖眼半张，日光斑驳，自花枝间抖落在衫上，余热叠在颊面。他枕着苍霁的背，突地说：“你变大了。”

“吃得饱，自然会长。”苍霁想起少年净霖的个头，道，“比你高了不少。”

“修为虽已小成，用起来却毫无章法。”净霖道。

“寻个师父不就好了。”苍霁将他往上颠了颠，道，“如今连东君都已遇过，寻常人还真做不了我师父。”

净霖说:“你何时遇得见寻常人。”

“这倒也是。”苍霁又说,“铜铃又跑了,下一次该去何处寻?”

“不知道。”净霖稍叹,“且去……看看顾深吧。”

顾深虽下了山,却并未离开。他于山脚自筑简陋的院落,便在这里住了下来。每夜能从院中伏栏而观,看见山神巡山夜行。

苍霁见那竹篱笆、茅草屋,便觉眼熟。净霖叩响门扉,顾深应声开门。他见得此二人,竟露惊奇之色。

净霖道:“告别在即,讨碗水喝。”

顾深引他二人于院中,在新扶的树下围桌而坐。顾深斟了粗茶,道了个“请”字。

“两位欲往何处?”顾深说,“见那日神明发怒,怕对你二人多有忌惮。”

“尚无去处。”净霖缓饮茶,说,“大人便要久居此地了吗?”

顾深说:“我本寻家而来,如今已走不动了。”

“听你道娘已寻到。”苍霁闲点山间,“便是这位吗?”

“是又不是。”顾深生满茧的手掌微搓颊面,说,“我本不知它是谁,只是那一夜番薯曾问我一句话,便叫我明白了。”

“一句话?”

顾深说:“他问我,‘川子是何人,娘为何总念着这个名字’。我娘从千里之外寻至此处,怕也以为我被囚入其中,便想方设法欲入内救我。可那城一旦进去了,便再出不来了。她哭瞎了眼,又忧心我爹一人守家,时日一久,已……”他艰涩道,“已记不得许多了。这城中死了许多人,怨气随山而葬,草木垂泪,因此得化聚成山神。山神覆城葬人,虽无神智,却仍存万千慈母心。它便夜夜游荡山间,寻着丢失的儿女。我虽追至此处,却已变样。她要寻的是稚儿川子,而不是如今的顾深。”

“那你便决意守在此地?”苍霁说,“你可知她已融于山神,寿命千年。她而后的时日便会永远守在此地,日夜寻着一个叫‘川子’的人。你不过几十年便

该入黄泉，待你过了离津，便须投身轮回忘却今生，她却仍会在这里。你们母子二人自分离那一刻，便注定生世不见。你在此处也无济于事。”

顾深扶树而望，他道：“即便是不认得，即便是几十年，我也想与她待在一起。”

苍霁饮尽粗茶，道：“我果真不懂人。”

顾深说：“你若想成人，必该懂其苦。因为人生来有八苦，生，老，病，死，爱别离，怨憎会，求不得，放不下。你见冬林一世，便为死所顾，又纠缠离别，却偏生爱意。可见这八苦既分得清，又分不清。若叫我劝你，便是不要成人，永为妖怪。”

“我本也不想成人。做人既然毫无乐趣，不如永远做条鱼来得痛快。我见你们沉溺其中，不察深情，只觉得可怖。”苍霁的椅后仰，他的目光扫过净霖，说，“人既为自私欲物，又为情海沉沦。既能猪狗不如，又能舍生取义。虽皆为人，却又各个不同。”

“人心不同，便各个不同。”顾深最后为他二人斟茶，道，“今日我便以茶代酒，祝二位一路顺风，得偿所愿。”

茶水饮罢，三人便要分别。

净霖与苍霁出了门，顾深立于门前。他待二人已离些距离，忽地说道：“我知道人间离别多时，今却也想问一问老天爷，我与我娘，我与我父，我与这千千万万丢家丢子的人，今生今世究竟做了何等错事，要受这般的离别苦。”

男人鬓边白发已催生，他怔怔地问，泪已先流。

“我等皆是普通人，既没伤天害理，也没草菅人命，为何让我们受这样的苦楚？人心虽各不相同，却俱是肉长的，到底何至于此，要做这等铁石心肠之事。”顾深撑着门框，指尖紧扣，他道，“我寻了一世，便终还是落在了一个‘离’字上。若我投身黄泉，希望下一世不做人，即便是做棵树，也好过骨肉别，至亲离。”

净霖回首，见顾深身形逐渐佝偻。他驻步许久，却始终不置一词。苍霁侧头看他，终于听得他说。

“……生如此。”

山间花风灌满净霖的衣袍，他的发刹那飘荡，似有微怔。在一刹那间，苍霁似如又见得他少年的模样，孤身负剑，寡言少语，却尚存温色。可是待苍霁再看，却发现他已继续前行。

“去哪儿？”苍霁一步追上，侧头吹掉在净霖耳边的花瓣。净霖侧眸捂耳，苍霁已察觉了，他哈哈笑，说，“吹一下还会红吗？原先怎不会？”

净霖说：“没有红。”

“你把指放下来让我瞧瞧。”苍霁双臂枕后，口中说，“真奇怪，你怎的又变小了？”

净霖如今矮苍霁一头，行在一旁立见单薄。他与年少时几乎并无太大变化，只是眉眼稍开，稚嫩已平。

苍霁一把扶住净霖肩头，说：“不知为何。”他垂眸在净霖发间，“我竟觉得这个身高才最合适，从前看你总觉哪里不对，如今这样看，方觉得正好，好似就该如此。”

净霖被扶得身形微斜，脚下一错，跟苍霁踩在一起。石头忽然从袖中掉出来，对着苍霁脚踝就是一脚，挥着手臂示意他正常走路。苍霁脚下一绕，准备轻踢它翻个滚。岂料衣襟一紧，被净霖拽开。石头便顺着他的腿攀上来，对着苍霁的胸口一阵猛捶。

苍霁不觉痛，只觉痒。他抬手拎起石头，对净霖说：“这小子一点也不靠谱，但逢危险，便缩头躲藏，只会欺负我，留着做什么？我丢了。”

石头四肢飞快地抱紧苍霁手臂，苍霁甩手欲扔，忽听它和净霖异口同声道：“不成！”

苍霁猛地卡住石头后颈，晃在眼前：“你会讲话啊！”

石头捂嘴摇头，脚蹬来蹬去。

苍霁冷笑：“诓我这么久。”

石头还未否认，便被苍霁倒拎过来。它探手在空中，被晃得晕头转向。苍霁正欲开口，便觉得背后“砰”的一声，净霖也昏头似的正撞他后背。

他却在这一撞中撞得心神一动，脱口而出："你这声音。"他怀疑地说，"怎的像净霖？"

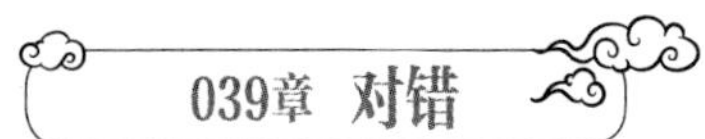

039章 对错

石头这下连招呼也不打，直接两眼一闭，垂手不动了。任凭苍霁如何摇晃，就是不理。苍霁无奈作罢，回头见净霖。

苍霁问："它原本便会讲话？"

净霖已经去了晕眩，好整以暇地回答："兴许。"

苍霁将石头塞回袖中，退步稍打量净霖，道："莫不是你分身一类吧？"

净霖并不着急，只是气定神闲道："你若觉得是，那便是。"

苍霁反而捉摸不定。因为他跟石头好歹算是生死之交，不仅一道扒过阿乙的毛，还在海蛟宗音手底下齐心协力地啃过净霖的手指……如此劣迹斑斑，苍霁怎么也无法将石头换作净霖的脸。但他没由来地有点心虚，故而又将净霖审视半晌。

如今暑气初现，站在日头下的净霖却滴汗不出，说："铜铃西行，我们走反了。"

苍霁满腹狐疑尚未解决，便被净霖抬手牵臂，拽向了另一边。苍霁脚下不停，趁势问："若真是你的分身，你便用他日夜盯着我。喂，难道你也蓄意吃我？"

净霖淡定道："是啊。"

苍霁说："一路皆是机会，怎么迟迟不见你下口？"

净霖说："人老牙软，啃不动。"

苍霁反握住他，威迫地说："你诓我？"

岂料净霖如常，道："是啊。"

苍霁已经被他绕乱了，决意不再问他，因为从他口中根本探不出真假。净霖却在逗鱼这件事情熟能生巧，并且欲罢不能。

两人从北地群山离开，一路西行。沿途穿过中渡名地，顺江而上。苍霁虽为水中猛将，却在船上晕得上吐下泻。

苍霁瘫身在榻，手臂垂地，不知到底睡着没有。船间受雇而来的小仆端盆在侧，给他拭着后颈汗。

苍霁闷声问："人呢。"

这小仆年纪不大，却机灵得很。听得这一问，便立即知道他问谁，净了帕回道："公子上'庭园芳'了，临行前专程嘱咐小的，晚膳不必备了，怕是晚上才能回来。"

苍霁手臂收回，翻身横躺，说："好狠，我在此半死不活，他却仍与人玩乐，连门都不回了！"

小仆赶紧道："公子差人在后备着粥，方便您随时取用。"

苍霁冷笑："几罐粥就打发了。"他卷了被席，猛地坐起身，"'庭园芳'是干什么的，喝酒？饮茶？"

小仆支支吾吾。

苍霁撑身，冷眸盯着他："别诓我。"

小仆冷汗直冒，便道："是西江花魁游香婉的春船，每至春夏交际，庭园芳便游船江上，广纳名士，以征文会。历年隆重，寻常百姓不可入内。这位游姑娘虽出身勾栏，却颇得才气，能做她入幕之宾者，多为名满天下的才子名士。我瞧他们三番五次登船拜访，必是游姑娘经船时相中了公子。"

苍霁正欲开口，又觉得两眼犯晕。他即便不知道花魁是什么，也能猜个八九不离十。

小仆见状，立即贴心道："公子曾道，您身体抱恙不便外出，待他回来就成。若是想离船透风，也须将粥喝了才行。"

苍霁一听"粥"便胃间翻滚，他挥手让人出去。小仆候在门外，不过须臾

便听得苍霁似与人说话。

苍霁掐着石头小人的两颊，道:“说！他这几日忙什么？我当他去捉铃铛，原是去找女人。”

石头自从那日后乖巧不少，端坐在榻任由苍霁捏，反正石头结实，不怕捏。

苍霁又问:“他找女人做什么？”

石头眨眨眼，一派毫不知情的神色。

苍霁突然和蔼可亲，他将石头拍了拍，拢到鼻尖前，说:“你我虽是兄弟，却从来不曾亲近过，趁着今日净霖不在，索性好好亲近一番。我见你这身布衫已近破烂，不如换一身。”

石头见他变色便知不好，转身爬起来就跑。还未跳下床，便被苍霁拎着后领带回去，摩拳擦掌地要为它宽衣。石头宁死不从，苍霁勾掉了它的腰带，它拽着里衬，抬臂掩面，竟在苍霁掌间露出些欲泣的样子。

苍霁弹了它草冠，道:“想你也不是净霖。”

净霖怎会做这般神情，看起来便是可怜。

石头似在拭泪，苍霁凑首，说:“逗你……”

话音未落，便见石头抬手戳他一拳。苍霁不防，又因为晕船，便模糊中见得石头慢条斯理地系紧腰带，端坐回去。

净霖持盏定了一会儿，旁侧的侍女殷切劝酒。净霖方才放回盏，目光穿过诸人，从莺莺燕燕中，找到了蓝袍拘谨的年轻人。

“敢问。”净霖贵公子的桃花眼半转，在侍女面上轻轻绕了个水淋淋的波儿，“那是谁？”

侍女纵使见惯颜色，也招架不住这等艳色的皮囊。她膝头轻移，对净霖细声细语道:“回公子，那是东乡的楚大人，单名纶，是今年登榜的新科状元郎。楚大人年少便已名冠东乡，其作的策论被皇上钦点锦绣，是今年的翰林新贵。”

净霖稍作思索状，他修长的指敲在桌沿，化作莞尔："今夜'双元'汇聚，熠熠生辉。不过既有楚大人在侧，想必今夜是见不得香婉了。"

侍女报以笑意："公子何须妄自菲薄，姑娘已待您多日。"

可惜净霖目光尽在那楚纶身上，他以极其敏锐的耳力，听见了铜铃随此人行动时轻晃。只是他正欲细听，便觉得左耳一热。

苍霁似是贴在耳边说："你带路，我们去找净霖。若是找得到，我便既往不咎。"

"公子若觉热，奴家引您外边透风。"侍女见净霖耳根微红，似是热的。

净霖道了声"不劳"后，便起身而饮，又将酒水斟满，方走向楚纶。

这位新科状元并不如传闻，他甚至有些羞怯腼腆。年轻人端坐挺直，背如同笔在支撑，反而显出些局促。他甚至尚不会拒酒，饮得双颊微红。

净霖行至楚纶身前，谁知楚纶定目见了净霖，竟骤然露出些惶恐之色。净霖身影遮光，也缓缓皱起眉。

楚纶一见净霖皱了眉，便双腿发软。他甚至猛地后退，将坐席撞到一侧，愈发惊慌地望着净霖。随后不知为何，以袖掩面，慌声说："在，在下酒劲上头，便，便，便先告辞！"

净霖酒盏搁案，道："大人瞧着面色不好。"

"方才在，在外边受了些风。"楚纶被净霖吓得魂不守舍，拉了一侧的侍女，竟用了些哭腔乞求，"劳烦，劳烦姑娘带我……"

净霖探手："在下愿为大人效劳。"

楚纶吓到打嗝，他说："岂，岂，岂敢！"

说罢竟不管不顾地爬身而逃，旁人只笑他喝醉了，一众侍女簇拥搀扶。楚纶在人群中恨不能脱身，像只溺水的旱鸭子，扑腾挣扎，就差大喊几声放我出去！

净霖稳搭上了楚纶的肩头，宽慰道："大人休急，在下引路。"

楚纶竟在这一拍中"扑通"瘫坐在地。他指着净霖牙齿打架，又像是惊觉造次，将手指咬在唇间，眼泪扑簌簌地掉。

“君，君君……”楚纶哭道，“放我一马！”

净霖神色莫测，侍女们窃声细笑。游香婉闻声而出，扶了楚纶，温声说:“大人喝醉了，这是东海敬公子。”

楚纶几乎要藏到游香婉的袖下去，他当真是吓得口齿不清，连话都说不利落:“他是临，临，临……”

楚纶不敢直言，便抱头大哭。满宴间只觉得他滑稽荒诞，谁知他已踩在了生死一线间，一个不慎，便能万劫不复。

净霖已欲动手，岂料宴间薄纱经风一荡，陡然扑进个人来。净霖背上一重，已被人从后抱了个结实。但见楚纶趁机踹翻栏杆，投身入水。

净霖身渐踉跄，近贴在边沿，他道:“松手！”

苍霁紧紧扣着他，狠声道:“你又要往哪儿跑？”

话音未落，苍霁便觉得净霖身向下倾。他转身踏步向将人退回去，谁知因为被晃得又犯了恶心，竟一脚踩空，带着净霖“哗啦”跌入水中。满船惊呼，女儿们零乱的喊叫随水荡开。

苍霁入水了方觉浑身舒坦，他捞住净霖，游身离船，在人迹罕至地方冒身。两个人通身湿透，苍霁抱着净霖，蹚着水至浅处，却不上岸，而是将净霖塞进茂密垂柳之下，堵在水中。

“相顾不离十步外。”苍霁将莹线在净霖手腕间绕了几圈，拽到面前，“你却想跟人跑？”

净霖在江水中冷得面白，他道:“铜铃就在咫尺，你却叫它跑了。”

苍霁道:“让它跑，你不能跑。”

净霖薄唇冷抿，他盯着苍霁，突然用双指卡住了苍霁的下巴，捏向下来，拉到咫尺。

“我若要跑，必先炖了你。吐了几日，你连脑袋也吐去别处了吗？若是还不醒，我便帮帮你。”

苍霁先被他寒声所镇，继而扣紧净霖的手腕，说:“此地大妖无数，各个都嗅得见你！怕你来不及跑，便先叫人分了个干净。凭你如今，也敢这样狂言？”

净霖被苍霁捏得剧痛，两厢对峙，分毫不让。苍霁突然怒从心起，他对净霖说:“纵使你心比天高，而今也是笼中囚鸟。”

苍霁亲眼见得净霖眸中怒色渐止，似如平波。湿发贴在他脖颈，那颈甚至不需要用力便能掐断，掌心的手腕也脆弱不堪。净霖在苍霁眼中逐渐变成矛盾难解的人，不论旁人将临松君说得如何神通广大，在苍霁掌中，他便一直是这样脆而易碎。

他们根本互不了解，简直好似两个天地。净霖不记得苍霁的过往，苍霁也不熟知净霖的过去，他们皆因“吞食”紧密相连。苍霁吞食着净霖的血肉，而净霖吞食着苍霁的温度。

各有所需，也各怀鬼胎。

苍霁听得净霖说。

“说得不错。”

净霖松指，手自苍霁掌间脱开，转身涉水上岸。苍霁在后看他后颈，记起他年少时的伤痕累累，又记起他如今的背呈裂纹，每一条每一个都带着他从未听闻的故事。它们皆与净霖密不可分，它们亲眼见证净霖跨越数百年，从尚存温度，变成毫无温度。

可是苍霁一无所知。

他生来头一次明白，即便他吃掉了净霖，他们也不能融为一体，更休提永不分离。

苍霁掌心渐冷，久立水中。

立夏
卷二

040章 神说

净霖总是彻夜难眠，睡眠带来梦境，梦境带来过往。他不想要梦境，也不想要过往，所以只是假寐枯躺。他醒来的住处一贫如洗，什么也没剩。

起初醒时日短，身体的疼痛不值一提，破碎的灵海方是痛苦的根源。灵海碎化成渣，这些略显尖锐的碎渣卡在神思各处，刺得魂魄都痛。

净霖能行动后，便时常披衣枯坐，他似已寻不到继续的理由，却也寻不到终结的理由。一场大梦初醒，一切前尘化风隔雾，春秋反复，疼痛渐平，身体似也恢复寻常。

只是他丢了剑，不仅手中空空，就连心也空荡。灵海已损，本相再无踪影。咽泉随他半生游离，最终却连断刃也寻不到。净霖曾经唯有一个念头，便是死于山林，葬在咽泉之侧。可惜他如今立于风中，除了肩头宽衫，什么也拉不住。直至白瓷缸间水花四溅，余出一条活蹦乱跳的锦鲤。

净霖指尖触及它的鳞，鲜活之物游动在他指腹。他们像是共生于此，相互依赖。

净霖骤然睁眼，一侧头，果然见苍霁在撑首而观。夜尚未过，船内昏暗。苍霁的眸漫不经心地转开。

净霖一时间难以分清梦境和现实，便不自觉地抬臂挡面，翻身面壁冷静片刻。

苍霁视若无睹，说："楚纶连夜西去，要去京中复命。我在他留下的杯盏上觉察不到人气，该是只小妖。"

净霖发散枕席，他觉得梦中情绪还在胸口。他倏而闭眼，静了片刻，再睁眼时已形容平静。

“是只笔妖。”净霖说，“他认得我。”

“斩妖除魔临松君。”苍霁躺平，“无怪他要跑。不过人之所言有点意思，他们道这位楚纶，多是一个评语。”

“什么。”

“判若两人。”苍霁答道。

判若两人？

“‘楚纶’确实是个凡人，他生于东乡小村，家境贫寒，父母先后皆丧，凭靠家族近亲接济方才能继续读书。此子先天体弱，腿脚似也有疾病，却将书读得好。他十二岁便以诗词名响乡间，东乡知府屡次保举，他十九岁便得以进京，只是两次不中，归家后愈发刻苦，此次夺得头魁也算如愿以偿。但自从他第三次入京赴考起，便有人说他性情大变。”

净霖说:“如何说来？”

“不知道。”苍霁说着闭上了眼，“途中不便盘查详细，但京中必有人解。”

说罢便似如沉睡，不再开口。

净霖便直视壁面，沉默到天明。

京都位处西南，顺江而上不过半月便能到达。中渡愈往西去，分界司愈渐密集，各型各色的掌职之神封地临近，小妖甚至难入屏障。

净霖与苍霁虽然仍旧僵持，却并不妨碍他指点苍霁的灵气运用。半月时短，苍霁奥妙尚未参透，船已靠岸。

净霖下船时，天正炽热。京都庞纳四海朝客，街市井井有条，满目繁华。港口客船尚小，供有庞然龙船高耸而立，水道间来往有序，人声喧嚣。纵目远望，竟一时之间望不到头，所及皆是明楼高阁，能见宫室恢宏屹立。

苍霁笑出声，他环顾四周，只觉得所谓九天神宫也不过如此，怎比得上人间朝夕鼎沸。蛮儿们穿梭其中，具是手戴金钏儿，脚挂银铃铛，行步带风时可以听见清脆摇晃。吹笛客沿街而行，引得路过蛮儿翩翩起舞，各色飞纱游转空

中。

广吞万岁山，博孕千朝乐，天地中唯此一地由九天笙乐女神执掌。她寿与天齐，神思融地，既无处不在，又妙不可见。当日君父九天君开创三界新岁，笙乐神不见踪迹，君父却仍奉其名牌，尊为座下客。即便是净霖，也不曾见过她。

二人寻处客栈落脚，入门不巧又是位妖怪。只是不同别处，京都中的妖怪皆是通天大妖。

苍霁跨门入内，便见羽扇轻拨在算珠间。那算珠黄金所铸，宝石沿边镶嵌，端得是贵气冲天。老板娘倨傲而坐，玉白的指间戒指覆累，个个大如鸽卵。只见她华服雍容，脚边优哉摇动着九条绒尾。

苍霁见过妖狐，却是初次见到九尾妖狐。

老板娘纤指搭扇，露着妖娆双眸将两人看了，懒散道："上房五十金，店贵不还口，交得上便任君挑，交不上趁早往别处去，此地不留穷鬼。"

苍霁两指顺着柜面一路划开，金珠与宝石"叮当"滑落，在柜面上现出条璀璨长线。

老板娘看也不看，羽扇半挑，反而将苍霁打量了，说："眉目舒朗，眸含锐气。好皮囊，妖怪里就是这等容貌分外吃香。不忙付账，就冲这张皮面，姐姐供你在这京都玩乐。什么白净斯文已不稀奇，要的便是你这种……"她半沉吟，忽探身，"足下神似北苍帝。"

苍霁不知这个"北苍帝"是何许人也，净霖却眉挑细微，看向老板娘。

老板娘薄哼一声："你运数不赖，我偏好苍帝那一口，许你白吃白喝。自个上去挑吧。"

说罢人也不理，搭扇入内，垂帘玩绸牌去了。

小狐狸端盘侍奉在侧，耳朵忽扇，尾巴摇晃，不穿鞋的小毛爪轻快地踩在红氍毹，却生得粉面桃腮，杏眸机灵。它掀帘行礼，道："还请两位公子随我来。"

苍霁随之而入，阶梯宽敞，各处陈设皆见华贵。他稍慢几步，与净霖并肩。

净霖轻声说："九天境未立之前，苍龙与凤凰皆盘踞在北方诸地。后来凤凰南下，与九天门合力抗魔，唯独苍龙立北不从，麾下大妖无数，尊称其为'苍帝'。苍龙之后，'苍帝'之称屡入小妖之手，便又添一'北'字以追尊荣。"

"死都死了。"苍霁说，"称号送给别人玩儿也不成？"

净霖说："不成。"

苍霁侧眸："神仙这也管么。"

净霖步踏上阶，微顿道："神仙不管。"

苍霁问："那这条龙与你又有什么干系？黎嵘的朋友吗？"

净霖已行门前，小狐狸推门恭迎，他却呆了一瞬。苍霁自后用胸膛推着他进门，小狐狸便合门而退。

净霖说："他与我没有干系，也不是黎嵘的朋友。"

苍霁"噢"一声，既不追问，也不继续。他从净霖身后闪出，自添了杯茶水。片刻，便听几只小狐狸立在门外，欢快道："北庭温泉中薄酒以备，两位公子若是有兴致，随时可前往消暑。"

屋内寂静，须臾后苍霁开门而出，下阶去玩。他临去时丢了金珠给其中一只，道："你来为我引路，其余的侍奉在此，他稍后便去。"

一只狐狸接了金珠，跟着苍霁而去。剩下的等了半晌，果见净霖换衣而出，前往沐浴。

只说小狐狸唤作喜言，今年不过百岁出头，一直由老板娘养在身边，故而对京中玩乐处知无不言。苍霁出手大方，生得英俊，又待人豪爽，一来二去，喜言便"大哥"前"大哥"后的与他同行，卸了防备。

苍霁状若不经地问："适才听闻老板娘道'北苍帝'，这个北苍帝是何许人也？"

"大哥不知道呀？"喜言矮苍霁许多，捧着货物跟在后边，摇头晃脑地说，"这也难怪，大哥必然是常居东边，专心修炼，不闻它事。要说这个北苍帝，在妖怪之中很得名望。就连我家老板娘也仰慕了许多年，讲他的事迹还会掩扇垂泪呢。"

“什么事迹。”苍霁说，“说来听听。”

“苍帝居北称帝，三拒九天君而不授。因他独力聚妖面北，对抗血海已久，不肯屈于人下。因此便与九天门六次盟而不合，唉，要说也奇怪，当时九天门已成天地第一势，九天君座下八子皆是赫赫威名之辈，苍帝麾下虽能妖辈出，但真与九天门不和，怕也只能两败俱伤。”

“那便两败俱伤就是了。”苍霁抛珠倚栏，眯眼由日光倾晒，道，“那什么九天君，借合力抗魔之由，四处吞势，怎么听都不是心怀苍生的圣贤之辈。既然此人能任天地共主，那么苍帝有什么不能。与其供人差使，不如逍遥到底。”

喜言从货物中拱出耳朵来，惊讶道:“大哥，你怎知苍帝就是这般想！老板娘道他虽未屈从九天门，却始终屹立北方险地，不曾让邪魔步进半分。只是后来血海平复，九天门改称九天境，九天君也成为天地共主、无上君父。各方应功封赏，苍帝仍居北不理，九天君奈何不能，便遣杀戈君黎嵘下地劝抚，起先两家并无怨气，只道心平气和，可不知为何，杀戈君黎嵘忽然翻脸不认人，与苍帝大战北地……”他耳朵一垂，道，“老板娘说，必是这黎嵘使了什么手段，否则凭他修为，尚未踏入大成之境时怎能与苍帝一战。”

“这么说来。”苍霁说，“苍帝必是输给了黎嵘。”

“黎嵘还受命剐鳞剔筋。”喜言说，“九天境绝了龙脉，此后这么多年，再不见有龙现世。”

岂料苍霁却笑起来，他道:“只怕是斩草除根，方能安生。”

“不过因此生了件怪事。”喜言伏在栏杆，歪头啃着糖人。

“怪事？”

“如今神说谱中，要论彪炳战功，杀戈君应列首位，但要论无上功德，临松君该当魁首。因他早在血海之前，便游走中渡诸地。都道‘斩妖除魔，当见咽泉’。他的咽泉剑之下，鬼神皆有。虽然称号不见杀气，却挥剑利落。但他尚辨善恶，既不伤及无辜，也不祸害好妖。”喜言说，“怪就怪在，苍帝为黎嵘所杀，临松君既是黎嵘的兄弟，又与苍帝毫无瓜葛，却听闻二人因此分道扬镳，形成‘君不见君’九天传闻。最奇怪的是，而后中渡群妖失首，各自立王称帝，但凡以‘苍帝’之名自居者，咽泉剑必诛之。时日一久，便再也没人敢叫苍帝啦。临

松君为苍帝守了尊号，老板娘说，也算承情，只是不想他后来会斩杀君父，冥冥之中，也算为苍帝报了仇。”

苍霁捉摸不透：“他二人认识吗？”

谁知喜言摇摇头，也奇怪道：“不认得的，听说临松君连苍帝的面都不曾见过，血海之战曾有一次并肩之时。只是老板娘说，当日千军万马，临松君与苍帝互不相识，唯独调兵遣将时似曾擦肩而过，除此之外，再无交集。”

041章 疑虑

苍霁尚存疑虑之时，醉山僧已出了追魂狱。他持杖不过几步，便被人自后拉了领，不必转头，果然听得东君的声音。

“我欲往血海中去，却被那看门狗拦了路！他素来卖你几分情面，便要劳烦你与我同去一趟。”

“你好端端去血海做什么？”醉山僧皱眉回身。

东君踱步云间，道：“许久不曾看一看黎嵘，心里想得很。”

“鬼话连篇。”醉山僧拂袖欲走。

“欸，且留步。”东君绕到醉山僧身前，偏不让他走，“我思念兄弟何错之有？你怎的又翻脸。速速与我去一趟，我有要事询问。”

“黎嵘身沉血海，神思下界。你问谁？你必是又想惹是生非！”

“我向来依律办事，可比你规矩得多。你方才说他神思下界，我并未听君上提起过。”东君若有所思，“我寻黎嵘，当真有事。”

醉山僧见他不似有假，略微迟疑，仍带他去了。血海之战落幕后，血海便镇锁于追魂狱之下，由云间三千甲看守。醉山僧身为追魂狱首辅官，实为黎嵘的镇锁神。有他带领，东君自然进出容易。

只是怪不得守门神严厉，因为东君出身向来备受争议，为着避嫌，他实在不该再入此地。但正因为如此，醉山僧才信他是当真有事。

两人沿阶而下，四面具是金纹镇魔咒。密密麻麻的咒迹暗金流动，休说妖怪，就是寻常邪魔也走不稳这一段。东君原身可怖，当下也仍觉得脚底刺痛。要枢之处即为咒心，上插一把覆霜重枪，正是杀戈君的破狰枪。

东君自袖中摸出方帕，在经过破狰枪时掩住口鼻，已有些不适。因这枪杀气冲天，凶煞威猛，靠近些许便叫人胆寒。

醉山僧见他掩帕，忽然轻“啧”一声：“你这般一动，我便记起来了。我这几日思来想去，总觉得那人熟悉，见着你这动作——他果真是在仿你举止！他那副伪装又化作桃花眼，若是修为再深不可测，可不就是活脱脱的你么！”

“铁树开花，你竟也观察入微了。”东君过了破狰枪，以帕拭汗，道，“他本就在仿我，虽不是一举一动，却将引人怀疑之处学了个七八分。你说，他来日若干了什么惊天动地的坏事，叫哪个一根筋的蠢物的向上一禀，我可就说不清了。”

“这世上便没有你说不清的事情。”醉山僧止步，两人脚下石板已尽，面前无望血海通红翻滚，无数人面流淌其中，耳边皆是濒死号叫。

“他是猪吗？”东君小声说，“吵成这个样子，他竟还睡了五百年！换作是我，可就不干了。”

“他那日本负重伤，眠于此地也是意料之外。”醉山僧一杖掷出，但见金芒暴开一条狭窄通路，他踏步其上，继续说，“咽泉剑直穿胸口，临松君是动了真招。”

“说来奇怪，我也有些问题百年不解。”东君随后慢声，“邪祟入体诓诓小孩子便罢了，想净霖多年持剑卫道，最了得的便是心性。那不是别人，那可是本相为剑的临松君。他怎的就骤然变了脸，连黎嵘也捅得下去？当日血溅满地，好在老爹睡得安稳，否则又是一场父子反目的好戏，可比兄弟反目更加刺激。”

“你口无遮拦！这话也敢说。”醉山僧回头斥责，“若非邪祟入体，难道还能撞鬼了不成？他杀父杀兄，过去的功德一并作废，已成邪魔了。”

东君以扇敲嘴，道：“闲聊闲聊，何必当真。”

醉山僧方才作罢，他已驻步，闪身让与东君。东君见几步之外冥石筑台，躺的正是杀戈君黎嵘。

东君绕了一圈，道：“那日我没瞧清，净霖碎后便由黎嵘收拾的吗？”

“不是。”醉山僧说，“黎嵘当时已重伤难行，更兼神识恍惚，后来之事皆交由颐宁贤者处置。”

东君的折扇打开，他道：“我听闻颐宁贤者自九天门时便伴于君上身侧，怕与净霖也有私交？”

醉山僧不傻，立即道：“你难道还怀疑他做什么手脚不成？此言关乎九天诸君，不可乱提。况且颐宁贤者与净霖并无私交，九天君在时，他曾屡次进言苛责净霖不与人交。”

“这般。”东君趣味盎然，他不知为何笑道，“这般便有些意思。你说黎嵘神思下界，可是指他忘却前尘神思渡劫？”

“不错。净霖那一场，伤他诸多。只怕他临睡之前，也悟得自己必生怨念，故而选在此处，便于渡劫。所谓心魔难破，不如忘却一切，投身入界，再历八苦，悟回真身。”醉山僧答道。

“如此说来，他如今也该在中渡。你权职所纳，可知他托生何处？”

“他已入大成。”醉山僧说，“哪是旁人能追查到的事情。他本就忘了一切，下界另寻所悟，必然不愿我等追看。你到底想问他什么？再等上几百年，说不定便能守到。”

“我守他做什么，在下虽是个闲差，却是个古道热肠，最耐不住清闲！”东君目光经过黎嵘睡颜，“我只是近来有不解之事，本欲问他一问。”

“何事？”醉山僧说，“若是临松君之事，劝你休要插手。君上如今孤家寡人，每提及兄弟几人便要伤神，必会怒迁他人，你何必搅这趟浑水！”

“着急什么。”东君收扇调头，“我何时说要插手？此事真佛坐镇，黎嵘禀报，又是众目睽睽，哪有值得我回顾之处。”

“这便完了？”醉山僧见他不过是来转一趟，又怒上心头，“你诓老子！下回若再敢这般，我打得你满地找牙！”

东君一连讪笑，含糊不答。

净霖归屋时天已趋黑，苍霁似已久待，听他开门，正回首而观。两人一瞬对视，苍霁便觉察到净霖肌肤上湿腾腾的温度，两人目光又迅速错开。

苍霁说:“楚纶暂居崇华街。”

净霖发梢凝水,“嗯”了一声。苍霁便起身罩上外衫,越身先下楼去。净霖随后而至,见得老板娘华裳正倚柜边,喜言为她涂染蔻丹。她轻轻渡着气,只用眼角扫他二人。

“我奉劝这位公子一句。”华裳尾巴拨动,“灵海泄灵堪比大祸临头,你即便隐于常人之中,也能叫那些嗅觉灵敏的主儿探出头来。此地虽有笙乐女神执掌,可到时候救不救,那还得看运数。”

净霖颔首谢过,跨门而去。

夏日方至,夜市灯火通明,长街耀眼。女眷虽少,行人却多。苍霁先净霖半步,带他穿梭人海。净霖身形单薄,在人群间行走似被埋没。他恍若游魂,肤色在灯影之间,竟显得颇似脂玉。

净霖身前忽然横出一臂,一披纱蛮儿赤足点地,在他身前缓缓旋动。那异色双眸含羞带怯,银铃叮当,琵琶声随之铮铮而响。

四下群人叫好,一瞬空出地来。唯独净霖深陷红纱银铃包围之间,那蛮儿旋转绕身,一股幽香缓撩心弦。蛮儿笑声伴乐,指尖若隐若现地虚画着净霖的眉眼,舌尖微现,竟还是条美人蛇。

她绵声道:“我见公子颜如玉,不如……”

美人音还未落,便见这位“颜如玉”眸中冷厉,刺得她惊悚后退。

净霖不笑不怒,只道:“借过。”

脚下便绕过美人,冷冷擦肩。

苍霁正侧身而望,注视着净霖到身边,说:“真是不解风情。”

“原话奉回。”净霖微皱眉,嗅得身上染了香。

苍霁虚扶他肩,垂首避灯时回望一眼。美人蛇本就心有余悸,见了苍霁那一眼,竟又退一步,好不狼狈。苍霁过了灯便收回了手,净霖恍若不知。

两人穿街几道,终于入了崇华街。此地的文人墨客比肩接踵,青楼油车也屡见不鲜。苍霁挑帘直上楼去,待他二人到了楚纶住处时,却扑了个空。

“铃声隐约。”净霖由栏下望,“他必在不远处。”

苍霁临门鼻尖微动,道:“这是什么香?”

净霖说:“美人香。”

“我不是指你的味道。”苍霁指划门沿，闻了闻，“此处团着一股非人之香，他那日留在杯盏上的便是此香。”

苍霁跨近一步，苍霁指腹转向他，由他轻嗅。

净霖说:“此为笔香，虽与经香相近，却略有不同。”

“笔妖。”苍霁说，“他代替楚纶欲意如何，做官吗？”

“见他一面便知。”净霖移步，两人距离稍开，说，“他既认得我，便必然不敢随意露面。”

“铜铃既找了他，他便跑不了。只是你面容伪装，他竟能识破。”苍霁打量门，“寻常小妖做不到，他兴许曾经也见过你。”

净霖说:“这张脸从未用过。”

“难道是扮猪吃虎，是个厉害角色？”

“笔妖。”净霖轻轻念了一遍，“寻常笔难生灵，这必是支珍贵之笔。原料难得，兴许从前入过神仙之手。”

“熟人。”苍霁问，“你有人选吗？”

净霖看他，说:“还真有一位。”

“谁？”苍霁音方落，两人便听得脚步声沿梯而上。

楚纶宽衫博带，正提着一包油纸。他蓦然见自己门前立着两位气度不凡的男人，先是一怔，继而抬手行礼，不卑不亢地问道:“敢问两位，寻在下何事？”

苍霁和净霖相视一眼，皆了然地默念。

这可真是判若两人。

042章 狼妖

楚纶天赋过人，自幼便有过目不忘之能。他笃定自己从没见过这两人，故而在行礼之后，心下颇为警惕。

净霖回礼，纨绔顿时变作谦谦君子，他道："在下东海林敬，半月前曾与楚大人于江上舫间有过一面，不知大人可还记得？"

楚纶表情则很值得玩味，见他既不惊愕也不慌张，将情绪藏得涓滴不遗，诚声说："竟一时未忆起足下，尤望海涵。不知足下今日登门拜访，有何贵干？"

净霖便报以微笑，意有所指。

楚纶说："当夜兴尽酣醉，有所疏漏，还请足下直言。"

净霖自然而然地说："那夜大人似有急事，匆忙离去时借了在下五十金珠。说来惭愧，在下初到京中，一时放浪，竟将家中所赠的钱银花了精光，所以今夜特来拜访大人。"

楚纶便道："可有借据？"

净霖惭愧道："当时急切，并未立字据。"

既然没有字据，便是抵赖也是可以。但楚纶似是常遇此事，竟当默认。

"近日不巧。"楚纶终于露了些许难色，说，"五十金一时半会儿怕凑不齐，不如今夜立于字据，来日登门相还。"

净霖也甚为温和，只道："好说。"

楚纶便引他二人入内。他虽已为新科状元，却不过才点翰林，品职不详，尚须内阁近日商议敲定，故而仍须暂住在此。屋中陈设精简，看得出楚纶颇为拮据。他马上将为当朝官员，身边竟连个仆从也没有。

苍霁寻香而视，却并未看见"笔"。字据立得快，净霖与楚纶又稍作客套，便该告辞的告辞，该送客的送客。

苍霁发现，净霖一旦伪装上身，便时常成为另一种人，即是忽悠诓骗时应对自如的那一种。因着他们正欲出门时，又一位"楚纶"恰好入门。两厢一对，撞了个正着。

这个"楚纶"怎知自己会正撞到杀神，当即神色大变，骇然后退，连招呼都不打，翻身跳下栏杆，撒腿便跑。

净霖悠然地将字据推入袖中，对后边的楚纶说："怎的从未听说过，大人还有个孪生兄弟？"

楚纶心下百转，顿时横臂阻拦，说："两位且慢！那确实是我兄弟，不

过……”

“不过是只妖怪。”苍霁靠门笑看，“跑得还挺快。”

“今夜既然遇见了真债主。”净霖说，“便不劳烦楚大人了。”

楚纶正待再拦，却见他二人消失眼前。他掀袍下梯，急切欲追，岂料腿脚不便，竟从楼梯上翻滚下去。这一摔摔得狼狈不堪，街边有人识出此乃状元，却见楚纶爬身而起，踉跄几步，竟已经寻不到三人踪影。

笔妖豁出命般地跑，他腾身跃上沿街屋顶，在高低起伏的檐影中犹如慌不择路的惊兔。净霖闲庭信步，苍霁却闪身迅猛，笔妖只觉得后领凉风嗖嗖，如何也摆脱不掉。

笔妖飞奔时呜咽出声，极其没出息地转头对苍霁大喊：“君上都不追我，你怎的还穷追不舍！”

苍霁跃身一停，笔妖正撞苍霁胸口。他跌身现回原貌，还是个唇红齿白的少年郎。笔妖大吃一惊，边哭边望回路，却见净霖正立后方，他竟捂面打滚，哭闹道：“我不想死！我此生未做坏事！即便曾经，曾经骂过君上，也是身不由己！”

净霖说：“你曾是谁的笔？”

笔妖啼哭不答，净霖正欲再问，便见头顶夜空风云突变，云间陡然扒出一爪，探出狼妖巨首。

“好香！”狼妖睥扫下方，盯着苍霁沉声一哼，“京中规矩，诸妖不可私自猎食，你是何处小妖？胆敢坏了规矩！”

狼妖一震，但见京中数妖私语，各处皆响回应。华裳临窗晾指，闻声说：“扯什么规矩，你是嗅得了香味，也想分羹。”

“话虽如此。”桥洞下持竿垂钓的老龟慢吞吞地说，“也万不该在檐上打闹，私怨是小，若引来了分界司，大家便要吃不了兜着走。”

“老东西继续当你的缩头乌龟。”华裳珠钗轻摇，她起身甩尾，“分界司算什么东西，我等随着苍帝叱咤中渡时，他们还具是沿街乞儿。如今风水轮流转，连进食也得看人脸色？”

笔妖香味渐溢，狼妖愈发垂涎欲滴。他撕云而露，探身向下，眼睛在苍霁与净霖身上打着转。

“规矩是死的，人却是活的。要我坐视不管倒也不是不成，只要你二人乖乖出来一个随我走，这只笔妖便随人处置。”

苍霁却道:“一个怎够吃，不如两个都拿去。”

“那这笔岂不是孤单可怜。”净霖说，“三个一并吃了吧。”

笔妖放声大哭:“我不想死!”

“我看你是一心求死。”净霖寒声。

笔妖一抖，说:“君，君……”

苍霁脚下轰隆崩塌，笔妖陷身下去，堵住了话头。苍霁袍摆微荡，狼妖已经扑身而下，那巨影庞然，骇然而落震得屋檐剧烈一抖，各处檐下马“叮咚”碰撞。

狼妖不仅体型颇巨，速度也极快。苍霁但见残影一晃，钢铸般的狼爪已直划眉间。苍霁避身躲闪，脚踩屋脊一线，竟让狼妖连袍角也碰不到。此情此景绝不陌生，因为净霖头一回与醉山僧周旋时便是如此。

东君料得不差，即便身怀吞能，苍霁也未必能成大患，因为他没有师父，所以即便灵气充沛，也施展不开。可是他未曾料得的是，这天地间最适合做苍霁师父的人，从来就近在眼前。

苍霁戏耍一般的姿态反叫狼妖怒浪翻腾，想他不过小小一条锦鲤，即便修为颇异，却也差距不少，竟将自己当作狗一般地牵着跑，于是当真下了重手。只见劲风刮面，黑云裹拳，竟猛击向苍霁腰腹。

“所谓强敌，不过两种。刚硬者势不可当，犹如大水崩沙，骇浪击面。对此等强敌，切勿畏惧。畏则心乱，心乱则神涣，神涣则鬼得乘之。”

苍霁问:“我本不畏，不畏则正迎。正迎便必胜?”

净霖持卷未抬首，说:“不急，先挫他锐气，玩弄于鼓掌间。”

苍霁倏而挡拳，却见黑云推得他衣袍翻飞，灵气眨眼瞬凝，薄光犹如镜面

一般抵挡强力。狼妖竟在霎时间被苍霁的灵气搅拖一臂，抽身不能。狼妖陡然大喝一声，料想这样擒住苍霁，谁知苍霁身如醉浪，捉摸不到。狼妖失了先机，下一刻便觉这只手臂锥痛沉重，整个身体竟被苍霁的骇人蛮力抡翻而起。

长街屋檐登时一并爆碎，灯笼迸落。狼妖被掼于屋内，整个屋顶应声坍塌。

狼妖吃痛反擒苍霁手臂，可苍霁由他擒握，但听门窗“砰”声而断，竟不是苍霁动手，而是威势碾压。

这一招不是来自别人，正是醉山僧与东君皆用过的震慑方式。灵海如海怒涛，那看不见的胁迫好似抵在喉咙间，远比一拳一脚更加危险。

狼妖受了奇耻大辱，竟被条鱼掼摁在地！他如何能忍，粗壮的四肢绷劲，巨尾横扑，现了原形。

“锐气一灭，怒气便生。”苍霁说，“若是醉山僧，便该动本相了。我本相不及，该如何是好？”

净霖拾页，微抬首：“……唔。”

苍霁说：“唔？”

“怒易乱心。”净霖指叩杯沿，“往死里打便是。”

狼妖原形现了还不到须臾，便见苍霁臂覆鳞片。那鳞似深甲，坚不可摧。他嚎声尚未出口，已扑咬而去。巨齿碾住苍霁肩臂，却撕咬不透。苍霁翻手抱他狼头，狼妖尚无及应对，便被苍霁一力推撞在墙壁。巨狼哀声，此时撒口也跑不掉了，听得又是一声“砰”，墙壁翻破，狼身后爪蹬地，前头被鳞爪闷掼，冲壁而倒。

威势逼近笔妖，这小子见势不妙又想撒腿。净霖轻飘落地，一掌提在他后领。

“话尚未问完，你要往何处去？”

净霖话音方落，面前碎墙间呛声爬过狼妖。他背负抓痕，后爪拐地，竟被这锦鲤打成狗了，夹着尾巴残喘欲逃。步还没撒开，已经被苍霁拖着尾巴拽了回去。

狼妖已不顾脸面，扒地嚎声求救。他本以为苍霁不过是条鱼，因为见苍霁灵海充沛，一时起了贪念。他虽不及华裳九尾威震八方，却也万万想不到自己会被眨眼间打成这个样子！

“算我有眼不识泰山！”狼妖切声，“爷爷饶我！”

苍霁虽然出世不久，可一直陪他过招的却是醉山僧。比起刚硬，狼妖哪比得上醉山僧雷霆而动的降魔杖。

他爪化为手，拖住狼妖的后颈，鼻尖微动，笑道：“饶你什么？”

狼妖道：“饶我一命。”

苍霁指尖顺着狼妖皮毛，邪声说：“可我也饿得很。”

笔妖簌簌发起抖来，他逐渐呼吸急促，猛地向后爬退，蜷身挡眼不敢再看。净霖静待不语，在狼妖的鬼哭狼嚎中听见笔妖啜泣的问话。

“君，君上曾经……斩妖除魔……怎么今日……”少年捂面哭泣，“忍见此景，还这般放任妖魔吞食？”

笔妖臂挡双耳，闭眼大哭，被苍霁吓得不轻。可他想不明白，临松君除魔卫道，怎可纵容此等行径？

净霖似是笑了起来，他凉指轻拨开笔妖的碎发，冷眸垂视，对少年人说：“我道已崩。”

夜风撣袖，笔妖脊骨蹿升寒意，他哽咽亦轻，在净霖的注视中不敢出气。

临松君死了。

笔妖没由来地想。

043章 楚纶

狼妖犹如涸辙之鲋，却不见方才出声的众妖前来接应。苍霁终于饱餐一顿，他进食相当省时，少顷便已结束。待他跨出坍塌时，正见净霖垂指抚开笔妖的发，听得净霖道一句“我道已崩”。

笔妖哭声已止，他垂首而跪。苍霁步踏近时，少年郎显然瑟缩起来。苍霁正值餍足，用街边小铺的水壶倒水净手。他的双手肤质滑腻，根本不见适才的可怖鳞状。

“既然玩闹已尽兴，不如就秉烛夜谈？”苍霁随意拭了手，提起笔妖的后领，像是拖拽麻袋一般扔到小铺木凳上。

笔妖被丢得坐不稳当，险些四脚朝天，他便又想哭。可是苍霁“咣当”踹了凳子，颠得他一屁股坐在地上，连哭也不敢了，只能硬憋着一股热泪望着他们。

净霖旧话重提:“你是谁的笔？”

笔妖哭腔满溢:“颐，颐宁贤者。”

颐宁贤者并不显名，因为他于君父座下数年，既没立不世之功，也无有谋断之才。他更像诸神之下的影子，虽然毫无突出，却又无处不在。然而无处不在正是他唯一的职责，他不兼神官，只听命君父。从九天至黄泉，但凡风吹草动皆逃不过他的耳朵。逃不过他的耳朵，便是逃不过君父的耳朵。

此人看似并无建树，却深得君父宠眷。但他脾气古怪，唯有的几次显露，便是在君父座下弹劾临松君。他与净霖虽无私交，却相互并不陌生。最值得一提的是，他厌恶净霖无以复加，曾经大笔一挥，书写长达一人高的奏文将净霖骂得体无完肤。

作为颐宁贤者的笔，难怪笔妖这般害怕。因为颐宁贤者当年的文章十有八九都是用他写成的，所以他对临松君知之甚详。

净霖稍顿，继续说:“颐宁尚未化世，你怎独自游荡于中渡？”

净霖不提还好，一提只见堪堪压下哭声的笔妖再次放声大哭。他哭得分外委屈，连嗝也打起来。

“都怪东君！”笔妖拭着泪，“他闲来无事私、私自拿我在梵坛题诗，引得众僧一，一状告到了承天君那里，贤者亦被迁怒，罚了个闭门思，思过。回头越想越愤，说‘东君摸过的，不要也罢’，便将我，将我掷了下来。我在中渡既无亲眷，也无朋友，孤苦伶仃，好，好不凄凉！”

“下来无人管你。”苍霁逗他，“自在啊。”

“我怕死了！”笔妖立即揣着空心杆说，“四处皆是妖怪，我我，我肩不能扛，手不能提，打也打不过。整日吃得不好，睡得不好，还不能再饮墨写字，怕怕怕怕，怕得要命！”

说来这只笔妖有点特别。

因为他虽然是妖，却常伴神案，因此不喜妖物，宁肯与人为伴。并且他一直在居住九天境，为人呆直，经常被颐宁贤者骂，故而胆子堪比针尖大小，一吓就会原形毕露大哭不止。下界后休说打架，就是见着强壮一些的兔妖都会撒腿便跑，偏偏香味经久不散，极易引得妖怪垂涎。久而久之，竟把逃跑练得炉火纯青。

“你既然四处逃窜，怎又与楚纶待在一起？”苍霁说，“难道还帮人作弊不成？”

谁知笔妖登时跳起来，想要骂人，又在苍霁的目光中倏地软下去。他垂头丧气地说：“……你……你休要这样说，慎之学问很好，他本就是状元，不需要我作弊。况且我虽是妖物，却也不容如此行径，慎之不是那般的人，你再这样说，我便要与你……与你打……讲，讲道理。”

“你结识了楚纶。”净霖从地上拾起因坍塌滚出的铜珠，“并与他朝夕相伴，甚至肯豁出余力陪他入京。”

笔妖磕绊起来：“我是，是惜才。”

笔妖抱着荷包大退一步，他被看得透，才察觉自己已经无路可退。如今大妖虽有授封文书，能任一方掌职之神，却不意味着九天境已经宽厚到能够纵容人妖越界。

净霖将铜珠轻抛回笔妖掌间，说：“他病气囤积，不该活到今日。你如只是伴他一程，分界司尚可睁只眼闭只眼。但你私改命谱，已触律法，分界司尚且不提，黄泉一旦彻查，你与他谁也跑不掉。”

笔妖突然“扑通”跪下来，他胆怯地哭个不停：“怎可如此！触犯律法的只是我。分界司与黄泉追究起来，也是我这妖物所为，与，与凡人何干！”

净霖说：“与他何干？楚纶如今已夺头魁，原本的状元因此错失。命谱随你一齐更改，这两人往后命途难料。”

笔妖以头磕地，他哽咽着：“我已知错，可，可是，事已至此，难道还要慎之死不成？他本当如此！若是随命而丧，他这一生便沦归黄土，我岂能忍心……”

苍霁说：“你救了楚纶，另一人必沦于无名。可见不仅人亲疏有别，妖也如此。天下诸般情意往来，真是麻烦。”

净霖静立片晌，说：“将你与楚纶的事情尽数道来。”

楚纶腿脚不便，志却高远。他幼时捡亲戚的残羹冷炙而活，待到十二岁初显名声时，便以嗟来之食为耻，不肯再受人施舍。他家徒四壁，穷得揭不开锅，所用书卷尽是自己亲手誊抄来的，打开那陋室之门，却连一点灰尘也摸不到。

楚纶时常因为读书而废寝忘食，他本有腿疾，身体也不好。十九岁时得人保举，入京赶考，结果铩羽而归。回来后便更加手不释卷，期间为人讼师，却常接贫民官司，为此没少风餐露宿，也因此更知疾苦。

二十二岁再度入京赴考，再度名落孙山。楚纶此时已旧疾累身，年纪轻轻便常浸药汤。落榜不仅挫了他的锐气，更使得他愈渐拮据。一夜握笔疾书，写到一半竟呛血不止，昏了过去。醒来时人已横卧榻上，桌上素面尚温，炉上药汤已煨。

有了此次之后，楚纶便常写着写着陷入昏睡，偶然翻得残卷，却发现纸页写满，具是他的字迹。可是楚纶绞尽脑汁也不记得自己何时继续过。他逐渐察觉身边常伴一人，虽然看不见，却时刻都在。

一日楚纶撑首而眠，夜间听见风雨打窗，他似是昏睡，仍不醒来。不过须臾，就听得桌对面脚步轻巧，趴下一人凑近来观察。

楚纶不动。

那人便轻轻挪过纸，蘸了蘸墨开始咬着笔头冥思苦想。楚纶悄悄睁眼，见乌黑的脑袋对着自己，桌上正挽了袖子奋笔疾书。楚纶探首而观，那人听得动静，抬起头来，竟是个少年郎。

两厢对视，少年郎倏而大惊，吓得他一肘磕到墨里，翻溅了墨汁，迸得脸上皆是墨点。他一叫，楚纶也吓了一跳，又见墨飞出来，便猛地后仰，这一仰仰翻了倚子，摔了个结实。

常人摔便摔了，可楚纶这一下摔得不好，椅子砸着胸口，竟呕了血出来。他撑身残喘，觉得浑身冷汗直冒，胸口突突难止，越跳越慌，越慌越眼前发黑，大有不大好的意思。那少年郎慌忙来扶，抱他半身。说来奇怪，楚纶一得他抱，便觉得胸口稍缓，冷汗也不那么汹涌。

少年郎边抱边哭："你若是今夜死了，便是被我害死的！这可怎么是好，我不害人的！"

泪珠雨似的下砸，楚纶几次欲开口，都险些喝上一口。少年郎越哭越凶，干脆仰头大哭。他哭得响亮，已经忘了怀中的楚纶，楚纶被眼泪泡了半晌，几欲淹死的时候才见他记起自己。

"见你病气积累。"少年郎可怜地摸着他眉心，抽泣道，"替你除一除。"

楚纶终于得以张口："敢问……"

少年郎一口"呼"气，楚纶只觉得浑身一轻，连胸口锥痛感都渐消隐去。他心以为自己遇着了小神仙，岂料下一刻，就听得少年郎说。

"虽然是妖气，但也沾过一点贤者仙气。我尽吹与你，算作报恩。只希望你仍存志向，不……"

少年郎一口气吹得太足，楚纶没事了，他却一头垂下，"砰"地变成笔，掉在楚纶胸口。楚纶躺在地上，足足愣了半宿。他起身拾笔，见这笔平平无奇。

楚纶试探道："……敢问尊姓？"

这笔立在指间毫无回应，楚纶捂着胸口，忐忑不已，以为自己做了梦。他带着笔上榻横倒，非常知趣地将笔搁在枕上，被盖一半。做完后他呆了片刻，又觉得自己病入膏肓，已经生魔怔了。

楚纶抱头怀疑中，又听得那笔"啪"地缩进被中。楚纶不敢再动，笔也不动，静了许久，才听笔啜泣道："……劳，劳驾，我要闷死了……"

楚纶直直地盯着泛白的窗，陡然坐起，非常轻柔地掀开被角，恭敬地请出笔头。

笔说："……劳，劳驾……头反了……"

楚纶立刻颠倒过来，笔在枕上躺好。楚纶一瞬不瞬地盯着它，它又悄悄往下缩了缩，结结巴巴道："你……你这般盯着我……我，我有点怕。"

说罢又将头藏了进去，不肯让楚纶再看。

楚纶给它折了被角，睡下时背对着它。天已近亮，楚纶呆呆地想。

愧对爹娘，我怕是念书念疯了。

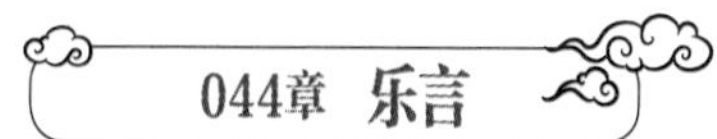

044章 乐言

楚纶疯没疯尚且不论，但在旁人看来他已是走火入魔，疯得不轻。只说楚公子上街卖字，待歇笔时，还要对那笔和颜悦色地说上几句辛苦。

路过的人伸颈而问：“这笔有何辛苦之处？”

楚纶就说：“它忙碌一日，自是辛苦。”

路人又道：“笔乃器物，哪听得懂你说什么？”

楚纶欲言又止，只对着手中笔说：“你休要再哭，墨淌出来了。”然后他再抬首，周围一众人皆把他当傻子看。

楚纶也觉得自己疯了，他整日夹纸而出，墨尽方归。托疯名的福，生意倒是越来越好，毕竟写了一手好字还相貌堂堂的疯子实在难得。楚纶日子稍见宽裕，药也买得起了。然而他并不知晓，纵使他百般努力，这一世他的寿命也会结束于第三次进京前。

因为在黄泉命谱上，楚纶于天嘉十二年春，丧于急症。临终前孤苦无依，篷船漂泊，已经汤药不进，拖了两日才彻底断气。死后经人草席一卷，丢入乱葬岗。什么才学名声，皆葬黄土，并且命谱上清清楚楚地提了另一位姓左的高才为状元。

笔妖越见楚纶宿夜苦读，心里便越不好受。他本欲告之楚纶，又屡次咽回去，因为楚纶人如春风，笔妖私心愿与他待在一起。

眼见冬日已至，楚纶已经打点门院，以待春时。可他收拾妥当的行李总被偷藏，所剩的银两也会无故消失。

一日，楚纶立笔唤他，道：“我春时将沿江上京，你可有打算？”

笔妖骨碌碌地滚去一边，变作少年盘腿坐在桌上，说："你何苦要去那么远的地方？便留在家中，我陪你玩。"

楚纶说："科考在即，不能不去。"

笔妖明知无济于事，仍说道："你已名冠东乡，何必再苦求那功名利禄？"

"功名不论，报国无门。"楚纶移着腿脚，冬日时常疼痛，他盖上薄袄，说，"我寒窗苦读十余年，只望来日能有一用。"

笔妖意兴阑珊，他攥紧纸页，探身问："即便死也行吗？"楚纶一愣，笔妖立即吓唬道，"京中有许多妖怪，皆是大妖呢！他们专喜你这样的读书人。"

楚纶问："你也是大妖怪吗？"

笔妖点头："我从前的主人是九天颐宁贤者，我当然是大妖怪了。"

岂料楚纶闻声而笑，他虽时常温和，却难见这样的大笑，似如阴云破开。

"如都是你这般。"楚纶说，"我便更想去看一看。"

笔妖觉得楚纶目光柔和，探出的身像是被扎了回来。他背手负气地说："你不明白……你不明白的！慎之，听我一言。"

"你叫我慎之。"楚纶端身平视他，"我又该如何唤你？"

笔妖松下腿，坐在桌沿，侧对着楚纶，不许自己瞧他的眼，只含糊地说："我名叫乐言。"

楚纶去意已决，乐言懂又不懂。他整日跟在楚纶身后，变作笔也要叨念许多。楚纶耳朵磨茧，连睡梦里都是乐言在侧立着笔头苦口婆心。

同乡常见楚公子行走几步，又回头捉笔，要与那笔说上许多话。他们越渐惊悚，只觉得分外佩服，佩服楚纶疯至如此境地都不忘赴京赶考。

不论乐言如何阻拦，楚纶终要登船。他临行前夜，乐言对他说："既然如此你把我也带在身边吧。"

楚纶说："若我中途有个三长两短，你便要在江上飘荡许多日。"

乐言闻言又欲哭，他道："你怎这样说，好像料定自己会见阎王似的。"

楚纶将书本推齐，点了油灯，对乐言笑道："我身负旧疾，近日已难以伏案，多少也有些明白。你那夜救我一次，已经还了恩，何必再随我奔波。"

乐言接着滴滴答答的水珠，说："明知如此还要上路，我想不通。"

楚纶稍作叹气，说："即便不去，也是死啊……你为我哭了一场又一场，我生本无亲故，已经算是足够了。"

乐言拭泪道："我也不想哭，可是我，我生来便是这样，贤者也总是骂我！明知不可为而为之，你让我想起五百年前的另一个人，我一想起他，便总要哭。"

楚纶说："何人？"

乐言呜咽："泉，泉声咽危石，日色冷青松。"

楚纶为他递帕，哭笑不得："我问你是何人，你怎念起了诗？"

"因为那个人便由此诗而来。"乐言用帕擤鼻涕，说，"我骂了他许多年，可那也是无法，贤者不喜欢他。但我自有愧疚，唉，你是不晓得，他曾经斩妖除魔，咽泉是九天最厉害的剑！我见你如此，便想起他临终前。"

"想必他也自有理由。"楚纶将帕叠起，对乐言说，"……虽然病气误我，但我终要去赴一场。你本与我萍水相逢，承蒙照顾……竟不知如何感谢为好。"

乐言道："我是妖怪，厉害得很，哪里需要人来感谢！"

楚纶失笑："从前竟不知，妖怪也这般爱哭。"

乐言埋头哽咽："我本身为笔，日日都要出墨，便只能日日哭，哭着哭着便停不下来了。"

乐言已哭湿了被角，楚纶用帕也挡不住。他见乐言哭着哭着又打起嗝来，翻了个身继续哭，嗝声像邻家徘徊的小公鸡，便又觉得好笑。乐言越哭越小，"砰"地变回笔，墨汁馥郁。

楚纶将帕垫在笔下，后脊微弯，在灯火间已见消瘦。

"妖怪有妖怪的好。"楚纶低声说，"遇我这等久病之人，也不必怕染及自身。只是时日太短……便觉得难以知足。"

笔滴答着墨，不再出声。

楚纶登船离岸，乐言就在他的行囊中。春寒料峭，路上楚纶的病急转直下，竟不到半月便已躺身难起。人横卧病榻，请乐言为他焚书。

“我恐怕难撑到京中。”楚纶抚平纸页，说，“许多残卷尚未完成，留于别人也是烧柴纸，不如你我今日一起，用来取暖。”

乐言不肯，见得许多讼纸。

楚纶说：“东乡诸案未翻，我负乡亲所托，死后……”

乐言疾声：“死不了！你死不了！”

楚纶苦笑：“事到如今，怎还诓我。”

乐言将书纸包回行囊，起身拍着楚纶的颊面，眼眶红通通说：“你心有大志，才学不假，怎会死在这里？你必要名登榜首，为民请愿。你且等着，我，我虽爱哭，却很讲义气！我必不会叫你死。”

楚纶一笑置之，说：“人各有命。”

“你遇见我。”乐言起身，“便能安然无恙。”

乐言前往黄泉，他有颐宁贤者的名牌在身，出入离津也无人能管。他从前跟在颐宁贤者身边，就是各级鬼差也不敢轻易得罪，因为颐宁贤者骂笔非凡，连临松君都不能免过，他们又哪里能招架得住。

乐言一路畅通无阻，待拿到人命谱，便知事情已经稳了一半。他虽逃跑练得好，但最拿手的却是字，不论谁的字，只要经他看过，皆能仿得一模一样。乐言鬼鬼祟祟地寻到楚纶那一页，将“丧于急症”那一段抹干净，提笔写上“顺志而行，尽愿而终”，又稍作思忖，找到原本写有“天嘉十二年状元”的那一页，将这人的状元抹了。

乐言悄声道声惭愧，将这人的名字看了，写得工工整整“左清昼”三个字。他虽不知道这个“左清昼”是谁，却也明白因为自己这一抹，此人必将错失今年状元之名。但是他看这人生平，分明写着“官运亨通，斩贪污、肃朝野”，一直活到了七十岁，便放下心来，神不知鬼不觉地还了命谱，安心离去。

“而后他便渐复寻常，赶上科考，如愿以偿。”苍霁打断乐言，倒着铺间冷酒，尝了尝，说，“世间哪有这般轻易的事情，虽然我尚不知道那人命谱是干什么的，也能猜到你改了楚纶，必有人要去抵这一命，就是不知是谁来做这个倒霉鬼。”

“不会的！”乐言慌声说，“我看的那一谱，确定无人会死！”

“世事无常。”苍霁讽笑，“你已如愿，还管别人做什么。”

乐言说：“慎之的病来得无缘无故，他又该为谁抵命？这般安排，本就为错。”

“我听一个老头常道‘天地律法’，那么人命谱的安排想必自有人干。”苍霁说，“人各有命，何不认命？”

乐言猛然抬首，看向净霖，连泪也不顾，只说：“君……君上便也是认命了吗？这等安排……这等安排叫我如何接受！难道天地生他一世，便只是要他拖病抱憾走一遭？我……我不服……”

苍霁磕着杯口，道：“一笔烂债。”

乐言叩首：“我愿以命相抵，只求……”

夜风猛起，吹得净霖衣袂飘飘。乐言话音未绝，便已散于风中。苍霁抬首见东边似有东西正追赶而来，他饮尽冷酒，起身走向净霖。

“我嗅见……”苍霁皱眉，“笔香？”

净霖说：“那是经香。”

两人见得东边之物从天横过，竟是只通体雪白的狐狸。妖狐皮毛浸满经香，口衔一人，跃身奔向华裳的客栈。但见狐狸之后追赶一人，手持荆鞭，大声呵斥。

“你害他一生性命尽结于此，还不肯松口！”

狐狸摔撞在地，苍霁见他尾已断半，被打得血淋淋，更为骇然的是他口中衔着的那人已辨不出人样。狐狸呜咽哀声，死不松口，衔着那人一瘸一拐地逃入客栈。

持鞭人还欲追，就听得华裳哼声。

“梧婴，此地皆为笙乐女神执掌，你算得什么东西？竟也敢追他到此！”

梧婴鞭甩“噼啪”，道：“妖怪害人，我替天行道！”

华裳蔻丹叩窗，冷声说：“神不是神，鬼不是鬼，你也配？”

梧婴怒不可遏，苍霁反倒抱臂而观，头一次看了别人的热闹，然而他却听

得净霖说。

“你骗我。”

乐言抵头不语，净霖倏而回身。

“私改人命——你拿别人抵了楚纶。你所言真假各半，你不是为了义气。你料得必有人会死，却仍旧一意孤行。”

乐言浑身筛抖，他喉间微啜:“我又能如何是好! 君……君……”

净霖在风中，听不见乐言的声音，他只听见原本独系在楚纶身上的铜铃分成两处，在那狐妖身上摇晃不止。

“病”苦竟与它苦纠缠在了一处。

正当此时，便听客栈中狐狸哀声彻天，强风从南至北迅猛刮袭，整个京城灯火陡灭，灯笼直杆“砰”然而断。苍霁抬手避风，拽紧净霖。

“怎么回事?”

净霖说:“死人了。”

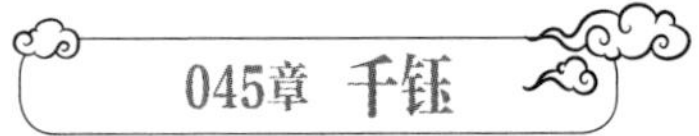

045章 千钰

苍霁在妖气冲荡中将净霖提到身侧，铺间桌凳闻声而断，长街陡然空荡，唯剩风肆虐不休。净霖被刮得身形后移，苍霁探臂捞住他的后腰，背身挡风。

狂风啸冲，苍霁犹如避风港，替净霖挡住风浪。

乐言已经被刮冲在墙壁，他化成笔掉入缝隙，才没有被刮走。狐狸的哀声逐渐断续，变作哭声幽咽。净霖听着铜铃之声，分明是在催促。可是当下一筹莫展，进退都难。

梧婴没防备，被妖风刮翻下地，摔在地上。他听见哭声，竟也悲从中来。

客栈中的狐狸跛腿前行，化为长身男子，捂着人的血，对华裳磕头不止。

华裳沉眼捉住狐狸的手，渐坐下身，对他轻声道:“傻孩子，人已死了。”

狐狸面上溅血，他哑声吞吐，几次欲出声，都化为血往外淌。华裳指点掠

点在他胸口，喝令四下："把人拿开。"

小狐狸们齐身而上，却见狐狸强抱着人不肯松手，他似是胸口疼痛，竟跪在地上抱着人半曲，痛得心都要呕出来了。

"华娘……"狐狸涩声，"……救救他……"

"他已气绝多时，速速放手。"华裳见状也不忍，她待狐狸极为温柔，不顾他满面血污，捧过他的颊面，定定道，"千钰，人已死了。"

铜铃"叮咚"，整个京都似皆被铃声包围，叮咚叮咚响彻黑夜。净霖神魂一震，他紧抓住苍霁的衣，竟觉得自己正在纳入别处。

净霖说："此情景——"

他话说一半，脑海中速倒前尘，刹那间竟猛坠云海，天地似如颠倒一般。眼前之景皆化虚景，耳边之声皆作虚声。楚纶和乐言的情景飞快破碎，荧光顿散，待净霖骤然沉入黑暗，他见得苍霁渐远，直至不见。

雨水点鼻尖。

净霖霎时醒来，他醒时一阵晕眩，便知铜铃又偷了他的灵气。他忍住恶心，抬目看去，发现自己正困于狭隘窄角，忍不住探身。然而这一探，伸出去的却不是手，而是毛茸茸的爪。

净霖一怔，双耳便不自主地抖了抖。他甩掉水珠，爬出窄角，对上水泊，看见自己变作了一只通体雪白的狐狸。

净霖略带惊恐地甩动脑袋，在原地踏着爪，甚至不能维持平静。他上天入地什么都干过，却没做过狐狸。这一甩才觉察到自己尾巴上坠着什么，他横尾来看，竟然是平素捉不到的铜铃。

净霖定睛看向四周，顺着石沿钻去长廊。此处是一方偌大的庭院，比他上次与苍霁住的院子还要大，随处可见清雅布设。时间似在盛夏，净霖边甩着毛上的水珠，边走马观花似的张望两侧。他不知为何，仿佛冥冥中什么在推动，使得他沿着长廊一路走进花圃中的书阁。

书阁充溢着满满的经香，净霖被经香所诱惑，步入其中，没留意自己在白毯上遗下了爪印。他跳上书架，像是识得全部的字，衔出自己要的书，推在地毯

上看。

净霖皱眉，见内容是戏本，便欲合书，岂料不论他如何“想”，身体都不为之所动。他被困在这个躯壳下，强行扮演着另一个灵魂。

狐狸看得津津有味，得了趣处还会在毯间打滚。净霖分明不想笑，却也要做着打滚的动作，他笨拙地滚了几圈，觉得自己看起来愚笨得要命。正苦恼中，听得有人上阶，在门前换鞋。

净霖倏地钻进书堆中，露着星点耳梢偷听。听见那人对侍从低声说“退”，随后净手擦拭，入内来了。净霖双爪趴地，埋下头藏起来。

那人应是个男人，踩过书堆旁时袍摆带起一丝风。他顺着书架寻书时见得脚印，便背着身翻书，嘴里却说：“窃书小贼，上回的书看完了吗？”

净霖冒头，见他未回身，便轻脚掉头，欲先逃跑。岂料净霖一动，尾巴上的铜铃便响，他还未跨出去，就被拎着后颈毛提起来。

“留于阁间的食也不见你吃。”男人揉着他的绒耳，“净来偷书看的吗？”

净霖尾巴不自主地摇动，前爪踏踩在半空。男人拎转过他，抱入怀中。净霖抬首一瞧，险些惊掉尾巴。

白净的“苍霁”眼中含笑，将净霖夹在臂间，拾袍上梯。木梯通向微窄的顶间，四面环书。苍霁没有点火，而是从袖中拿出掌心大小的夜明珠。

净霖被放下地，他踩着更加柔软的毯，趴下身在明亮的珠旁，看苍霁置书，满室的经香让他几欲沉醉。净霖无所事事，便打量起这个苍霁。

苍霁似觉察目光，即便没有侧头，也要道：“窃书在先，拒不认错。罚你面壁思过，怎的还看我？”

狐狸不服气似的哎出声，大方地巡视四面。他走到苍霁背后，一个跃身跳到他肩头，双爪扒衣，探头看他腿上摊开的书。苍霁抬手抚在他颈间，舒服得他从肩头滚落。

窄间静谧，夜明珠使得苍霁侵略性的锐利融化，变成别样的柔软。

净霖正想着，便见自己探出了爪。

这狐狸！

净霖登时想要收爪，可身躯又不听使唤。他逐渐露出长臂和双腿，随后银

丝如瀑泻了满身。他从苍霁眼中见得的是自己的脸。

这世间最可怕的事情是什么?

从前净霖不知晓，如今他明白了，便是看着“自己”变为另一个人。净霖不知为何自己要出汗，他疑心是这狐狸的蛊惑，错愕地想要转开目光，却无能为力。

夜明珠被足尖拨开，银发的狐狸好奇地探近脸。

苍霁发觉自己动不了，他亦变成了另一个人。

铜铃误我!

两个人同时腹诽。

净霖仍在打量苍霁，似是好奇未减。

“左清昼!”

净霖哑声喊出名字来。

“是左清昼……”净霖快速说，“死的人是左清昼，我已明白他与狐狸是何等关系!你便住手!”

铜铃“啪”地消失于掌间。

苍霁骂道:“让它去死。”

净霖拨发转首，苍霁没有丝毫迟疑地将他的脸又推回去。

“它是想告诉你我，”净霖冷静道，“‘千钰’与‘左清昼’是知己关系，但是左清昼死了。”

“左清昼，”苍霁离身，说，“这名字好生耳熟。”

“笔妖乐言修改了命谱，楚纶成了状元，左清昼因此错过了这一生。”

苍霁道:“你是说顶替楚纶死的人就是左清昼?”

净霖用额头轻撞书架，沉声说:“不会这般简单……所谓因果相应，你我需要先弄明白狐狸是什么苦，左清昼又怎么死的。”

苍霁与净霖背对背，他拾起毯间的夜明珠。

“在弄明白别人之前，你我先能出得去。”苍霁如此说道。

046章 深究

待净霖将这水一般的银发束于脑后，苍霁才转过身来。

夜明珠不够亮，让苍霁踢回意识，净霖已坐回毯间。

“此地似如东君的‘幻’，是铜铃仿他人前尘的虚景。它将我们引至此处，意在点明左清昼便是千钰的‘苦’。”净霖停顿少顷，说，“乐言私改命谱，左清昼原本的命途是什么？”

“状元。”苍霁后靠在书架，“左清昼该是今年的状元。他与楚纶皆在考场，这两人会不会有什么干系？”

难讲。

净霖觉得铜铃此次风格大变，分明比前两次更加急切，它为何急切？是这两件事情都已不可耽搁，还是什么东西迫使它变得这般急切？可这些事情与自己有什么干系，值得它强迫他们两人“亲身”体会。

净霖沉吟：“乐言看了左清昼的命途，这人不是短命鬼，他不仅不是短命鬼，还是官运亨通、福星高照的好命途。这样的人即便要死，也需有个缘由。”

“他特意提到了‘左清昼’的名字，想必没那么简单。”苍霁反手捡回左清昼的书，翻了几页，说，“左清昼既然与楚纶同时赴考，乐言该见过此人，因为他心心念念着楚纶的状元，必会特意看一看左清昼到底是何许人也，说不定……”

“……乐言怕命谱有变，便先动手杀了左清昼。”

净霖说：“乐言虽掺了假话，却不会杀人。”

“你五百年没见过他，就这么确信他不会杀人？”苍霁嗤之以鼻，对笔妖毫不同情。

“我不信他，却信颐宁。”净霖手拢袖时腕骨明显，在昏光中轮廓流畅。他说，“颐宁与醉山僧颇有交情，两人皆疾恶如仇，曾经多次感到相逢恨晚。颐宁绝非宽己律人的那种人，而是恰恰相反，他待自己甚为苛刻。他虽掷乐言下界，却未必会真的不管，乐言若敢杀人，他必不会袖手旁观。”

“那乐言说了什么假话？”苍霁说，“你道他在骗人。”

“他叙述楚纶时自相矛盾。”净霖抬眸看苍霁。

净霖说：“……乐言要救楚纶不假，但他定要楚纶拿到状元，这其中定有隐藏。”

净霖接着说：“可见‘状元’是个要紧词，对楚纶而言很重要，对左清昼而言也很重要，状元是这两人命途变化的关键。我们需要知晓考试那几日到底发生了何事。”

“但它显然还没有打算放你我出去。”苍霁弹了下夜明珠，“我还是‘左清昼’。”

铜铃是何意？

两人对视，又同时错开。苍霁移身，肩膀抵住的书便掉了下来。他发觉这书并不同于其他书，而是左清昼自己编订的，不经意地翻了翻。

“东乡旧案。”苍霁将书倒过去推向净霖，“楚纶出自东乡，那笔妖是不是提到过，楚纶也在查东乡旧案。”

净霖顺着苍霁的手指，目光浏览在书页。他虽不记得许多事情，却对近期发生的事观察入微。他看到某处时，心下忽地一动。

“东乡与西途相隔千里，什么案子需要请西途督察道前来……”净霖停顿，他沉默间目光渐深，说，“由东往西不好走，中夹西江与京都，若是从南边绕，水路盘查众多，层层关卡耗时耗力，唯独从北边绕最为合适。”

苍霁心有灵犀：“东乡和西途的关系便是必须经过北部群山。”

净霖翻页，见左清昼在上面仔仔细细地列清涉案人名，全部都是丢了女人与孩子的。从天嘉元年起，单是东乡一处便已经丢了百余人。东乡府衙的捕快甚至难以招架，然而至今没有一家寻回，并且最为奇特的是左清昼的批注，他在案件页脚勾墨提了一行字。

【四地牙行贩人猖獗，居京数年不曾一闻。】

“奇怪了。”苍霁渐俯下身来，挨在净霖身旁，说，“凡人的京都难道不是皇帝的住处吗？按道理各地皆发生此等贩人大案，通报京中以呈中枢才是应该的吧？”

“山高皇帝远，堵塞消息未尝不可。”净霖说，“但若说瞒得一丝不漏绝无可能，地方府衙禀报上阶，上阶再投往京中，京中必有人有心阻碍。能阻下此等大案的人，必定位高权重，使一般人轻易得罪不得。”

苍霁又往后翻了几页，左清昼为这些案子查访甚多，甚至专程去过西途。苍霁目光下移，在东乡外调名录里看见了熟人。

“顾深。”

他二人对视，净霖说：“顾深是从东乡调往西途的，他本就在追查这些案子。”

“顾深认得冬林，那么左清昼和楚纶呢？”苍霁用书本一个一个连成线，“冬林为此奔波，顾深为此奔波，左清昼和楚纶亦在为此奔波。群山中城已经覆灭，但是这些案子仍旧未结，因为丢失的人多半已死——那这条线已经断了。”

“不。”净霖指腹按在最后一本书上，“没有断，因为铜铃还在追，八苦仍未完，皆表明这些案子还在继续，或许正在发生。”

“人与妖皆涉其中。”苍霁警惕道，“难道来日你我还要与分界司打交道。”

“此处也有疑问。”净霖微仰首，“妖怪也在其中，分界司为何至今未动？”

苍霁顿了半晌，倏而笑起来，他说：“莫不是神仙也参与其中。”

净霖却未接此话，苍霁见他面容泛白，不知想起什么。净霖唇线紧抿，突然咳嗽起来。他掩唇弯腰，苍霁直接抽帕替他掩住。苍霁环住他因为咳嗽而震动的身体，遮掉帕子上沾着血的地方。

“状元。”净霖突然抓住苍霁的手，“状元！楚纶与左清昼皆想考状元，因为历来状元最得内阁青眼，待入了翰林消磨几年，投身中枢带职行走，便有了权，运数一到登入内阁，天下权势唾手可得。他们不仅在查这些案子，还想为这些案子鸣冤昭雪。”

净霖抬眸在书架间巡查，说：“铜铃安排此处，因为此处要紧，左清昼的全部调查皆在这里，他与人交涉……他必定查到了要害。乐言说他命谱上‘官运亨

通'，没错，这四个字才是左清昼的根本，他被抹去了状元，也不该至死，因为凭他才学，来年再考运数仍在，可是他死了，因为他被觉察了。"

"状元是他的庇护，他查的人发觉了他，按照原来的命途，因他高中状元，万众瞩目，所以对方不便下手。"苍霁沉声说，"但是笔妖改了他的命。"

那么楚纶呢？

净霖将书页翻到最后一页："楚纶与左清昼相识。"

可是这两人相隔甚远，地位悬殊，怎么会相识？楚纶乃东乡才子，可是家境贫寒，卖字之余仍靠农耕度日，他能觉察这些案子，是起初为生计所迫，做人讼师。左清昼诞于京都，家境殷实，院中专设书阁藏书，所猎甚广，可见他父辈必有人在朝做官，只是不是高门，因为庭院布设清幽，多半是书香门第。

他们两人该如何相识？

苍霁说："左清昼称楚纶为'慎之'，他们不仅相识，还甚为相熟。"

"若是相熟，"净霖道，"乐言伴他一年，怎会不识？"

"兴许是这一年中两人不曾有过书信来往。"苍霁起身按照左清昼的排序开始寻找，"按你所说，他俩人皆在追查这些案子，其中又涉及京中高官，如被盯上，为保平安断开消息方是良策。"

"那么最佳时机就是赴考之日。"净霖说，"各地书生齐聚京都，楚纶来了也不会惹人探究。又兼此时正是同窗、同乡的应酬之时，他二人如果恰巧同坐一桌，也不会招人怀疑。"

苍霁侧身，有点遗憾道："在我看来，楚纶已经被怀疑了。笔妖说他原本会病死孤舟，若是病死，笔妖再渡他几口灵气也能活几日，可是笔妖却定要去黄泉。"

"他不是病死的。"净霖说。

原本命谱中的"楚纶之死"恐怕与对方脱不开干系。乐言深知此点，故而才会冒天下之大不韪去修改命谱。

"有意思。"苍霁耐人寻味地说，"这种幕后主使只手遮天的桥段，我怎觉得熟悉非常？"

净霖轻声："似如重走一遭。"

“嗯？”

“……没事。”

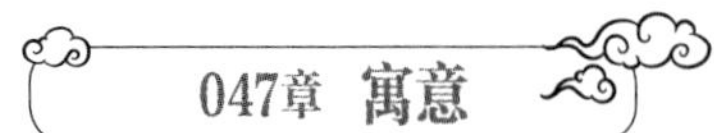

047章 寓意

苍霁沿时序查看，在第四格的顶层摸到只匣子。他拿下来，在掌间翻看，发现它挂着小铁锁。他侧耳轻晃，道：“此处都是文书卷宗，怎么还有只匣子？”

“听得出是何物吗？”净霖问道。

“纸。”苍霁说，“他将一沓纸收在了其中。”

“是信。”净霖笃定道，“唯有信才需他这般纳藏。”

苍霁坐回去，双指轻而易举地断开小铁锁，打开了匣子。净霖所料不差，果然见得匣中累着整齐的信笺，从新到旧，连时候都批注详细。净霖拾起最上一层，入目“曦景”二字。

“左清昼。”净霖说，“字曦景。”

“慎之。”苍霁捻过页尾瞧了，道，“这是楚纶给他的信。”

天嘉十年，楚纶自东乡寄给左清昼最后一封信。

“曦景亲启。”

“蒙兄照拂，已得差事，生计不愁。弟于春时沿江南下，所经之处皆闻此案。兄所言不假，此案已深积多年，涉者过百，由东到西俱有耳目，深究骇然，不可轻举妄动。

“弟往南行，经兄指点，已与顾兄谋面。顾兄深谙其中复杂，请调西途，愿随牙行踪迹追查向北。只是这些年朝中放纵此物，如今使其庞然交错，累积成兽，盘踞中渡难以彻剿。弟思来想去，刘大人一事，望兄能多多思量，此事艰巨，非积众力不可摧毁。

“知兄意不可改，仍劝兄缓慢行事。朝中诡变，此案涉及非常，不仅你我二

人性命攸关，更是举家备棺，全族相系。若是棋差一招，便是满盘皆输。”

“依楚纶信中的意思，两年前左清昼便欲动手。”苍霁说，“两年前他二人皆是布衣，纵然左清昼朝中有人，也不能撼动背后主使。他怎敢动手？”

“不至于动手，充其量是敲打。”净霖原信折回，指间细细地摩挲，思绪飞转，他道，“楚纶的信中虽未正面提及，但已知他们果然查到了要害，即便没有查到背后主使，也已迫近。正因为如此，两人才断了信。左清昼必然已觉察自己被盯住了，故而没有回信。”

“他二人定还有其他渠道能够互通消息。”苍霁说道。

“嗯？”净霖颇为意外，“何以见得。”

“楚纶拖病赴考，连笔妖都劝不得。你可还记得笔妖陈诉中，楚纶临行前夜他说的话。”苍霁说，“他说‘明知不可为而为之’，可见楚纶已知自己赴京多半是死路一条。他能有所觉悟，必是已得了确切的消息。他冒死前来，或许是渠道已不可再用，专程来知会左清昼什么关键消息。按照时间，左清昼才死，楚纶已在京中待了几日。他俩人在这几日中竟没能见面，可见事已迫切，对方已经查到他二人的关联。”

“对方不早不晚，偏在此刻动手。”净霖思索着，“科考这几日他们必做了什么激怒对方，叫对方不能再等，必须杀了左清昼。”

“那须先知道左清昼是怎么死的。”苍霁说，“那个手持长鞭的男人怎么说的？他道狐妖害死了左清昼。”

“左清昼既能成为千钰的‘苦’，足见他对千钰的重要。”净霖想起千钰的哭声，只道，“不会是他。”

“为什么不会。”苍霁突然探指在净霖脖颈前虚划一道，说，“即便是你我之间，也有杀机，更何况他们。”

“如有机会，你大可自去试一试。”净霖回答道。

“你与我。”苍霁说，“想必你也不懂，这不正好。”

净霖说：“你怎知我不懂。”

苍霁回答：“你若是懂，便不会如此。”

“说的你似如行家。”净霖轻点了点信，这是个非常细微的动作，显示着他有些不服。

“不过即便换位思量。”苍霁放回手，“我也不懂千钰为何不会杀左清昼，因为在我看来，我若是他，你但凡敢与人示好，我吃掉你顺理成章。”

净霖微叹气：“千钰不会吃左清昼。”

“喜欢的便该吞进肚子里。”苍霁说，“否则定会被人抢走。”

净霖无语。

苍霁见他合起匣子，便道，“不看了吗？”

净霖抱着匣子起身：“去院中看看，左清昼定还留了线索。”

“你有没有察觉。”苍霁却道，“此地的时辰似乎没变过。”

待下了梯来，净霖便知苍霁说得没错。他醒时天正小雨，时已近午，而他们二人在窄间待了几个时辰，出了见天色依然如故。

“这铜铃与从前不同了，它从前尚需借人梦境，你我只能旁观，不能共情，察觉不对依旧能走。可如今休说轻易离开，就是神思也被困在别人的躯壳里。”苍霁无法调转灵气，便说，“它还想说什么？”

净霖亦不知晓。

他二人从廊下穿行，足足在左家庭院转了一圈，见雨珠滴答不停，天色却迟迟不暗。等到第三圈时，苍霁才觉察不对之处。

“适才你我经过，我摘了此处的海棠。”苍霁目光凝聚，“不过转一圈，它便又自行长回来了。”净霖正欲开口，苍霁便绕开几步，问净霖：“怎么将耳朵放了出来？”

净霖一愣，果然发现自己的绒耳露了出来。他皱眉，说：“我不曾……”

话音未断，便见苍霁倏地变大，四下皆长了起来。净霖转念一想，尾巴便“啪”地也变了出来。他几乎是瞬间变回了狐狸，掌中匣子骨碌滚地。眼前的苍霁也猛地消失，净霖心知不妙，眼前骤然一黑。

雨水点鼻尖。

净霖再次霎时而醒，晕眩依旧。他又抖了抖绒耳，钻进长廊，开始向书阁走去。经香四溢，净霖冷眼看着自己又对着戏本笑到打滚，书阁阶前响起脚步，苍霁与上一回的台词分毫不差，拎起他又撸了毛。

净霖一边不能自持地舒展脚爪，一边暗自挣扎，却赫然察觉，这一次神思如铸枷锁，重得他根本抢夺不回身体。苍霁已经抱起他上梯，净霖胸口直跳，适才才演示过的情形已经逼近眼前！

铜铃到底想说什么？

净霖在冷汗中迅速搜寻。

是左清昼，左清昼什么？左清昼在此陈列了他所有的筹码，他已然有了对方的线索，他会死在什么理由上？什么理……

净霖出了许多汗，苍霁也在出汗。

左……

“公子！”

梯下突然传来侍从的唤声。

净霖如梦惊醒，苍霁停下了动作。

“何事？”

净霖有前车之鉴，不敢就此松气，生怕铜铃再来一遍。幸而铜铃不响不现，底下的侍从道：“刘大人来了，正待前厅等候。”

“晚些一道用饭。”苍霁拨开净霖的银发，如此说道。

048章 沉没

苍霁下梯，绕出书架，见得侍从待命立于阶下，便抬臂由人换衣。他下阶穿过花圃，往前厅去，变作沉稳的模样。

“刘大人何时来的？”

“回公子，半个时辰前。”侍从疾步跟随，“老爷收了名帖，便请刘大人厅

中一会，直至刚才才差人过来。”

刘大人?

苍霁在躯壳下想起适才看过的信，天嘉十年楚纶给左清昼最后一封信中，也曾提到“刘大人”，莫非是同一个人?他欲探探口风，奈何“左清昼”一路沉默，自有思量。

苍霁出园穿廊，再跨桥下阶，通过一道洞门，方才入了他父亲的院子。廊下候着的丫鬟见他进来，便挑帘迎他入内。

苍霁跨入门，厅中寒暄正歇，两个年纪相仿的男人从主客位上一齐望来。苍霁透过“左清昼”的眼端详着他们，“左清昼”已妥帖行礼。

“让老师久候了。”

客位上的男人蓄着山羊胡，搁了茶，对苍霁道:“曦景无须多礼。”

苍霁在他开口一瞬，听见铜铃“叮”的一声开始剧烈摇动，眼前景物甚至在刹那间变得朦胧模糊，扭曲的四周突然发出欲碎的“咔咔”声。苍霁因此重获身体，然而这种诡异的感觉仅仅片刻，苍霁便觉得神识再次被重摁进躯壳中，归为“左清昼”。

苍霁牢牢地盯住了对方。

净霖还是“千钰”，他重新摸到了匣子，却没能打开，因为千钰兴致缺缺。净霖站起身，从书架间抽出书，翻一翻便会放回去。他对这些皆无兴趣，却轻拿轻放，为“左清昼”保持着原状。

净霖靠在书架，在“千钰”发呆的时候，余光急速地扫过，寻找着留在这里的原因。但令人遗憾，“千钰”只是捂嘴痴笑。

净霖随着“千钰”而动作，他切身地感受着“千钰”的欢喜，不知为何，今日他觉得自己分外耐心。也许是因为已看到了结局，所以心生怜悯。“千钰”越沉浸，他便越沉下心去。

若左清昼的死如他所料，那么千钰该如何面对?这只天真的狐狸痛失知己，他蜷缩的爪必定会为此怒张。他因相逢生出了“苦”，他的报复从天而降，势必吞没一切。

报复。

净霖默念着这两个字，偏头看着自己的手指，曾经握剑的痕迹已然隐藏。他缓慢地抬起食指，若冰霜，适才苍霁给的温度逐渐消失殆尽。

“千钰”睡着了，净霖却困在黑暗中清醒着。他枯坐于躯壳中，听着外边雨珠滚沿，滴答进心坎。

千钰睡得沉，他有那种雌雄难辨的美。

不知多久，就在净霖也昏昏欲睡时，才听得苍霁上梯的声音。外边雨声嘈杂，苍霁将净霖抱起来，净霖才得以睁眼。但苍霁显然心情不佳，净霖敏锐地觉察出他的紧张。

紧张？

是左清昼的紧张，还是苍霁的紧张？

“千钰”含糊出口的话净霖一句都没听清。

外边天色已暗，苍霁步子踏得稳。他有话想要对净霖说，可是“左清昼”把控着躯体，根本没有留下一丝空余！

苍霁抱着净霖归了院，净霖见苍霁青筋微突，汗流下来，抬头直直盯着他。

苍霁有话要说。

净霖正待他开口，却见他陡然一松，又变成了“左清昼”，便料得苍霁被困了回去。

“千钰”问：“出了何事？”

“事有变故，老师希望我能再等一等。”苍霁道，“但我心下……总觉得不安。”

不安？

左清昼觉察不安？他去见了谁？

后来左清昼便睡去。

“刘……”苍霁胸口起伏，从齿间费力地挤出字来，“刘……杀……”

刘？

刘大人？刘大人杀谁？

净霖突然冒出汗来，他感觉床榻变得极为沉重，四周浓墨般的黑暗正在无尽铺开。

苍霁迟缓地咬完一句话："……杀……刘大人杀了左清昼！"

正在下沉的床榻已经倾斜了床脚，闻声倏忽而止。周身的钳制登时一松，铜铃轻快的"叮当"，像是称赞他两人。

两人同时呼气，苍霁的背都要湿透了！

"刘大人，刘大人。"净霖神速回忆，"楚纶提到过此人，他是左清昼的什么人？"

"老师，左清昼叫他老师。"苍霁翻坐起身，见四下陈设已经濒临破碎，他至今都觉得手脚有些迟钝，他道，"铜铃想催促你我做什么？"

净霖仍躺在榻上，他抬手蹭掉额间的汗，道："刘大人，刘大人，楚纶提过此人。既然是老师，他为何要杀左清昼？他杀了左清昼，他是对方的人。那么他要怎样才能杀掉左清昼。"

苍霁身下床榻顿时一沉，又开始寸寸淹进黑暗。房屋被黑暗挤碎，铜铃阴魂不散地响。

苍霁提起净霖："这家伙成精了！它想借幻境吞掉你我！"

四周越来越逼仄，苍霁和净霖挤在床头，黑暗已经吞到了脚。

"它不会成精。"净霖还念着刘大人，脑袋里被铜铃吵成一团乱麻，他也不知道自己为何会紧张出汗，但他猜测被黑暗吞掉后的情形绝对不会舒服。

"它在改变法子，它已不满你我再做旁观者。可这些事与你我何干？它用这般方式逼迫我们参与其中，它除了这些案子还想告诉我什么？"净霖越说越快，"我忘记了何事……"

苍霁被吞掉的部分如陷泥潭，他索性站在其中，将净霖抬臂举高。他说："它疯了，它如同嬉戏一般对待你我。你还未察觉吗？它将这些人混入幻境，定要你与我全部猜破才能免于困境。"

"嗯。"净霖双脚够不着地面，脑中还在思考他事，口中迟疑地问："你举着我做什么？"

"让你快想！"苍霁猛地将他扛上背，"只要你猜出它要的东西，它便不会

继续。我已经不想做左清昼了！”

净霖被扛得险些栽进黑暗中，他说：“不行，我想不到。”

苍霁已经被吞到了大腿，他冷不防道：“我已经怀疑它在以公谋私，有意为难我！”

“你若得罪过它，为何我亦要从头再来。”净霖指尖已经垂进黑暗，他试着抬起，发觉这黑暗像是湿泥沙。

“它到底。”苍霁声音模糊，“想要什么答案……”

“不知道。”净霖就着这个被扛着的姿势与苍霁共沉黑暗，最后一刻还颇为安慰地拍了拍他的后背，说：“左清昼到这个情景还‘活’着，如无错，接下来便是要你我明白他是怎么死的……你……且保重。”

泥沙沉积，两个人坠入碎景。铜铃晃声重组，见千钰笑颜一瞬破碎，左清昼的身形化为荧光融于黑暗。苍霁分明紧紧攥着净霖的手，却于沉陷时逐渐感觉他的手一点点被拉出，直至彻底摸不到。

这要死的铜铃。

苍霁伏地而醒，出乎意料，这一次身体随心而动，不再被“左清昼”取代。他闷声爬身，手才动，便发觉自己被铁链铐在地上。苍霁丝毫未将凡人锁链看在眼中，然而他振臂时四肢乏力，灵海凝固不动。

又被锁住了。

苍霁泄气松力，抬眸转望。周围昏暗、斑驳灰白的墙壁在油灯投射中能见到手指划痕。臭味从更黑的地方浓郁溢出，地上潮湿，立着各种刑架。

苍霁在地上嗅到了血味，那种已然干涩后的苦臭又混杂进新淌的腥咸，让他食欲大减。

苍霁只听见自己的呼吸声，他虽然没有再变成“左清昼”，却成了“左清昼”的身体。他翻过卡在枷锁中的手腕，看见上边已经磨得血肉模糊，他似乎瘦了一圈。

苍霁有些眼花，他曲肘撑起半身，察觉左腿无力。他挪着枷锁，在“哗啦”声中移向刑架，撞身靠在底下，翻身拖回了腿。

可是左腿。

苍霁愣住了。

可是他的左腿去哪里了？

049章 死地

门“咔嚓”响动，狱卒们持灯而入。他们酒足饭饱，合门前专挑人立在外边放风。苍霁的发被拽起来，狱卒将油灯在他面上照了照。

“今日可想清楚了吗？”

苍霁面容惨白，突兀一笑，说：“睡了一觉，忘干净了。”

这些狱卒不是普通人，而是挂着腰牌身着飞鱼服的人。如果净霖在侧，便能告诉苍霁，这是一群什么人，他兴许能少吃些苦头。

苍霁音落，这狱卒便将他头摁地面，撞得“砰”一声响。苍霁喉间嘶声，被撞得额前疼痛。岂料下一刻又被提发拽了起来，一人持灯晃了苍霁的眼，另一个仍旧蹲着问他。

“左清昼，你想明白了没有？”

苍霁齿间渗血，他舔着血味，吐出来，对人说：“大人，都说忘记了，提点提点？”

额头又撞回地上，苍霁骂声被牙齿磕了回去。狱卒将他的脸抵在潮湿地面，另一只手接过热茶饮了一口，道：“这几日待你客客气气，你却着实不给面子。我们从府上搜得了你贿赂主考的文书，证据确凿，罪已当诛，你还不承认！”

苍霁心中将前因后果磨成一线，却缺了些许要点。左清昼贿赂了谁？凭他才学，根本无需如此。

“何必诓我。”苍霁欲逼他再多说一点，便道，“我无罪可认。”

狱卒半盏热茶劈头浇下来，烫水滚淌，激得苍霁一个激灵。他欲振身，却被硬是摁着受完这半盏茶。

“咱们诏狱，从来没有撬不开的口。任凭你死不认罪，我们也有的是法子。只是左清昼，兄弟们至今为止待你客客气气，那都是看在刘大人的面子上。”狱卒将茶杯搁在苍霁后脑，说，“如今刘大人也需避嫌，你可无人关照了。”

苍霁反问:“刘大人?”

“督察院刘承德，可不就是刘大人么?”狱卒拍了拍苍霁后颈，“你若如实交代，待案子查明白，还能得个宽恕。但你如仍然嘴硬，便休怪我等不客气了。”

苍霁脑后的茶盏因为疼痛而细抖，原因无他，在狱卒说话的同时，苍霁腿窝间正钻心地疼。这些人确实“客气”，上刑也不打招呼，摁着人就来。苍霁腕间被枷锁擦得通红，他咬着舌尖，呼吸渐急。

狱卒起身，背手踱步，说:“你不说，无妨，我专程帮你理明白。你于试前私宴主考，叫他透题给你，他本不答应，可你仗着家底丰厚，包给人三百金，把题给买了回去。这便罢了，可你试后觉察他托了假题给你，便趁其夜行时将其乱棍打死。”

苍霁阴恻恻地说:“我这般的读书人，想敲死个人，怕不能罢。”

“你自然不能。”狱卒盛气凌人，半回身时眼含恶意，拿脚踢了踢苍霁的手腕，“但你养了只狐妖。”

苍霁被猛地拖起来，锁链卷臂，狱卒将他直接吊了起来。他挂着双臂，觉得汗已埋了眼，可是仍能看见灯昏照一角，拖出个木笼。木笼不过半人大小，垫着干草，蜷困着一人，拖着白尾。

“这……”苍霁哽了半声呛出来，“你们胆敢——”

连他至今都不曾这么动过净霖!

净霖烧得双颊泛红，在笼中伸展不能。双耳耷拉，背列鞭痕。苍霁一眼就认出那并非寻常的鞭挞，是请了得道之人下的狠手。

“你私养狐妖，祸乱京都，又枉顾律法棒杀主考，如今证据确凿还敢不认?”狱卒撑着木笼，往里瞧了瞧，说，“快点认了吧。”

“爷爷杀人从不用棍。”苍霁已然不想再顺着铜铃玩下去了，“老子不玩了！”

铜铃不知藏在何处，竟一声不出。

狱卒先是错愕，随后肆笑起来：“左清昼，你疯了吗？”

苍霁“哗啦”扯着铁锁，冷声：“松人！”

狱卒手指一拨，木笼当真打开了。他握了净霖的脚踝，把狐狸往外拖。背上的血渗出衣，净霖蹭着干草被拖向外。苍霁见得狱卒碰了净霖便已受不了，他双腕硌着枷锁发力，身体晃在半空。

狱卒拎起了净霖的尾巴，又扔了回去。他口中“啧啧”，偏头看净霖的脸，说：“你便养着这样的妖物，却叫他帮你杀人，多可惜！”

净霖似是未醒，苍霁见他眉间紧皱，便知是铜铃捣鬼，拖延了净霖的醒时。他此刻对铜铃简直恨得牙痒！转眼见狱卒接过鞭子，冲口而出：“你要我认什么？尽管松了这链，我自会认了！”

狱卒掂鞭抵过净霖的脸，对苍霁说：“你死撑半月，怎的今日就乖乖听了话？我不大信的。”

他唇延出冷笑，站在昏暗间下手就是一鞭。鞭子炸开在皮肉上的声音激得苍霁齿间咯嘣，见净霖背添一道，他便心下突跳，如同抽在自己身上。

苍霁哑声：“你抽他干什么？我半点不痛。既然是我杀人，自然是我来偿命。你抽……还不停手，老子扒了你的皮！”

他音未落，底下的盐水兜头泼上来，火辣辣的疼痛燎蹿而起。苍霁受了这一下，反而凶性大发，他盯着人，眼睛都要熬红了。腕间的扭动越愈来越凶，晃得整条锁链都在响。管他什么八苦九苦，苍霁现在就要铜铃滚出来！

水珠淌进伤口，犹如针扎。苍霁灵海凝固死寂，彻头彻尾地沦为“左清昼”。半个月前，左清昼便是这般吊在此处，看着那一鞭一鞭抽在千钰身上，抽得左清昼心上血淋淋，一腔孤勇都变作冷汗，从眼睛里淌得满面都是。

苍霁发觉自己喉间哽咽，这不是他的声音，这是左清昼，这是铜铃要讲的左清昼。左清昼颤抖又无力地抖着手。

左清昼做了什么错事？

苍霁突然失声，他怀着恨意地问，左清昼做了什么错事？他查的是天底下最该查的案子，他到底犯了何等的错，要受这样的死劫。醉山僧道天地律法，这算什么律法？神仙驻守各地，便容这样的事层出不穷，便许这样的人以命相抵。

苍霁胸口鼓动，本相在凝固中缓慢转动，那抵出凸角的锦鲤“啪”地甩尾，紧接着灵气丝丝缕缕地转动，被铜铃镇下的灵海霎时翻覆涛浪。苍霁陡然长身，变回“苍霁”的身体。

枷锁应声而断，不仅枷锁在断，景中一切都在断。苍霁不断膨胀的灵海撑得铜铃吃痛鸣晃，竟无法再维持原境。

净霖豁然睁开眼，觉得背上锥痛，四肢百骸皆被束缚在一层灵圈之下，通身抽力。这境中本没有风，此刻净霖却觉得颊面经风。他眼见自己银发褪色，随风淘洗顿变回黑色。

狱卒、囚狱、铜铃一并被刮出碎纹。那仍在不停抽打的狱卒面上带笑，扭曲颠倒的景物致使千钰的溅出的血从上而下地淌回来，淌过左清昼紧扣的十指，再淌满左清昼的脸。

左清昼被吊在漆黑之中，他淋着千钰的血，如同疯癫地呢喃自语。

“我认罪。”左清昼盯着黑暗，喉间吞下血，“我认罪，我贿赂主考不成，将人棒杀于城南巷中。我罪当至死，我按律当斩。”他的牙齿颤抖，掺在声音里变成了另一种绝望，“我认罪……不要再打，不要再打他。”

血水淌尽左清昼一身，他唯剩脚尖“滴答”。他已经被吊了太久，盐渍凝在伤口，唇间连字都吐不清楚。他像是在这短短刹那便走完一生，却仍然没有解脱。

“我……”左清昼干裂的唇蠕动，“我认罪……”

千钰的哭声环绕，狐狸咬着锁链，却拖不下一个人。

左清昼眼珠微转，目光停在狐狸身上。他突然就渗出些干涩的泪来，他微张口，急迫地唤：“千……”

千钰咬得唇间血烂，狐狸拖着链衔在他手腕。左清昼已躺平，枷锁扣得他腕间白骨凸显。他横在乱尸碎石间，潦草得不像左家郎。千钰含着他的血，拖着他往碎石外走。左清昼的身体滑动，蹭出血迹拉长。

左清昼气若游丝，他眼前漆黑一片，已经看不见千钰在哪儿，但他裂开的指碰到了千钰的皮毛。那油滑柔软的毛，随着千钰用力蹭在他指尖，像一团云，只留在他这里几个春秋。

左清昼神已渐散，他舌头攒力，促声唤："……千钰啊……"

千钰拱在他掌心，左清昼微仰头。

左清昼贴着千钰的膝头，慢慢说："……去……"

千钰失声呜咽，他晃着头抱紧左清昼，说："我往哪里去？

左清昼指尖点在千钰腕间，轻轻推着他，驱赶道："……你去。"

千钰固执又无助地摇头。

左清昼唇齿轻动，他沙哑、断续地叹息。千钰的泪滑在他颊面，左清昼气已绝，千钰仍作不知。他瘸着条腿，拖抱着左清昼上半身，喃声："我认得黄泉路，我必追得上。你待我片刻，我将尾巴断于你，你我共生一命。左家郎举世无双……谁也带不走。"

梧婴的断喝忽镇于虚景，净霖见千钰化狐衔起左清昼，还未往下，便听铜铃急促，苍霁猛落于身侧。

"此境已碎。"苍霁见他安然无恙，方才正过净霖的脸，在破碎的荧光间喊道，"打傻了？净霖？痛不痛？"

净霖被他的温度唤回神识。

苍霁没得到回应，再说："喂？"

"我们猜错了。"净霖迎看碎光，左清昼的面容如梦消散，他说，"这一苦不是千钰，而是左清昼的放不下。"

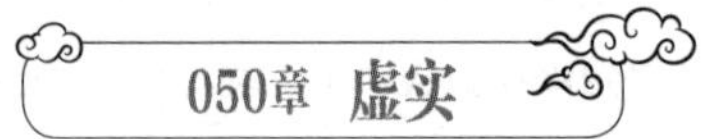

050章 虚实

虚境碎光如雨，落在肩臂消融成夜，汇于天地。苍霁放眼周遭，终于重见京都。他们像是做了一宿的梦，立在人海灯火中。

嘈杂如潮渐覆入耳中，两个人同时收手。苍霁说："……这便完了？"

"铜铃未响，也未离开。"净霖回身，在人群间寻觅，"此事仍未解决。"

"我们入境时还是一片狼藉，这难道还是虚境？"苍霁跟着净霖，拨开人群。

净霖环视人面，道："此处真实，皆是凡人，不是虚境。但京都不同于别处，不可以常理而度之。"

"你往何处去？"苍霁斜步挡开他身边的路人，就这样留出空隙，不叫别人碰。

净霖说："去客栈，千钰认得那九尾，她必知晓后事如何。"

"笔妖和楚纶又该如何处置？"苍霁说，"笔妖私改了命谱，左清昼因此生出'放不下'，难道便容笔妖这般做下去？"

"乐言的命在楚纶身上，而楚纶的命系在左清昼的命谱上。查清楚左清昼的死，楚纶的事便也清晰了。"净霖轻晃手腕，带着苍霁往回走。

"我有一事想不通。千钰既能化形，想必修为已成，那般情形，他就是杀了人又何妨，为什么会如此？"苍霁问道。

"你我在境中皆不能调转灵气，想必铜铃意有所指。"净霖说，"千钰被囚于木笼，鞭痕不似常人。"

净霖停顿稍许，略贴近苍霁的耳。

"铜铃掐头去尾，抹去诸多关键。这并非它的初衷，倒像是不得已而为之。"

"这么说。"苍霁说，"这其中果然也有神仙的份。可神仙做这等伤天害理的事干什么？"

净霖眸转向客栈，只道："不好说。"

苍霁无端地想起净霖那句"我道已崩"，不禁尝出些苦涩。

华裳对镜贴花钿，末了正见喜言入内，喜言还未开口，华裳便娉婷下梯。她行至一半，肘倚栏杆，看着苍霁与净霖跨入。

"小店不经风。"华裳眉间轻蹙，"二位吹得我心儿慌慌。原以为你们已经

走了，不想还留在京中。怎么，亦要替天行道不成？”

净霖自接了小狐狸捧上的新茶，饮了些许，才道：“替天行道自不敢当，只是丢了个紧要物件儿，须得老板娘帮忙提点提点。”

“现下有事求我。”华裳鼻中薄哼，“倒变得能说会道了。”

“姐姐看他，连我的面子都不常给，便晓得他本是个冷情人，又何必与他在这上边置气？”苍霁熟稔地坐上椅，对华裳笑道，“确实有事相求。”

华裳这才移步下梯，在桌另一边坐了，素手搭臂，道：“你小子顶着这张脸，我岂能轻拒。说吧，所求何事？”

苍霁替华裳斟茶，道：“那夜见了只通体雪白的狐狸，料想该是姐姐的熟人。不知他如今身在何处？”

华裳本接茶杯的指尖反推回去，道：“你打听他干什么？”

“因他毛色难得。”净霖说，“实在好看。”

苍霁心下微嗤，心道老子通体金红，不比白花花的狐狸更加难得，更加好看，怎从未见他夸一夸？面上却仍作笑意，附和道：“我所经东西两地，都未见过。”

“你俩人如将实话也讲得这般顺溜，我倒是能考虑考虑。”华裳淡淡，“这京中藏龙卧虎，真真假假难分清楚。但拿假话来搪塞我，怕就做不得朋友了。你丢了什么紧要物件儿，难道还系在千钰身上不成？”

“还真系在了千钰身上。”苍霁苦笑道，“……这可真说不清了。”

净霖自是不能如实相告，便道自己有只铃铛养成了精，喜好随人，他们捉了许久，如今正在千钰身上。

华裳信不信尚且两说，只是她似有为难处，正需外援，便道：“千钰眼下不在此处，你即便寻到了他，也认不得他。”

苍霁忽然问：“前几日才见得他，今日便已离开了吗？”

“你们见他那夜已是一月前。”华裳说，“你们二人糊涂了吗？”

净霖道：“……那他去了何处？”

华裳目光转向喜言，小狐狸们立刻垂帘合门。华裳说：“先且不论他去了哪里，我只问一句，那铃铛你们是要定了吗？”

苍霁说:“要定了,姐姐有难处吗?”

华裳跷腿倚把手,羽扇搭面,只拿眼凉凉地看着净霖,道:“难处倒不至于。只是觉得这位眼熟得紧,似是在何处见过,心儿更慌。这位该不会是上边的人吧?”

净霖薄唇延笑,桃花眼微挑,将东君的神态仿了个七八分,说:“您瞧我灵海空虚,哪做得了神仙?”

华裳细细打量:“像东君,又不似东君。你仿谁不成,偏偏要学这天上最难学的一个。我见你灵海不是空虚,分明是重创未愈,如同好缸缺了口,只管流不经存。”

“天上没有我这号人。”净霖说,“您看这肥鱼的成色,便知必是个妖怪了,自家人。”

华裳说:“你们欲找千钰,可他确实不在此处。”

“他离京了?”苍霁问道。

“他恩怨未了,离不了京。”华裳面色微沉,说,“况且京都外围已由分界司围了,他哪里走得掉。梧婴借尚未授封为神的空隙,出入京中,不正是为了找千钰。”

“他在京中。”净霖神色微变,“他在……报仇?”

华裳说:“凡人杀了他的知己,便指望凭靠神仙的庇护逍遥在外?不错,他就是在报仇。”

苍霁道:“分界司早不到晚不到,偏偏这个关头围了京都,若说其中没他们的纵容,鬼也不信。”

“我有诸多事情不明白。”净霖对华裳说,“还望姐姐点拨。千钰犯了什么律,分界司要围了京都来查?”

“那人死得不明不白,梧婴不知得了何人的教唆,认定此是千钰所害。”华裳说到此处,又嘲讽道,“可这梧婴平素都机敏非常,怎的遇见此事,便成了由人糊弄的傻子,心甘情愿地做了枪使?”

若非一夜间真傻了,便是叫他做枪的人连他也不敢反抗。

“区区狐妖,”苍霁目光试探向净霖,“能引来这样的人物吗?”

净霖垂眸不答，华裳说：“你俩人不知，京都紧靠西江，而西江所圈之土皆为一个掌职之神而管。五百年前，镇守此地的‘少峦’乃临松君净霖座下之神，素来以严明著称，既不容妖物作乱，也不见神仙恣肆。只是后来临松君一脉皆受牵连，除了五色鸟浮梨，其余诸神具贬入轮回。此地空缺，便交给了别人安排，这梧婴正得了他人的垂青，还未受封便镇于此地。我猜此子天上有人，如今拿千钰的命令，也是从天上来的。”

“单单只拿千钰？”苍霁说，“便没提过一只叫‘乐言’的笔妖吗？”

“只要千钰。”华裳面露不快，“我心觉此事有异，不像偶然。”

自然不像偶然。

他们追着铜铃而来，如今偏偏撞到了分界司这里，还连上了九天境，若非净霖不怀疑，苍霁几乎要以为铜铃是有意为之，仿佛只手一直推着他们靠近九天境。

净霖吃茶镇定，他道：“京都乃笙乐女神的守地，旁人轻易动不得，千钰不出此地自是无恙。但我奇怪，千钰要报仇，他要如何报仇？”

华裳冷冷一笑：“依我的意思，杀了便是。”

苍霁道：“干净利落，他难道还要用别的法子？”

华裳几欲生怒，又忍道：“异就异在此处！凭他修为，劫了左清昼也能逃出一命，可偏偏不成！”

苍霁玩味：“不成？”

“他欲动身时，便觉灵气皆散，竟连人身都难以维持。左清昼的命谱不提，我只见他竟像被人盯死了，是要他必死！这遭勾当背后必有得道之人助力，只是这人从未露面，我竟觉察不出。”

可左清昼值得吗？他查的是凡人案子，原本该是一场凡人间的官场腌臜，但如今竟扯出别的，还真应了他俩人的猜测。连九尾华裳都探查不出，此人绝非寻常宵小。既然不是寻常宵小，又何必绕如此大的一圈来戏弄一个凡人生死？

苍霁突地握紧净霖的衣袖，觉得不妙。

净霖用桌上糕点垫了腹，将手擦了，在他俩人沉默时说：“姐姐猜得不差，

只是在我看来，这背后藏的不是得道之人，而是个真神仙。”

他将指间拭净，摸过曾余老茧的地方，陷入沉思。苍霁见他神色疲惫，想是铜铃的虚境又掏了他的灵气，便向华裳讨了个房间，带净霖回去休憩。净霖睡前喜言上了热水，他便在屏风内泡澡。

“楚纶若是‘病’，未免太简单。不如说是乐言的‘心病’。但他从九天境中来，认不清律法吗？就是再求一求颐宁贤者都远比自己私改来得妥当。可他仍然这般做了，所以左清昼死了。”净霖趴在桶沿，被蒸得肌肤泛红，他闭目顿了半晌，继续说，“这不是偶然，这是有人促使的必然。左清昼必须死——为何？你可还记得乐言所念的命谱，左清昼若活着，便是‘斩贪污、肃朝野’，他会查清那些案子，将背后之人拔出来。凡人不论，只是背后的神仙必已料得，所以左清昼一定得死。”

“但是神仙拐卖凡人做什么？”

“……群山之城。”净霖埋脸于臂间，道，“他们将人收于城中，喂于邪魔……”

“神仙也吃人吗？”

净霖不答也不动。

苍霁待了半晌，直接越过屏风，果见净霖已伏沿睡着。苍霁便扯了衣，将人随便地擦了擦，裹起来扛上肩放回床。

苍霁扯被时被硌了个痛，掏出来一看，竟然是许久不见的石头。石头也歪着头呼呼大睡，苍霁将它塞进净霖怀里，见他主从二人睡容相似。

净霖猜得这背后有神仙，可苍霁却猜得这背后的人意在净霖。他觉得自己在虚境里做了一次左清昼，连带着哪里变得不同。

他说不清，也讲不明白。

净霖半睁开眼，一动不动。

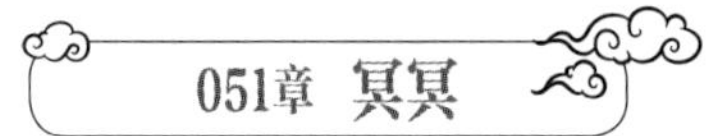

051章 冥冥

事情未结，净霖便不曾久睡。次日天未亮，他俩人便已出现在街巷。喜言着灯引路，在岔道口停下。

“千钰哥哥便是经此离开的。”小狐狸抓耳，“而后便不知所终。”

“此处有经香遗留。”苍霁闻了闻新晨凉风，“他还带着左清昼的文墨。”

“千钰哥哥说那皆是紧要之物，须得他贴身带着。”喜言愁眉苦脸，“如今外守梧婴，内有坏人，千钰哥哥通身灵术也施展不能。只是他认定左家郎冤枉，定要为他洗清污名才肯自断了结。”

“他无错处，何必自断。”苍霁说，“既然出不去，便在京中闹个天翻地覆。他们欲要遮掩的，我便欲要弄明白。”

“此话不假，只是千钰哥哥尾巴已断，命不久矣。”喜言息了灯笼，尾巴将露水拍净，说，“那陷害左家郎的人，正是一个叫作刘承德的人。你们若能找到他，兴许也能找到千钰哥哥。”

喜言话已至此，剩下的便爱莫能助。小狐狸鞠了几躬，说：“老板娘身受九天境钳制，不便插手，唯恐再引来什么醉山僧之流，所以切请两位尽快寻到千钰哥哥，将他带回客栈。老板娘九尾通天，愿舍一尾救他醒悟，忘却前缘。”

“她想要千钰忘了左清昼？”苍霁胸中沉闷，他说，“即便华裳为他着想。也不该叫他忘了前缘。”

“话虽如此。”喜言人小鬼大地长叹一声，对苍霁说，“可是若不能忘记，千钰哥哥岂有活路？”

“如要他忘。”苍霁说，“不如让他死。”

喜言尚不懂其中含义，小狐狸懵懂间只觉得这天底下难道还有比活命更加需要珍惜的事情吗？他又揪了揪耳朵，最终再拜几拜，自行回去了。

苍霁见净霖立于晨雾间，发间微湿，便道：“冷吗？”

净霖回望他一眼，说：“不冷的。”

苍霁觉得净霖如今有问有答的模样很招人疼，不由多看了两眼。净霖却只

盯着他，他便问："看什么？"

净霖说："忘不掉便放不下，放不下便忘不掉。生生死死轮回不休，左清昼已死，他魂魄归于黄泉，算算时间，怕已经入了轮回道。千钰忘不掉，也追不上。这是折磨。"

"待左清昼忘了他，他也忘了左清昼，两厢再遇，形如陌路，谁也不痛。"苍霁说，"你觉得这般好？"

净霖静立半晌，说："好。"

苍霁胸中一滞，竟在这个"好"中呆了片刻。少顷，他说："这般多没意思。"

雾间起风，下了些雨。

净霖撑起拿了一路的伞，替苍霁挡去星点雨丝。

伞面倾斜，挡住了净霖的退路。雨霎时敲打在眉眼，苍霁的眼凌厉直迫，他垂首盯着净霖，竟让净霖稍退半步。可惜这半步紧跟着便被苍霁一步跨满，净霖撞在石壁，手背被握得生疼。苍霁堵着他，逼近他，沉声问他。

"你是千钰吗？"

净霖说："……我不是。"

"你不是。"苍霁将净霖的手越握越紧，"你既然不是，又凭什么管他？难道因为你觉得他会痛，便能和华裳一道替他做主？他长到如今这个年岁，连自己的命也做不了主，嗯？这天地间没谁能替别人干这种事，他不忘便不忘，那是他和左清昼的事情，不是旁的任何人能插手、能替行的事情。

净霖被雨水浇重了睫毛，他看着苍霁，"便是看着他们一个二个都死这里，也得不到片刻重聚。既然如此——"

"既然如此。"苍霁抬高声音，"也不该替他忘了前尘！痛算个屁！难道他没料得吗？"

苍霁的胸口里蹦跳的是心脏。太可笑了，这怎么可能，这怎么可行，这怎么能叫苍霁心服。

"你道千钰必不会杀左清昼，因为他懂得情谊。"苍霁肩头已经被淋湿，他恶狠狠道，"你明不明白？"

净霖被他镇住似的呆看他片刻，苍霁见他眼也红了，发也被淋湿了，便忍了忍，重新打起了伞。

“你对自己说的根本一窍不通。”苍霁望向雨外，“日后还是叫我一声师父吧。”

净霖垂头，打了个喷嚏。

经香最终散在街头，随着车马人足的碾压，变得零碎难辨。苍霁合了伞靠门柱边，看净霖坐在棚下饮了一碗姜茶。

眼睛还是红的，瞧起来可怜兮兮的。

苍霁拇指轻轻在伞柄上磨了磨。

苍霁觉得有点没劲，也不知道哪里不对，似乎是雨天搅乱了千钰的踪影，反正他确实兴致不高，靠着木柱须臾，不再看净霖。

这感觉非常不痛快，像是一拳击在了棉花上。

净霖饮着姜茶，被那股姜味冲得直皱眉，口齿间尽是姜的味道。他缓慢地吞着最后一口，手掌贴在碗边，将方才感受过的温度一点点抵消在姜茶的温度里。

身上一热，被寒气挟持的身体就放松下来。

净霖久坐，心中将冬林、顾深、楚纶，左清昼挨个列清楚，一件件推过来，再一件件推回去。

京都藏着一个神，他或许授意中渡拐卖，并且为此杀了人。但神仙绕这么一圈，绝不会是为了仅图一时爽快。杀人对神仙有什么诱惑？他们要的往往是超越生死的缥缈，追寻的皆是可望而不可即的欲望。而神仙参与中渡凡事，必先经过分界司审查，或许一个神能有此等恶行，但天上不是所有神仙都是傻子，这等事情必难见光，所以他藏在深处，推出一个个凡人来当棋子，甚至为了保下作案的棋子，宁愿弄死左清昼。

刘承德杀了左清昼，此人先出现在楚纶信中，并且深得左清昼信任。那么他是否一早便知晓左清昼会与楚纶换命？

如果他知晓，那么他们为何宁可楚纶活下来，也不愿左清昼活？仅仅是

因为左清昼的命谱上写明了左清昼来日会彻查拐卖诸案，抓出京中涉案的棋子，搅乱背后神仙的局？楚纶便不可以吗？楚纶分明与左清昼同仇敌忾，并且拥有相等的证据在手。况且若是如此，千钰就是变数，他既与左清昼不可分离，必然会设法为左清昼报仇。既然已经能够捉住千钰，何不将千钰一并杀了以绝后患？

为何呢？

疑问太多了。

净霖目视老桌的纹路，觉得这一系列案子便如同乱纹一样搅在一起，混乱得像是麻团。毫无头绪始终难耐，但头绪太多亦是种难耐，因为诸多线索清晰得似是专程放出，它们引着净霖一步步走近，在他不断解拆的过程中将他包围起来。

净霖松开茶碗，余光见得一只犬妖正在嗅苍霁的后背，形容猥琐，好不讨厌。他侧眸冰凉地看过去，那犬妖却恍若不见。

犬妖嗅着苍霁，苍霁抬手将他掼到身前，惜字如金地说：“滚。”

犬妖反倒嗅个不停，说：“滚不得！这位兄弟，你身负经香，香得很。”

苍霁说：“怎么，还要咬两口尝尝？”

犬妖顿做夹尾状，对苍霁低眉顺眼地说了些什么。苍霁眉间一松，看了净霖一眼，侧过身，同犬妖又说了什么。

净霖一概听不见，他茶碗里又添了新茶，只作淡定。

不多时，石头小人从袖中摸出来，跑过人足和凳腿，趴在苍霁腿后，探出头侧耳。正听得犬妖低声续说什么“不错”“正是”，它忍不住踮起了脚，凑得更近。

苍霁眼都不转地就捉住了石头，拎在指尖摇晃，说：“专程来替他偷听吗？”

石头荡着脚，摇摇头。

犬妖鼻尖耸动，说：“咦！兄弟，你这石头珍奇，是个什么人的……”他后背一凉，鬼使神差地回头，见那不远处的冷面公子正睨他一眼，登时哆嗦一下，说，

“那……那便这么说定了。”

什么说定了？

石头见犬妖要走，立刻二丈摸不着头脑，听了个云里雾里。苍霁拎着它入袖，说：“走，欺负净霖的时候到了。”

净霖看苍霁坐下，抛出几颗滴溜溜转的银珠，大马金刀地坐凳上，腿撞了撞他的腿。

“我约莫知道千钰在哪儿了。”苍霁说，“消息不能白得，你若答应我一件事情，我便带你走一遭。”

净霖说：“这坊间妖怪染了人气，市侩起来有过之而无不及。你用金珠买得的消息，别人自然也能买到。”

苍霁舌尖抵牙，冲净霖笑：“你倒是变个钱出来啊。”

净霖拾起银珠，说：“不知道也无妨，我们可以分头行动。”

“分头你想也甭想。”苍霁说，“但我大可不管此事，去他的铜铃八苦。我要带你走，谁管得着呢？”

净霖说：“你不要铜铃了？”

“它本就不是我的。”苍霁轻踢开别人欲往边上坐的凳，“离山时我不明白，但如今看来未免太蹩脚。它要走便让它走，左右你在我身边，它跑不远。”

净霖只得说：“你要我答应什么事？”

苍霁看着他：“对我说，找到千钰你也不会叫他忘却前尘。”

“他与我非亲非故，我说得不算。”

“不。”苍霁眼中漆深，“我只要你对我承诺，你不会让他忘了左清昼。”

净霖松开指，银珠顺着滚在桌面，他说：“你是要我承诺不会让千钰忘了左清昼，还是要我承诺来日我不会忘了你。”

银珠滚掉下桌，蹦在地上。

净霖侧首，直视苍霁：“你待此事甚是执着。”

苍霁被戳中心事也不慌不忙，他说：“那你就对我说。”

棚外雨珠溅起灰尘，跑马经过的行客都成了这一桌的背景。

净霖说：“我若死了，便没有魂魄，提不上忘与不忘。”

“我只要你说。”苍霁说，“管什么生生死死。”

“如我没做到呢。”

“那便是骗我。”苍霁盯着他，“你若是骗我，净霖，你就是化成了灰，我也能拼成人叫你回来还干净。”

净霖鬼使神差，似是听过一句。

“这是你欠的债。”

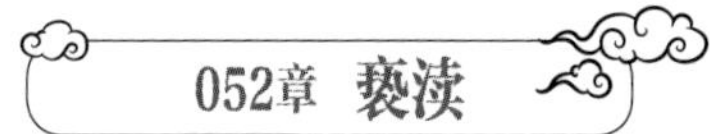

052章 亵渎

净霖心间似掉下颗石子，砸得他思绪混沌，如浪扑打。他心有余悸地说:“你这讨债鬼。”

苍霁一头雾水:“我还没讨啊。”

净霖攥了银珠，说:“千钰要如何，我一概不管。”

“欸，”苍霁坐正，说，“方才可不是这么说的。”

“我只听得了这句。”净霖起身，“走吧。”

苍霁长腿一迈，就挡在净霖身侧，两人一起往外去。苍霁站在棚下撑开伞，叹一声，萧瑟道:“我就知道你这人非常狡猾。”

“你简直有过之而无不及。”

两人并肩入雨，苍霁说:“此去三条街，有个烟柳地。经香曾出没在那里，千钰多半也在。”

“他在想方设法接近刘承德。”净霖说，“既不能露了原形，也不能大张旗鼓。”

“千钰既然已经拿到了左清昼的信匣，那么必然知道楚纶曾对这个刘大人推崇备至，他如想了解刘承德，直接找楚纶不就是了?”苍霁问道。

“不错。”净霖说，“可他宁可舍近求远，也不愿找楚纶。”

苍霁恍然:“莫非他已知道了笔妖修改命谱一事?”

“不仅如此。”净霖拧干袍角,“他不信任楚纶,他兴许得知了什么,将楚纶也视为对方的人。”

“待我理一理。”苍霁说,“十年时,楚纶最后一封信中将刘承德推荐给左清昼,叫左清昼好好考虑此人,因为以他二人之力无法推动这些案子进行下去。所谓朝中有人好办事,于是左清昼拜了刘承德为老师,借着师生之名,让刘承德也参与他二人的查案行动中。但后来形势危急,左清昼与楚纶断了音讯,刘承德却能照旧出入左清昼家中。左清昼为何会轻信这个刘承德?”

“大约是刘承德带给了他难得的消息。”净霖说,“想要取信于人,最好的办法就是证明自己已与他同路。这案子不敢查,地方递不进来,京中有人专程替换隐瞒。刘承德若以督察院的身份提供左清昼得不到的消息,便已明示自己也愿冒掉脑袋的风险参与其中,又有楚纶推波助澜,左清昼信他不奇怪。”

“难道楚纶真的是对方的人?”苍霁细思,“笔妖始终不肯如实相告楚纶原命谱上的死因,其中还有什么文章。”

“他倒不像……”净霖迟疑,“乐言身为颐宁的笔,必不愿与污垢同流。他看中楚纶,多半也是因为楚纶有正气。只是左清昼一案中楚纶破绽百出,单是他如此推崇刘承德一事便叫我百思不得其解。”

“你的意思是。”苍霁说,“楚纶不该推他?不过确实有疑,楚纶远在东乡,布衣平民,怎么会认识京中身兼高位的刘承德。”

净霖跨过水泊,说:“凡人朝中事你尚不清楚,刘承德虽已位至三品,但他的职位是督察院左副都御史。他既有巡查地方的机会,也有督察京中百官的责任。他若是表现得刚正不阿,不就正是应了左清昼和楚纶的当时所求。”

“那你何处不解?”

“我不解的是。”净霖皱眉,说,“刘承德出现的太合时宜,简直像是专程送来的天助。所谓物极必反,楚纶竟不觉得有异吗?”

“若楚纶是对方的人。”苍霁说,“此行就是顺水推舟,送了左清昼一程。”

“也不对。”净霖说,“他如是对方的人,不至于两次科试不中。对方既然

已经只手遮天，提他一个榜上有名绰绰有余。”

“乱七八糟。”苍霁隐约混乱，“这案子怎么越查越是死结。”

两人已过了街，净霖探手接雨，见雨滴已疏，便说:“但我已清楚一事。”

“嗯？”

“刘承德身为三品御史，能操控他驱于麾下的人，京中可不多。往上推一推，只剩下那么几个人而已。”净霖垂指由雨珠滑下去，他似是回忆，“说起来，这般的案子，我从前也查过。”

“从前是多久以前。”苍霁停步，看他侧颜。

净霖说:“五百年前，或许更早。”

“临松君斩妖除魔，还管案子？”苍霁饶有兴趣。

净霖抬眸望天，说:“因那案子牵连甚广，我所认识的人，无一不参与其中。”

“你呢。”苍霁问。

净霖将指缩回袖中，对苍霁说:“我不重要。”

苍霁觉得他似有不同，便拉长声音，似懂非懂:“最终查清楚了吗？”

净霖跨出伞下，并不回答。苍霁撑伞看他，莫名觉得他讲的案子与那什么君父分不开干系。净霖肩背线条流畅，苍霁又忆起他的少年时。银冠白袍的少年郎回首时仍能微做一笑，像个真正的人。

净霖不得脚步声，便回首看他。

苍霁收伞，抚净袖上的雨。

天空已霁，云层渐开，日光挥洒净霖满肩。他像是承不住这样浓烈的温度，稍退一步，欲要避开。岂料苍霁抬臂捞了他的肩头，带着他错步向前。

“走吧。”苍霁说，“我嗅见了经香。”

经香层叠在脂香之间，苍霁一路喷嚏不断。他拽着净霖的衣袖捂住口鼻，被脂粉味呛得双目通红，消受不起。净霖与老鸨交谈时，他就立在后边用双眼盯着别人，吓得老鸨心肝乱跳。

“我们要去哪儿？”苍霁见净霖要跨步上楼，赶忙拖着袖，闷声问。

“进去啊。”净霖回身看他，“今夜宴请各方，刘承德或许也会来，千钰恐怕就隐藏其中，欲借此接近……”

苍霁抬着肩臂抵开热情似火的姑娘们，闷头说：“你换张脸来。”

净霖顶着桃花眼瞥他一眼，说：“东君这种人在女人间只招嫉不招爱。”

苍霁正欲争辩，便觉得后腰上不知被哪只纤纤玉手拧了一把，掐得他毛骨悚然，当即连推带抱的挤着净霖往楼上走。

苍霁登楼陷进去，又觉得背上被人摸来摸去。

苍霁毛都要炸起来了，可叹他没有毛，鳞都要炸起来了。好不容易带人挤进隔间，眼看外边要跟进来几个，他当机立断，拽了帘，明晃晃地以示勿扰。

苍霁倒茶清喉。

净霖见二楼已被垂帘环了一周，堂间空出半人的描花高台，晚上是要大做文章的意思。隔间掐得细密，除了薄薄的两侧屏风和垂帘，基本挡不上什么东西。他依桌边坐了，说：“那是楼里的。”

“楼里的？”苍霁也坐净霖边上，正挨着花卷瓶。

屏风后边嘘声，净霖拿回勺，抵开他的手臂。苍霁顺势靠回椅中，不再闹了，满嘴酸味，说：“酸得很。”

净霖看那空空如也的碗，将勺搁了。

苍霁摸到茶，又饮尽了。

堂中的灯火顿息，台上现了人。净霖这会儿才弄明白今夜是做什么的，原是这楼素来的规矩，新雏儿的卖场。可是千钰来这儿就能遇见刘承德吗？

净霖指尖擦了汗，耐着性等下去。

苍霁陷在昏暗中，无聊间踢了花卷瓶。他随手抽了几卷出来，拉开看时还不太清楚，便抬手迎光看。

净霖没留神苍霁在做什么，摸到了茶欲给自己添一杯，却见苍霁忽地坐直，面向他。

净霖警惕地问：“嗯？”

苍霁“唰”地张开手臂，拉出一卷画来，大剌剌地呈给净霖看。

净霖一手糕点堵住他的口。

053章 龙啸

净霖尚未作答，便听闻隔壁一声嘤咛，苍霁欲转头，却被净霖手挡住面。

“铃铛声。”净霖及时岔开，“刘承德来了。”

苍霁还在愣神，没防备让净霖逃了。他将画卷递回瓶中，侧耳在如潮杂乱的声音中寻找铃铛。

“太吵了。”苍霁起身拨开面向台子的珠帘，嗅觉在脂粉中也丧失了作用，他扫视一圈，“他若是藏在二楼，也寻不到。”

更何况这楼中也有蛮儿，脚踝上的银铃随着波浪般的摇晃荡起来，摇得人入骨酥麻。铜铃既不醒耳，也不突兀，迅速被埋没其中，消失不见。

“他就在楼中。”净霖翻手扣过茶盏，茶水泼在桌面，但见石头小人拾起茶叶，拼成几个小茶叶人，一溜烟地跑出去了。

台上正在击鼓踏乐，苍霁突然退了几步，忍着脂香辨别道：“千钰！”

“何处？”净霖问。

“楼上。”苍霁掀帘而出。

廊间正拥挤，经香散得极快，如不赶紧便追不上了。苍霁拨人前行，不远处三楼木梯被堵了个结实，胭脂水粉扑得他喷嚏不断。谁知石头又忽然跑回来，茶叶小人跳上苍霁的肩头，用力指向二楼一间房。

这都挤在一起了！

“我去楼上。”净霖已被挤涌向前，踩上了木梯，“你……”

苍霁隔着人头牵够着他的衣袖，被喷嚏整得双眼通红，对净霖说：“不许跑！”净霖还未答话，苍霁便松开了手，“等着我稍后便去捉你。”

两个人霎时被冲开，净霖看他片刻，转身上了楼。苍霁搓搓指尖，滑掉星点的荧光。他回身跟着茶叶的指挥，已经挤到了刘承德的门前，他伸手掀帘，岂料

指尖一阵灼烫，倏忽现出个怒目而视的镇门神。

镇门神手提马鞭，对苍霁斥道：“小妖且退！”

背后人潮一冲，苍霁已近了一步。镇门神立刻变色，劈手就打，竟不管不顾这满廊的凡人。

净霖上了楼，人少了许多。他在适才挤出了汗，瞧着面色微红，额间汗点，倒像是饮了酒。他才打量周遭，迎面便快步来了个女孩儿，对净霖跺脚娇嗔：“还饮酒了是不是？你这混账，明知今日是什么日子，还要贪人那几口酒水？快来快来，那边正候着呢！”

说完不分青红皂白牵起净霖的衣便走，净霖顺着她的方向闻到了一丝经香，便一言不发地随她去。路上掠过许多面门，或开或闭，里边皆是面容姣好的男男女女，正在上妆换衣，看着要登台的样子。

“千嘱咐万嘱咐叫你快些！你就非要喝！”女孩儿回头扇了扇手，睨净霖一眼，“幸好没混着一身臭酒味！不然晚上少不了禀告妈妈给你一顿打！底下那些金呀银呀算什么好货色？值得你眼皮子浅到这个地步！快去换衣，捯饬捯饬，马上就来人接。你往后的好日子，可都押在今晚了！”

说罢女孩儿推开一扇门，里边已对镜坐了一人。女孩儿轻推净霖一把，对里边的人细声说：“钰姐姐，人来了，您给看着收拾收拾，我就在门外候着。”

门“啪”地合上，净霖从镜中见得那狐狸回头，虚境中的嬉笑欢态具锁在阴郁之下，连带着那一身女儿打扮也显出诡秘的美感。

千钰将净霖的身量看了，说：“怎的换人了？”不待净霖答话，他便起身，牵着条珠玉链绕净霖一圈，说，“倒比原先的那个成色好。”

净霖说：“左清昼的尸身你藏起来了吗？”

千钰猛作色变，净霖听楼下铃铛晃得乱，便知苍霁那头必起变故。他一步上前，问千钰：“你若就此罢手，还有转机。左清昼命虽已丧，魂却未散。”

千钰指间的珠玉链断得粉碎，他退一步，撑桌说：“你，你……”

“京中藏的这个人，非你之力能够撼动。”净霖抬望房间，“九天境下来的人，换作华裳也不敢正面交锋，你何苦再继续？”

“但刘承德一介凡人！”千钰冷声，“这老畜生枉费左家郎多年敬重，如今还想靠着神仙继续逍遥？我必先要他断子绝孙！九族皆丧！”

“刘承德不过一颗不值当的棋子，杀左清昼的真凶另有其人，你想必已有猜想。你如执意继续，休说尸骨难存，就连魂也难保。”净霖说道。

千钰泪翻涌而上，他忍说：“既然是神，何苦为难。”

净霖哑然，只能说：“你为何来此？华裳正在客栈中等你。”

千钰听得了华裳，便知他不是外人。他说：“刘承德明为朝官，实则身负搜刮美色的任务。只是我尚且不知，他到底是为人做事，还是为神，所以来此就他一番，欲看看背后到底是谁。”

“不必去了。”净霖听楼梯间已经传来脚步，便问，“美色？他找什么美色？”

“形貌极美的男女……”

千钰话音未落，门口的女孩儿已经与人寒暄起来，热切道：“来得早啊刘爷，里边还没……欸！”

千钰开窗，欲让净霖逃，哪知净霖劈手砸在他后颈，敲昏了狐狸。随后青光几绕，将千钰捆了个结实，滚地塞进床下。

门“哐当”被砸开，刘承德疾步而止，目光一凝。

但见那床沿坐着个女子，眉眼冷冷，却无端生出股撒火的艳色，美得晃眼。

女孩儿合掌赔笑：“您看看，这个还成吗？”

净霖分外冷漠，将掌间一把珠玉撒了。他越冷，这貌就越见勾魂夺魄。

刘承德喉间溢了几声笑：“这倒是……别具风味。”

这老色鬼还不及夸几句，脚下就猛震一下。二楼的柱被砸断一根，眼见镇门神已拦不住苍霁，刘承德唯恐事情有变回去不好交代，便急声：“将人抬上轿！速速离开！”

“想跑！”

下边的苍霁一臂勾栏，就要翻上来。岂料脚踝一紧，那已经被打破的镇门神都成了纸糊的了，还不忘一鞭拽回苍霁的身。苍霁猛力坠身，听得三楼围栏

“噼啪”一并爆断，整个房间都倾斜起来。

刘承德狼狈撑身，欲拽净霖，净霖错步到了窗边，但不及他动身，整个临窗墙板“砰”地被下边砸烂，净霖在台上人躲闪的惊慌中冷不防地摔了下去。

苍霁一眼见得那白影坠下来，哪还管镇门神！勾着鞭陡然摔开阻拦，身已经从二楼跳出去。

净霖倏地坠进苍霁臂弯，挡臂在台上翻滚一圈稳稳停下，搏了个满堂彩！

“可叫我捉住了啊。”苍霁低头，突然一滞，连话都说不清了，“……净净，净……”

净霖丢掉珠钗，面上还残着妆，唇间照千钰的模样留了一点红，分明是通身脂粉气，却又在冷眉时溢出滔天杀意。

“净个头。”净霖说，“刘承德带着人！”

苍霁后颈削风，他立刻埋头。”

净霖推他前胸，苍霁顿时松手。两人一瞬分开，苍霁腾出的手“砰”地接住自上而下的重砸，脚下台面豁然震裂，抬首一看，张牙舞爪的群妖们一拥而入！

苍霁朗笑几声，索性张臂而待。

“这么着急当你爷爷的下酒菜。”他利牙微露，“老子就给你们一个机会。”

各色妖物蜂拥遮盖，只听令人牙酸的“嘎嘣”声不绝入耳，却看不清里边的情形。

净霖知他来者不拒，便环视四周，寻找被自己塞进床底的千钰。满楼的凡人争先恐后地跑，净霖见刘承德的身形在护送下疾步往外，扛的正是千钰。

苍霁的灵海冲荡不休，他原先一贯的粗纳皆在净霖的牵引下变成细吞。锦鲤在灵海间似涨一倍，颜色越发深，暗红色随着它的摆动游走在鳞片上，两凸越顶越明显。

苍霁拇指拭了嘴角，此时台上已彻底暗下去，破楼半垮，刘承德放出来的一窝妖怪皆只剩渣。苍霁浑身舒畅，莫名燥热，便说：“他怎放了一群妖怪，若

是……”

方才还立着人的地方空空如也，苍霁咬牙怒道：“净霖！”

净霖晃在飞驰的轿中，边上靠壁倚着还在昏迷的千钰。净霖的指腹从轿窗上刮下一层薄薄的灰，终于觉察出刘承德这一行人的诡异感是出自哪里了。

他们神妖参半，混杂一处。

既能给刘承德一只镇门神保身，又能唤一众妖物跟着刘承德唯命是从，这个背后之神神秘莫测，倒叫人想起了东君。

太巧了。

净霖一路仿的是东君，这个人也在仿照东君吗？

九天境中酣睡的东君陡然坐起，扯帕打了个喷嚏。他踢了踢殿前门人，说：“君上还不肯见我？”

守门神抱臂无奈：“您再睡一觉，君上也是不见的。”

“那还真奇怪。”东君抄了扇子呼扇，“他平日最爱我了，怎么突然就冷落了人家？我不依的嘛。”

守门神被他激出鸡皮疙瘩，头痛道：“君上入眠不许人扰……”

“噢。”东君扇敲额角，言不尽意。

这边苍霁撒腿就追，他在净霖袖上蹭了自己的荧光，当下在夜中可以看见星点飘浮。他跑了没几步，便听一声大喝，那搅屎棍似的梧婴持鞭立于屋上，正正地挡了苍霁的去路。

“好狗不挡道。”苍霁说，“滚。”

梧婴凌空抽鞭，背后浮现一众军将。他高高在上，冷声说：“此妖勾结狐妖祸乱京都，我特奉九天命前来捉人。拿下他，生死不论！”

“你主子是谁？”苍霁臂覆鳞片，他寒声说，“绕了这么大一圈，当我真不明白他在引谁？”

梧婴说：“凭尔修为，连我主子的名也不配听。”

“窥探我的人。”苍霁在骤风中杀意翻涌，“我管他是人是狗，一概老子拳

下见！”

京中长街顿震，梧婴的军将拔刀翻落，迅疾冲来。苍霁接鞭滑臂，甩起梧婴，一步踏地，猛掀浪涛。屋舍轰然迸碎，震退众将。他妖气沸腾，以气吞山河之势喊道：“让路！”

砖瓦坍塌，群妖伏颤。

华裳睁眼时九尾已现，她翻身下榻，推开窗望了出去。喜言已被吓得化成了小狐狸，可劲地发着抖。华裳一手捂胸，听得自己声音艰涩。

“……可是龙啸？我听错了吗？”

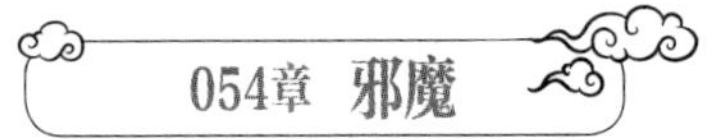

054章 邪魔

净霖以“手无缚鸡之力”的模样乖乖就范，刘承德急得胡子都浸了汗，他用帕上下擦拭，时不时扒开窗帘向后张望，生怕梧婴拦不住那发了狂的妖怪。

抬轿的人腿做轱辘，跑得几欲飞起，显然不是凡人。他们左钻右绕，在这重重街道上净挑暗处溜，像耗子打洞似的驾轻就熟。

净霖觉察他们绕来绕去皆是障眼法，目的地只有一个，便是这京都巍然屹立的宫室。

刘承德的轿子在僻静的门洞前停了，他下轿时腿脚还微哆嗦，吁了几口气，方指挥着抬轿小妖们掀帘拿人。净霖和千钰皆睡着，小妖们蹬腿拉臂，将人皮挤得狰狞又滑稽。它们列成两队，把净霖与千钰横架起来，细长的腿趿着没占满的鞋又是一阵疾行。

净霖经凉风扑面，闻见了丝丝缕缕的清荷香。小妖们在宫门巷廊间埋头苦奔，刘承德也被架着不敢歇息，这么一口气到了地方，一众妖怪的人皮都被汗泡皱了。

刘承德落地“扑通”一声，他扑跪在阶下，震得一旁盆栽花木都簌簌掉了些叶瓣。他稳了稳声音，亲切地唤：“圣上，老臣不辱使命，将人给您带回来了！”

殿里边灯火阴暗，影影绰绰立着都是太监，死人似的木在原地，既不出声通传，也不下阶来迎，皆勾首垂袖，一动不动。

刘承德跪得心凉，他深知今夜耽搁了时辰，送晚了人，怕已惹得圣上不虞，便越发谨言慎行，连汗都不敢擦。

约莫小半个时辰，听得殿里终于传出个细嗓：“呈上来瞧瞧。”

刘承德应声，转身让小妖们放下两人。里边的太监木讷僵直地走出来，抬起两人送进去。眼下正值酷热，殿里却挂着厚重的垂帷，太监们鱼贯而入，方才使人能隐约瞧见一点亮。

净霖被搁在席上，与千钰并肩而放。桌面宽敞，再睡两个人也不成问题。旁边布设香炉和符纸，朱砂沿着毯血似的连向更里边。空中弥漫着焚烧清理后的淡烟味，被遮盖在浓重的檀香下的还有一丝腥臭。

太监们陆续退出去，殿中诡秘。烛火如同被人掐着芯，总也燃不亮。有人趿着鞋，缓步到席边，那散发腐朽气味的身躯已然苍老，满是褶皱的手如同枯朽的叶。老皇帝用指节刮了刮千钰的颊面，眯着眼凝视一会儿，才哆嗦着移步，又将净霖看了。

“年轻。”老皇帝声音捏在喉中，用帕拭了拭挡不住的唾液，佝着腰感叹，“水灵，一掐，都跟要渗出水似的。朕瞧着，比前几回送上来的还好。”他一人在殿里继续说，“这个，这个看着行。”

净霖合目面肃，老皇帝看着他唇间那点红还心馋，商量似的说：“您，您享用完之后，给朕留口胭脂。朕见这个难得，还没尝过。”

里边极敷衍地哼一声。

老皇帝越看越心痒，说：“这等容貌，平素怎也不见下边人提。可，可叫朕等得久！”

“他们惯会搪塞你。”里边有人说，“他们就爱这般搪塞你，你以为自个儿是天下之主，他们却心里念着你老而无用。”

老皇帝悻悻地坐下，说：“朕自登基以来，勤恳至极，他们就是不满意。这人啊，这人就是，就是贪得无厌！”他愤恨跺地，念着“贪”字胸口起伏。

"他们搪塞你。"里边人笑一声，"你就杀了他们。谁管得了你？你已是天下之主！杀一个便顺一个，只叫他们都服服帖帖地跪在下边，什么江山社稷，不就稳了吗？"

"杀一个。"老皇帝欢颜，"杀一个顺一个！骨头贱，合该死！"

"好比那个姓左的。"里边人放低声音，"最可恶了。"

"他便盼着朕死！"老皇帝站起身，困躁地踱步，"他见朕老了，他见朕……"

"是啊。"里边人继续说，"他们心以为你老了。"

"不！朕不老！"老皇帝提声，"朕怎会老？朕不要老！朕该万岁守江山！"他呼吸急促，突然连滚带爬地膝行向里，呜呜咽咽地磕在地上，"您快享用，您再给朕一些能用之人，朕要将他们统统抓起来！什么左清昼，但凡阻碍朕为您挑选贡品的。但凡不许朕延年益寿的，朕都要杀！"

里边嘲弄的笑声大肆回荡，那人怜悯地垂指，抬起了老皇帝的脸。

"你怕老。"

老皇帝忙不迭地点头。

"你要我继续为你续命。"

老皇帝颤抖应声。

"那便不要停下搜寻贡品，将这中渡所有貌美的男女皆送上来，让下边人杀尽阻拦。"那人手指抬高老皇帝的脸，说，"我都是为你好啊……他们皆盼你老，我偏要你活得更久更年轻。"

"您是为朕好。"老皇帝感恩戴德地涕泗横流，"您是那天居之神，您说什么，朕便做什么！"

"好。"那人松手，抚着老皇帝的发。

继"病"与"放不下"之后，"老"也近在咫尺。三苦纠缠不清，绊在净霖心头。

净霖与千钰一同被拉入最深处的暗间，腥臭终于得见真容，皆是沉积的血臭。石台被血浇成褐色，无数被拐离亲眷的人由牙行筛选，一层层地递进来，被筛下去的便入了山中之城，选中的便呈列在此。貌美的女人太多了，男儿便变

得异常难求，仿佛只要随着这里的主人的心意，天底下的男女皆可为畜为物。

这哪是神，这分明是只魔。

周旁的烛火被撤掉，里间没有窗，不透半点亮光。黑暗浓墨般的包夹周身，人仿佛陷入了深不见底的暗海，在席上卑微地喘着气。

千钰开始面红耳赤，像是惹了风寒一般。他梦中似也是苦，竟含混地哽咽出声。左清昼的笔墨贴在他胸口，这便是他如今唯剩的宝物。

老皇帝还在爬，在黑暗中爬动不便，磕了几下，又“哎哟”着撑墙立起身。他畏惧地问：“今儿不点灯吗？”

邪魔一脚将老皇帝踢回地上，说：“今日本就错过了时辰，我需再等等。”

老皇帝爬着身，背上一沉，邪魔坐了下来。老皇帝立刻连声而笑，手脚并用地爬了几步，说：“沾您神气，沾您神气！”

“果然也是个贱骨头。”邪魔温声谩骂。”

邪魔卖弄似的踢了踢脚，“你便瘫在椅上好好挑人就是了。

邪魔说：“你居深宫，难免孤陋寡闻，你可知道这天地间最凶的人是谁？”

老皇帝谄媚道：“自是您第一厉害。”

邪魔得趣地受了，说：“比起厉害自然轮不到他，但若说凶悍，却还真比不过他。你是人间的真龙天子，他便是三界的真龙苍帝。都是龙，你若见了他，可要叫声爷爷。”

老皇帝要奉承，邪魔一脚踢回去，他陡然变色，冷声说：“他可就是喂出来的，遇什么吞什么，要让他盯住了，连骨头渣也剩不下。”他恶声，“若非他早死了，我也要学那黎嵘剐他一次！”接着他话锋一转，“你也算龙？你也配！”

老皇帝觍着脸说：“朕不过是您的脚边蚁！不算龙，不算龙！”

邪魔喜怒无常，勃然道：“你这条软骨头！连驳也不敢驳？你若如此，外边谁能服你？”

老皇帝挨了几脚，慌声说：“不敢不敢！您怎能与那些猪狗相比？您是天上的神，您就是朕的再生父母！”

邪魔轻鄙地说：“见你平素道貌岸然，竟是这等玩意儿。亏外边人都对你顶礼膜拜，视如亲父。

老皇帝腿根都在打战，他如今一心想做个真万岁，巴不得邪魔多吃些，好给自己返老还童，续命百年。于是他拭着汗说:“您挑着谁，朕就抓谁！”

“若是他们说你昏庸无道，你该如何？”

“杀！”老皇帝垂袖挤笑，“通通捉去诏狱，叫他们脱层皮、认清罪、断个腿，再扔乱葬岗里活生生地喂狗，谁敢说，就杀谁！”

“那便去。”邪魔立于黑暗中，教唆着。”

老皇帝闻身而起，他撑着桌椅，“哐当”连磕到台面下，又颤着手扶稳冠冕，爬起来摸索向台面。他指摸过冰凉的台面，疑心道:“在，在哪儿……”

“在这。”净霖指尖轻磕，台面陡然亮起青芒。他独坐已久，此刻冷面褪脂粉，仅存着寒杀凛然。

老皇帝猝不及防，惊声连连，仓促后跌。他后爬时撞着邪魔的腿，被邪魔球一般地踢回去。他滚到桌腿边，捂面忙声说:“不是朕，不是朕！”

邪魔半身隐于阴影，腿边滑落厚重的大氅。他站在原处，突地纵声笑起来，越笑越猖狂，笑得暗室门“砰”声紧闭，笑得净霖缓皱起眉。

“你丧尽天良，藏匿于此，操纵万乘之君祸害万千人命。”净霖说，“你是谁？”

邪魔的身量在昏暗中渐渐变化，他倏地弯腰而出，似如掀帘一般露出脸来。

“在下净霖。”那相似的眉间孤高含冷，带了三分狂意，“负咽泉而至，为除魔而来。”

净霖霎时抬眼。

055章 咽泉

“净霖”端详着净霖，他不苟言笑，眉梢覆霜，抬身时的动作都与净霖一模一样，甚至连那掸袖时的垂眸都别无二致，活脱脱的就是净霖。

“除魔卫道。”他淡声轻嗤，“舍我取谁。”

“天地英才。”净霖喉间微涩，“皆可取代。”

“此心铸剑，再无能相提并论者。咽泉面前，所谓英才皆沦庸人。”他稍顿，连话音都仿得如同一人，“试问同门诸位师兄弟，谁能比肩？”

“狂妄。”净霖轻吐两字。

“够狂才配得上临松君。”他阴鸷地说，“临松君便要够狂，够傲，够铁石心肠，否则何谈卫道？否则如何杀生？否则怎样弑君？”

净霖望着的是自己。他深知邪魔在乱他心神，却无法置身事外。他这样冷冷地盯着自己，好似看到几百年前，他便就是这样的狂。

回头是岸。

那日真佛慈悲地说。

净霖，回头是岸。

可是净霖说了什么?

邪魔抬手拔出咽泉，只见钝鞘藏纳的寒锋“锵”声而出，流汞一般的剑身蓦然现于暗室。他踏上阶，一如五百年前，净霖垂剑踏上九天台。

“明堂正道的临松君。”邪魔与净霖对视，似乎净霖自己问自己，“我怎没能守得全尸呢？”

“身泯三界。”净霖说，“死得其所。”

“手刃慈父的滋味真是痛快。”他曲指掸剑，“那一剑划过脖颈，便见老爹人头落地，血如泉涌。那可是天底下最最疼爱我的脑袋，从我的脚边滚掉台阶，骨碌骨碌，三界的共主便改换他人。我握剑卫道，终沦人畜，杀父弑君，一身尽毁，这是何等的痛快！”

净霖指尖渐紧，唇线收抿，仍旧平稳地接道：“不错。”

“我便死了。”邪魔“啪”地折断剑身，丢弃脚边，居高临下地冷笑，“我平生杀人无数，最恶苟且，可是看我如今，也须苟且偷生，也在苟延残喘。这人世轮回妙不可言，彼时的天之骄，而今的窝囊鬼。”

净霖说：“不错。”

邪魔看着净霖，讽笑渐响。他仰颈看向黢黑，浓雾自他身后散聚暗室，笼住了净霖的眼，也盖住了他的脸。他说:“你怎么没死干净？”

“约是旧债未还。”

“你怎么有脸残喘至今？”

净霖说:“心中有愧。”

邪魔身化于浓雾，犹如贴耳风，好似梦魇影。他游走在净霖耳边，雾已然笼罩了净霖的全身，连五指也看不见了。

邪魔幽咽地说:“你心中有愧？不，你是临松君，你是无所不能浩然正气的临松君。你斩杀手足毫不眨眼，你没有愧疚，因为你连心也没有。”

净霖隐痛，他不知哪里痛，他许是真的没有心，在这般的指责中连眉头都不曾皱过。

雾间豁然大开，眼前山云缭绕，群松风浪。九天门架台面迎八方客，万众盛聚，只为观一场强斗。但见那一列诸子，各个都白袍银冠，气宇轩昂，却仍有一个单膝跪于君父座下，起身时如鹤立鸡群。

他转过身来，净霖见得了自己。

“那一天你剑守门台，三十三场皆无败绩，力挫群雄风光无限。你从不回首，你必然不知，我们在背后站了同样久，却连父亲一声宽慰也求不得。他扶着你的臂，亲自为你戴冠，甚至叹九天门中再无旁人。你净霖是九天门的剑，是九天门的脸，那我们算什么？”邪魔自嘲，“你见着我们，似如见着泥、见着草，你瞧不起同门师兄弟，你心以为我们瞧得起你？”

净霖疑心自己结疤的某处被掀烂了，正搅着肉，黏着皮，往外淌血。

“无妨。”他哑声说道。

“你素来高人一等。”邪魔说，“你以为道在你身吗？你送我上路时，连句话也不肯捎带。你这样的人，你怎配称自己为‘道’？”

“我杀你。”净霖说，“无错。”

邪魔即刻溢笑:“你无错，你怎么会认错？你即便是天底下最狠的人，你也能道貌岸然像个人。可笑，可笑！你蒙蔽左右，你以为你就是人了？”他猛然降下温度，切齿道，“你根本不明白，常人不会斩手足、弃人欲、杀父亲！常人都有

血有肉，常人的心铸不出剑。你道别人是魔，你自己呢？你是个什么？你何不饮剑自刎！”

净霖不动如山，他道：“似你如何，常人便能夺人女，掠人财，杀人母吗？”

邪魔说：“弱肉强食，合该他们受！”

净霖转目，平静道：“既然弱肉强食，我杀你无错。”

邪魔喉中咯咯笑，他道：“你心中有愧，噢——你愧，你见死不救，也是弱肉强食吗？”

邪魔融身消散，周遭暗下来。净霖汗已沁衣，他听得左边突然传来稚儿呜咽声，女孩儿啼哭地喊：“九哥、九哥！瑶儿好痛……九哥！”

净霖的掌心一紧，竟连指甲也握断了。他喉间一个字也吐不出来，仿佛浑身浸在火中，泡在冰里，疼得他发抖。

女孩儿绊在黑雾间，没了双腿，痛得打滚。那雾犹如熊熊烈火，烧得她破了音，肝胆俱裂地喊着：“九哥……九哥救我……”

净霖猛进一步，他齿间细微地响，连青筋都露了出来。

右边忽然又腾出一少年，青涩未消，满目惊恐地看着净霖。他抱头瑟缩，哽咽求道：“九哥，九哥不要杀我！九哥……求求你！我知错了，我知错了！”

净霖狼狈止步，回首望去。

少年哭得面容紧皱，他沙哑着扑跪，抱着净霖的腿，仰头哀求：“九哥！我必不再犯！求求你，求求你啊……”

女孩儿也爬了过来，他们拉住了净霖的衣角，如同拉着救命稻草。净霖不动，那少年先发出痛极的喊声，胸口血涌。

“九哥……别杀我……”少年蜷地下沉，扒着净霖的鞋，滑出几道血指痕，他最终被吞下去，只见临尽前怨毒的目光追着净霖，轻蔑又憎恨。

女孩儿也贴在地上，指间还攥着净霖的衣，却已经没气。

净霖喉间终于溢出喘息，他想要搀扶着什么，周围却空无一人。背后突然响起脚步声，净霖再次回首，见黎嵘错愕地看着他。净霖犹如煎煮在这一刻，因为正是这一刻，他与黎嵘兄弟反目，直至他死，都不曾再与黎嵘称过兄弟。

黎嵘说：“休要查了，以命抵命，我已带回来了。”

他松开掌，龙鳞簌簌掉下来。净霖退一步，齿间渗出血味。

黎嵘说："你这样赶来，已经晚了。这便算了结了，好不好？日后不要再这般做，师兄能替你扛的，仅此而已了。"他跨近，"净霖……"

净霖陡然阖目寒声："滚出来！"

一切情景皆消散，邪魔登时化风吹拂，他笑说："你贪不贪心？你一心以为自己能救，可笑你两头皆误，谁都没救得！临松君，你谁也没救得！"

"你该死！"净霖灵海骤涌丝缕灵气，他的发登时荡起，只见原本空荡的地方迅速旋灵滚冲，一把斑驳旧剑覆血隐约而现。

铜铃"叮当"，京都中的铃铛一起波荡，形成铃声浪潮。

邪魔纳雾现形，竟是方才哭求的少年。他面如纸糊，似笑非笑："凭你如今废物样，妄想再定我一场生死吗？净霖！你可知你一剑掼心，容我跌入血海，熬受那万魔噬心之苦！我每一日、每一日都在恨！我受百般苦楚！便是为了有一日报仇雪恨！"

"恨。"净霖齿间咬着这个字，他目光如霜，"这天底下，谁胆敢与我说恨！"

邪魔手划半空，只见一把酷似咽泉的剑应声而出。他气焰滔天，轻薄地"呸"一声，说："我先吞群山之城万人在肚，又吞笙乐半具神躯，今夜即便是黎嵘来也不能全身而退！"

暗室倏而爆开，老皇帝咳血藏进帷后，见青芒冲现，天河倒逆。邪魔手持长剑，迅闪至净霖身前。剑锋"砰"撞，净霖分明手无寸铁，却见邪魔的剑阻半路，那劲风随青光刹那卷掩两人之间。

"我手握咽泉！"邪魔剑如疾雨，砸得净霖衣角撕裂，他狠声，"我潜心学剑，我已将你仿得一模一样！这世间便能没了你，自有我顶替！"

火花乍擦，净霖在邪魔暴发的罡风中猛后滑几寸，邪魔就势而上："我要临松君这个名字变得更脏！更恶！要不仅我恨你，天下人都恨你！"他疯癫大笑，"净霖！杀万人是你，灭天良是你！你便该死！"

净霖隔剑看他，道："无名杂铁，其名不配。"

两人陡分，又撞在一处。邪魔滔天灵气，只见夜幕荡风，云间涌簇，惊雷猛

炸。净霖不敌灵海，却能拨斤化力，双掌被刮得红线登现，淌下血来。

天已色变，这魔所言不差，他先吞群山万人，又偷食笙乐女神半具神躯，更兼血海魔浪洗涤，就是醉山僧来也挡不住。

净霖衣袍顿起，他竭尽的灵海间听从铃声风铸残剑，掌间立化出一半剑身。那曾经叱咤天地的咽泉剑现随其主，刃锋豁口连绵，尽削锋芒，破得不能再破！

邪魔掌中翻刃，说："云生该谢我！你活着，他自寝食难安！如今我提你项上人头前去见他，可不是皆大欢喜！"

净霖凝力挥剑，只见剑气隐风扫荡。邪魔却抬臂化了，照猫画虎回荡一击。狂风袭面，锋刃劈头。

净霖已握住了尽现而出的剑，那残破的旧剑一落掌心，他便气势磅礴，纵然灵海相差悬殊，却仍如磐石稳立狂风暴击之前。

净霖轻轻地，吁叹一气。

紧跟着宫殿的地面轰然被砸翻，血水夹杂着湿汗迸溅在净霖的手背，一股浩瀚强力遂灌臂而入。净霖灵海倏忽暴涨，咽泉血锈一瞬而消，那寒芒骤乍，见得轰雷之间，一道剑芒携浪惊天。邪魔的剑畏戾气，刹那崩断。尤看星云突变，风浪嘶吼，这一剑势如千军万马，荡平万丈。

咽泉出鞘，鬼神跪服！

邪魔迎刃嘶声，风割周身，血花浮现。他痛声低吼，掌间的剑碎成齑粉，散尽风中。净霖颊面迸血，他喘息微伏，于这天崩地裂之间屹立不倒。

咽泉消散，净霖晃身几步，定定地望着咫尺。

苍霁在那阴冷的目光中几欲却步，可他头次见到这样的净霖，这样眼神含煞，通身杀意的净霖，竟觉得诡异的快活。

056章 再疑

老皇帝早于坍塌中抱头鼠窜，他见邪魔挨了那一剑，雾气大减，露出原本极瘦的少年。天地异象雷鸣不休，竟没有半分遏止的模样。

“他魂纳万人，口吞笙乐，已铸成大魔之躯。我修为不及，恐难驱退。”净霖手指上的伤口变得又疼又痒。

“见他细皮嫩肉。”苍霁说，“索性让我吃了了事。”

净霖收回手，侧身而立，与邪魔遥遥相对。他说：“他原身已死，现下的这一个，是在血海重筑出的血肉。”

“怎么。”苍霁也侧过身望去，“还泡胸了吗？”

净霖无言以对，苍霁便说：“你猜我方才吃了什么？”

净霖说：“……什么？”

苍霁摊手，显出一点鞭屑。他如同偷食人家紧要物的餍足狮子，有点炫耀的意思，却全然没有愧疚的意思。

净霖顿了片刻，说：“你吃了梧婴？”

苍霁不觉有异：“他带着人挡了路，一串似的往我怀里扑。”

这肥鱼好不要脸，分明是他抡了梧婴的鞭子，拽着人家吞了干净。眼下却一脸茫然，好似不是他有意吃的梧婴，而是梧婴逼着他吞咽下肚。

净霖虽深知他有食灵之能，却没料得他如今竟能逮谁吞谁。适才从黎嵘掌心跌出鳞片一个个砸在他心口，叫他深深地看着苍霁。

苍霁说：“你怎跟人跑了一趟，还红了眼，他还敢欺负你不成？这小子一直两眼放光地盯着你，你俩什么干系？”

净霖攒眉，劈手擒了苍霁的肩，就要细观苍霁的本相。谁知苍霁脚下支力半扫，竟顺着净霖的手转了一转，背抵在他胸口，扣着他手腕直接将人背了起来。

“不老实作答还欲下毒手。”苍霁颠他一下，“好狠啊你。”

净霖被颠得险些吐出来，他如今本就浑身脱力，咸鱼似的伏在苍霁背上，

说:“铃铛牵引就是为了寻他，今晚万不可叫他脱身。”

苍霁反手在净霖腕间系出莹线，身已闪离原地。但见云间雷声滚滚，方才站立的地方青烟直冒，邪魔于烟雾中森然回首。

“九哥，你已沦落到这般境地了吗?”他擦粉般的白面上嘲弄作笑，“也罢，你本也不是头次了，正所谓熟能生巧就是了。”

净霖不曾理会。

邪魔提掌就打，他身法甚玄，苍霁从其中摸出点净霖的影子。可偏生巧了，他跟净霖挨了这半年，吃得不多，学得却不少。当下捉弄着邪魔，只叫他打不着、够不到，甚至还要品几句。

“学谁不好学你九哥。”苍霁避身擒住邪魔一臂，跨步就要抡他一下，“没他日夜敲打，不过是东施效颦，贻笑大方!”

邪魔的手臂陡然化作烟雾，逃出一式，紧跟着再于烟雾中化回人臂，劈手向净霖。净霖足尖轻踢苍霁腰侧隐秘处，只见苍霁顿时弯腰，矮下几寸，让邪魔扑了个空。

苍霁捉住净霖作乱的脚，回头骂道:“再踢我就笑了!”

他腰侧痒肉平素只有石头知道，也不知净霖是摸了个巧，还是石头告了一状。不论如何，苍霁眼下都不及再谈，因为头顶电闪雷鸣，没头没脑地往下砸，若是挨一下，便算提前渡劫了。

邪魔掌心拢剑，在电光间击得苍霁节节后退。苍霁晃身过刃，翻腿踢得那剑身“咔”声欲断。邪魔指间一掂，剑身倒提，刹那间反推向苍霁腰腹。苍霁见他剑锋破风，直掼而下，自己肩头骤重，净霖赤手握剑，那剑身登时如陷冰水，霍地融了。苍霁趁机一力掼得邪魔前胸，将其一拳击退。周遭烟雾霎时而退，天间雷鸣已如咆哮。

邪魔不仅毫发无损，甚至在打斗间面色渐润。苍霁欲继力而击，净霖却猛拽他后肩，苍霁因此侧身滚地，一道天雷轰鸣砸在咫尺，击飞的碎石尽撞在苍霁肩臂。苍霁还不及起身，净霖便屈膝顶他腰腹，苍霁身躯一歪，净霖已翻身而上。

那如蟒般粗细的天雷劈面盖下，净霖潦草画符，但见青芒大盛扑挡在两人

背上。天雷猛砸，苍霁受重时见净霖脸色一白，偏头呛血。

邪魔淋雷而立，他闲适挥臂，见京都万屋皆伏脚下，不禁道："当年我等为收这中渡万里浴血奋战，可而今却归化于人，沦受妖众在此作威作福，凭什么！妖与魔不过一线之隔，既然他们能存此地，邪魔便无须退居血海。净霖，你可曾睁眼看看，你早已无用武之地，不论是九天还是中渡，皆不需一个临松君！"他盯着净霖，"你的死早成定数，可笑你却浑然不知。当年你因查案而死，今夜你亦为查案而丧！你苟且一回，竟还没悟透——你是不是该死！"

他声音未落，便见眼前劲风忽起。他烟雾突扫，立剑向前。谁知苍霁于他身后腾起一脚，雷鸣中再惊响轰轰烈烈的坍塌之声。邪魔被撞进废墟砖瓦之中，挺身掸剑。雾正阻在苍霁拳前，只听"砰"声震耳欲聋，剑身竟曲而折断，苍霁登时击中邪魔前胸，一臂贯穿！

然而下一刻，苍霁便知不妙。因为触感如陷云间，果看邪魔着地化为烟雾，苍霁背后的衣衫立刻挣裂，挨了一剑。邪魔剑锋受挫，竟插不进苍霁的皮肉。他定睛一看，那烂开的衣衫下露出一层坚硬暗芒，赫然是层鳞片。

"你！"邪魔嘶声立退，惊恐不定，"竟是你！"

苍霁肌肉健实，鳞片速融于肤，再看时鳞片已不见踪影。他衣难蔽身，索性扯了破烂的上衣，赤臂见人，大步踏向邪魔。邪魔不肯再贴身近搏，投于雷鸣间化风融雾，竟是要逃的样子。苍霁跃步凌身追他而去，他却隐于青烟之中，顿散向四方。

净霖即刻脚颠石子，侧拍而出。石子凌飞疾追，青烟啸声浮出人面，凄厉喊道："来日再会！"

雷震骤雨，青烟顿无踪迹。

净霖立在雨间，翻过手掌。他手背上划痕道道，血却一滴不流，这是苍霁舔过的功劳。他心思如海，耳边回荡着邪魔方才的那一声"竟是你"。他再看向苍霁，苍霁正立坍塌的高檐上，轮廓隐现在惊雷电闪之中，感知到净霖的目光，遂望了回来。

净霖说："……他分明占据上风，却不战而逃。"

"想我气度不凡。"苍霁跳下来，"他跑也是情理之中。"

净霖仍望邪魔逃跑的方向，苍霁弯腰扛起他，说:“此子狡诈，不好追。京都大乱，九天境的人怕已在路上，倘若再遇上醉山僧又是一阵纠缠。你站都站不稳，今夜便罢了。”

净霖鬓边淌水，始觉疲累。他淡声说:“放我下去。”

苍霁踹开废瓦，不理会，只问:“千钰在哪儿?”

净霖也不理他，苍霁直接将雨水尽擦净霖身上。他说:“你俩是抱作一团吗?满身经香，泡上一个时辰也洗不掉。”

净霖凉手拍苍霁后颈，冰得他一阵抽气，宁可赖着净霖骂几声，也不肯放人。净霖被他颠得脑门几次磕在他背上，越发昏沉。

“千钰压底下了。”净霖眯眼见自己鬓边滴下的水净往苍霁后腰滑，不由地撑着他肩骨，想甩远点。

苍霁一手摁在净霖腿后，一手掀开沉重的梁木。他在这样的大雨中，竟还热得如似火炉。

净霖听到动静，说:“千钰在下边!”

“找着了。”苍霁一臂拖出千钰，见他珠钗滑鬓，便说，“他怎这个打扮?”

“……陶弟喜好美色。”

“陶弟?”苍霁拍着千钰的颊，嘴里问，“你兄弟?”

净霖嗯声，说:“千钰陷了魔障，你放我下去，我叫他。”

“我偏不叫你着地。”苍霁冷笑，“长腿就跑，连个招呼也懒得打，还想落地?你就长在我身上。”

净霖一愣，说:“你怎不叫我再开个花。”

“你尽管开。”苍霁拎起千钰，根本不讲究怜香惜玉。

千钰痛苦呛声，翻身就吐。

苍霁抽了净霖的帕抵给千钰，说:“闲话少说，我便开门见山了。你认识楚纶?”

千钰抬起头，发缕贴颊，他并不接帕，而是自己擦了唇角，说:“我自认得他，我怎会忘了他?他谋私篡命，左家郎之死与他脱不开干系!”

“命谱一事楚纶既不知情，怪罪于他未免太过。”苍霁顿了顿，“你也要杀他吗？”

千钰冷笑砭骨，他仰头淋雨，说：“不知情？不知情！你当他不知情？不！他心知肚明！他蓄谋已久，他早欲陷害左家郎！他病的不是身，而是心！此人不死，左家郎难以瞑目！”

净霖说：“此话怎讲。”

千钰扯掉珠钗，擦净面容，说：“此事该从三年前说起。”

057章 雨夜

“天嘉九年，楚纶入京赴考。此行让他第二次落榜，为此归程以散心为主。他没有走西江水路，而是乘马车南下。他离京时囊空如洗，左家郎赠了他盘缠，并且为他打点了沿途驿站。这一年原本平平无奇，只是我后来思量，便是从这一年起，楚纶识得了刘承德。”

千钰倚在棺侧，望着左清昼。他将左清昼的尸身藏于华裳客栈之下，镇冰填香，四周堆积的皆是左清昼生前的藏书。

“你怎知道就是这一年？”苍霁穿上喜言捧来的新衣，系腰带时侧看一眼，见净霖虽撑首假寐，却并没有真的打盹儿。

“我查了督察院的行档，天嘉九年刘承德下巡南方，不仅与楚纶路线重合，就连时间也碰了巧。他俩人在南边相识，也正是此行之后，楚纶在信中频频提及刘承德可以托信。”千钰轻声说道，“当时正值局势危机，京中已有人开始怀疑左家郎。刘承德来得太巧，正是左家郎迫切需要援手的时候。他经楚纶与左家郎相见，告诉左家郎此案之难不在牙行，而在朝堂。左家郎也因这一次会面，认为刘承德德行出众，故而特拜在刘承德门下，结以师生之名，方便行事。”

“他既然能骗过左清昼，那么能骗过楚纶也并不奇怪。”苍霁坐下来，说，

"后来呢？"

"还是天嘉十年，左家郎借父兄之手上奏弹劾下巡御史监察不力，纵容各地拐卖猖獗。彼时皇帝还会上朝，听闻此事传召涉及案子的各地府衙入京禀报，但所到之人皆一口咬定绝无此事，左家因此名落千丈，备受指责。"千钰说，"左家郎生性谨慎，若非得了什么确切证据绝不会贸然行事。当时刘承德暗中力挺，让左家郎越发感激。但也正是此时，刘承德劝说左家郎与楚纶暂断来往，使得左家郎与楚纶后来的消息往来皆要经他转述。"

"桥。"净霖突然睁眼，如此说道。

"桥？"苍霁转念一想，倏而记起他们在铜铃虚境中的交谈。净霖曾经猜测左清昼与楚纶自天嘉十年之后仍有消息来往，只是不再凭靠书信，而是某种渠道，却没料得就是刘承德。

"我怎未想到。"净霖紧皱眉头，指捏眉心，"刘承德身为督察御史，能够借职责之便出入京都内外，他又深得这二人信任，若能通消息，只能是他了。"

"不错，只能是他。"千钰说，"天嘉十一年的消息皆由刘承德传递，局势随之变得越来越紧张，朝中已有人锋芒直指左家郎，左家于京中的处境越发艰难。案子推进迫在眉睫，僵持不过数月，刘承德奉命去往东乡巡查，他再次与楚纶碰头。然而就是这一次，他做了一件事。"

"何事？"

千钰撑身而起，在桌前倒了杯茶，端起时对净霖抬了抬，说："刘承德送了楚纶一支笔。"

净霖心中陡然一沉，他面色不变，说："一支笔？"

"正是那只笔妖带来了变数。"千钰仰头一饮而尽，"我虽未曾探查过楚纶的命谱，却对左家郎的命谱心中有数。按照命谱，左家郎十二年当中状元，十七年皇帝暴毙身亡，新帝三年左家郎会彻查这些案子，中渡各地一个都逃不掉！东乡、西途、群北，南下，但凡参与此案的大小官员全部陈列大理寺。朝野肃清，旧案昭雪，左家郎因此登顶内阁，一世坦荡！这其中根本没有楚纶，也不该有楚纶，可刘承德偏偏在紧要时送了楚纶这支笔。"千钰眼底露出恨色，"这支笔篡改命谱，搅乱凡人生途，致使左家郎蒙冤入狱，遭受那百般折磨！"

“这支笔。”净霖隐约有更大的猜测，这使得他一直笃定的想法再次被推翻，乱成麻团。他沉眉说，“你怎知道这支笔有篡改命谱之能？”

“我不知道。”千钰扶桌俯身，狐狸眼神毒辣，“我若知道，我必先杀了刘承德，再折了这支笔。正是因为我不知道，才任由他落入楚纶之手。我后来再入黄泉，发现命谱经人翻动，改得面目全非。这天底下能有这等特殊之能的笔，唯独颐宁贤者的而已！可是多奇怪！颐宁贤者便半分不知晓吗？他将这支笔掷落中渡——难道九天境中的诸神已经沦落到参与人事，为虎作伥吗？！”

净霖说：“颐宁为人刚直，此事许有曲折。”

“我不信。”千钰一字一字地说，“这天底下的神佛妖魔，我全都不信。我只信我的眼，若是他们皆参与其中，即便是颐宁贤者，甚至是九天君神，我都会一一列清，让他们挨个给左家郎偿命。”

净霖手指半遮住狭长的眼，他盯着千钰，说：“你若有此等本事，左清昼便不会死在狱中。”

千钰唇间泛红，他呼吸急促，指间紧绷。

“你私与凡人结缘，再滥杀生灵，经由追魂狱或者分界司追捕，便是投入畜生道。只要再在你命谱上提几笔，别说做妖，就是当畜生都难保性命无恙。”净霖疲惫地闭目，过了半晌，才说，“你知我因何而来吗？”

千钰别开头，涩声：“听闻是为了个铃铛。”

“不过是托词。”净霖说，“我为左清昼而来。”

千钰当即退身，说：“你，你们……”

净霖再睁眼时已一片冷清，他说：“实不相瞒，我们二人身负委托。左清昼的委托只有三个字，你若还能冷静，我便告诉你。”千钰看着净霖，净霖却翻起茶杯，话锋一转，“但你不能跟随我们二人继续查案。”

“我不会放……”

“左清昼尸身能置多久，一个月，一年？他已经死透了。”净霖冷酷道，“他会在你眼前腐烂消失，你连回魂的机会都没有。”

“这与你何干！我自有法子。”

“这与我无关。”净霖说，“只是与左清昼的委托有关。”

“你骗我。”千钰盯着他，“与我形影不离，他不会瞒着我做什么委托。”

“就像你以为命谱万无一失。”净霖说道。

千钰惊疑不定，说：“你若真心相助，为什么偏不许我查！”

“我并非助你。”净霖说，“左清昼这具凡躯已经无用，你当务之急不在这里。即便我许你查，你也到此为止。你身为狐妖，本已越界，现下又追查这等事，除非你与华裳一样，还有命替。不过你狐尾已断，如今只会碍手碍脚坏我查案。我依左清昼的委托给你指条生路，葬了这具尸身，去黄泉离津口等个人。”

“等谁？”

净霖笑似非笑：“你此生会等谁？”

千钰忽地张大眼，他拽住净霖的衣袖，急声：“鬼差拿了他的魂，我追去黄泉时已错时辰，他难道还没有投胎？”

“鬼知道。”净霖从他手中拉出衣袖，说，“鬼差办事素来喜好偷懒，你等一等，兴许呢。”

“你若是骗我，”千钰说，“你……”

净霖忽而正色，说：“离津来往魂魄众多，没有一万也有八千。你须得一个一个找，一个一个认。但若连这次也错过了，便真的见不到了。”

千钰怔怔，净霖起身，说：“左清昼的委托只有三个字。”

千钰说：“……你说。”

净霖说：“放不下。”

千钰倏忽就红了眼眶，他转头望向棺材，无语凝噎，信了八分。

出来时苍霁撞净霖一下，用胸口抵他半肩，小声说：“你不是说左清昼早走了吗？”

“嗯。”净霖说，“不错。”

苍霁看着他镇定的眉眼，“啊”一声，说：“你诓他啊。”

“是啊。”净霖说道。

“诓他做什么。”苍霁说，“他若找不到，岂不是比没有找还要痛苦。”

“你不是说。”净霖抬头，“不要他忘了左清昼，既然不忘，就记到死

吧。”

“不对。”苍霁仗着身高堵了净霖的路，说，“你是见这案子已经查到了颐宁贤者，怕后续牵扯众多，他被人灭口。这么说，这案子确实关乎九天境中的人？”

净霖勉强动了动唇角。他看雨无止意，便跟苍霁并肩檐下，沉吟少时，说：“青楼中刘承德放出了一个镇门神阻拦你，对不对？”

“马鞭神。”苍霁说，“吃起来像纸。”

净霖忍无可忍地看他，说：“你吃了？”

苍霁心觉不妙，斟酌着回答：“……吃了一半，又吐出来了。”

“那确实是纸。”净霖想了想，不动声色地拍了拍苍霁后肩，无言宽慰。

苍霁面色一变，说：“纸？！”

“那是画神术。”净霖说着抬手，在空中给苍霁描画，“灵注笔墨，画图成活。九天境中厉害的人，大可离纸画物。醉山僧不行，但是东君就可以。”

青光随着净霖的指尖游转，在雨帘间突地变出一尾肥鲤。鲤鱼“扑通”跃入雨中，在半空游动几下，化作青芒散了。

“换句话说。”苍霁靠柱，垂眸看净霖，“君神才能离纸画物，可那天的马鞭神是覆在纸上的。”

“玄机便出在这里。”净霖说，“即便是画物，也不是谁都能画得如此精妙。九天之上，有此画功的人不多。”

“那只邪魔既然是你兄弟，难道他也画不出？”

“陶弟自幼顽劣。”净霖对苍霁顿了顿，说，“除了画老龟最精妙，其余的皆是画猫成鼠，画狼成兔。那样精细到盔甲纹路一并俱全的镇门神，他就是再活五百年也未必画得出。”

苍霁望雨，说：“果然要牵扯到九天境。”

“不仅如此，我们还知道更多。”

“比如？”

净霖擦拭掉手背上迸溅的雨珠，说：“据我所知，能画到这个地步的只有一个人。”

苍霁说："颐宁贤者？"

净霖却不答，而是说："醉山僧多日不现，倒挺想念。"

"你是想念醉山僧，还是想念他的刚正不阿。"苍霁莫名笑起来，"看来我们净霖也要瞎眼一回。"

净霖抱肩，说："我与他本不相熟。"

苍霁学舌："是谁信誓旦旦地说'我不信乐言，却信颐宁'？老熟人一个都不靠谱。"他拍拍自己结实的臂膀，以示自己的宽宏大量，既往不咎。

净霖踢他小腿，苍霁反退一闪。净霖再进一步，踢是踢着了，上身却被苍霁伸臂一带。他宽衫罩头，带着净霖就往雨中走。

净霖几步之后，道："……有伞。"

苍霁眼望夜雨，对净霖说："几步路的工夫。"他停顿须臾，道，"这样才显得'气味相投'。

净霖一伞戳他在半腰，"砰"地撑开素面纸伞。

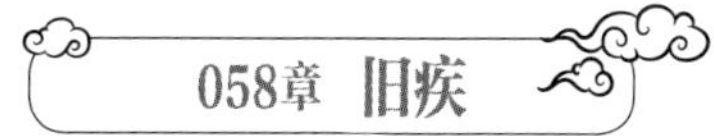

058章 旧疾

雨至楼前已近歇，净霖收伞时苍霁抬首，眺望云端风犹自呼啸，便说："九天境中会派谁来？若是醉山僧，这会儿也该见人了。"

"梧婴尚未接封便能执掌一方，在九天境中必有贵人垂青才能如此。"净霖轻轻磕着伞，说，"此事不小，来的即便不是醉山僧，也有你我受的。"

他二人抬步上梯，见梯口灯笼溅雨沾湿，正滴答着水珠。净霖绕栏转身，与苍霁一前一后到了楚纶门前。

"无人。"苍霁在锁上一抹，便将门推开，"笔香消散无形，这小妖早有准备。"

门中摆设依然如故，净霖手贴在桌上茶壶肚，说："余热未散，才走不久。追得上。"

乐言屏气凝神，待了片刻，确信净霖二人已离开，方才从床下滚出，将楚纶也拖了出来。

“慎之？慎之！”乐言推着楚纶，“你可还好？哪里难受？”

楚纶烫度不退，含糊道：“不必惊慌。”

“怎的突然就成了这般？睡前还好好的。”

楚纶一阵冷一阵热，面色不佳，躺回床褥时双腿也脱力难动。乐言将他双腿抱上榻，匆匆为他盖上棉被，愁苦道：“自入京后你便时常发病，铁打的也招架不住。”

“无妨，日后月月都有俸禄可领，已不必再为没药钱发愁。”

乐言说：“今夜宫城闹得厉害，若是皇帝有个三长两短，你可怎么办？”

“翰林院已提了名，错不了。”楚纶勉力翻身，面对着乐言，说，“再等两年，待任了职，咱们便能有自己的院子了。你日日在其中，想做什么便做什么，不必再愁他人眼光。”

乐言略显雀跃，又极快地变作萎靡。他说：“可我心里忐忑，总觉得不妙。”

楚纶说：“你分明是为我改的命，却让自己日夜煎熬。”

乐言说，“……只是我还是很怕。分界司把守中渡各地，我忧心他们迟早会察觉此事。”

楚纶说：“不论如何，总会好的。”

乐言惴惴不安，只点了点头。

正听屋顶掉下个石子，滚砸出一串碎音，最终融在笑声里。

苍霁叩了叩门，说：“这回可在了吧？”

乐言大惊失色，回头见净霖已立在门边。他登时起身，说：“君上何苦纠缠不放！”

“谁纠缠你？”苍霁提壶倒茶，说，“讲明白些，分明是你们何苦绕圈诓人，劳累我跟净霖四处奔波。”

“我……”乐言撑着床沿，说，“我已如实相告……”

“此话有待商榷。”净霖冷冷地说道。

乐言咬牙凝泪，说：“左清昼已死！此事已无力回天，纵使君上追查，也救不回他！”

净霖伞搁一旁，说：“所以如何？”

乐言挡着楚纶，终于哭道：“所以恳请君上，放我们一马！”

净霖沉默不答，看他哭得双目通红，楚纶咳声不止。比起第一次见，楚纶病气已深入骨髓，若非乐言改命那一茬，只怕他早该入土。

苍霁却将茶杯一掷，坐在桌上遥看乐言，说：“放你一马？你是救了人，却叫那狐狸痛不欲生。”

“人命谱生死有数，救一个，便定要死一个。我也是被逼无奈才出此下策，可我绝非蓄意谋害左清昼。”乐言说，“我愿一命抵一命。”

“人已凉透了。”苍霁淡淡，“现下再谈抵命未免太迟。”

“此事因我而起。”楚纶强撑起身，“若说抵命，也该是我……求请……”

净霖抬指，楚纶的声音戛然而止。乐言见他动手，不禁踉跄后退，看着他紧张不已。净霖却未靠近，只是站在原地，待他俩人安静下来后，才道：“闲话休提。”

“我问你。”净霖目光锐利，“你是怎么死的？”

楚纶觉得室内陡然变寒，他忍不住打起寒战。窗外的雨声缥缈远离，周遭什么都没有，只留下净霖毫无波澜的问话。楚纶垂眸，见自己手背已现青色，便顿了片刻，方才开口。

“我死在天嘉十二年。”他沉郁地说，“秋时。”

楚纶并非如乐言所言，孤苦伶仃，死在小舟之上。相反，他命谱间记载，他本该于十二年考中探花，与左清昼一同登入翰林，在秋时佳宴上因大胆直谏惹怒皇帝，被抄押下狱，旧疾加身，不日便死了。

“乐言不忍如此，便为我提笔改命。”楚纶侧目，“只是我们谁也不曾料得，为我抵命的人会是曦景。”

“是不曾料得。”净霖直言不讳，“还是心照不宣。”

楚纶咳声，乐言搀着他，他以帕拭血，对净霖说：“我与曦景，虽相隔甚远，却情同手足。我们既无宿怨，也无腌臜。我为何要害他？”

净霖并不理会，只是待他继续。

楚纶歇了半晌，说：“若是早知今日，我必不会让乐言为我奔波一趟。”他目中潮红，“害了曦景，我真该死。”

“乐言身为颐宁贤者的笔，怎会落到你手中。”净霖说道。

楚纶与净霖目光相对，他掩着口，慢声说：“……几年前刘大人见我贫寒，笔多用至秃杆才肯作罢，便随手赠了我一支，正是乐言。”

净霖似是了然颔首，又问：“你与刘承德甚好？”

“刘大人人品一流，虽身在朝中，却宁折不屈。”楚纶说，“我与曦景携手追查一案，便是经过刘大人才能查到今日。”

“我有一事不明。”净霖突然跳转话锋，“你乃一介凡人，如何知晓自己‘命谱’一事。”

楚纶稍顿，正欲开口，见净霖眼神深邃叵测，便不自觉地一滞。他又咳了几声，神色凛冽几分。

“……刘大人酒后闲谈，醉时告知我的。”

“他的酒后胡言你也信。”苍霁磕着杯沿，自得其乐，“你们二人竟比预料中的还要亲近。”

按道理，虽然楚纶有引荐之劳，可拜在刘承德门下的却是左清昼。师生情谊还不如相识之谊，如何也说不过去。

“刘承德告知你命谱一事，还以笔妖相赠。”苍霁伸出腿，说，“你俩关系岂止是甚好，简直‘情同手足’。若真有他这样的圣人，我都想要结识了。”

楚纶说：“惺惺相惜莫过于此。”

“他说了你的命谱，便没有提及左清昼的吗？”

楚纶勉强一笑：“没有。”

“撒谎。”净霖两字止住他欲继续的咳嗽，说，“你不仅知道你的命谱，还知道左清昼的命谱。你都知晓，隐瞒什么？”

楚纶压着声音：“见你二人来势汹汹，不明好坏，不敢轻率作答。”

“你确实谨慎。”净霖说，“答得滴水不漏。”

他得知左清昼冤死狱中，谈起时泪眼婆娑，谈过了便恢复如常。他与左清昼什么交情？是他亲口说的情同手足，手足死了，常人哪有这样配合至恰到好处的能力。见他对答如流，虽无辩解的神色，却话里话外将自己摘得干干净净。就算净霖唐突转开话题，他也能从容谨慎地得体作答。

“神君法力无边，何必为难我们。”楚纶越咳越烈，在乐言的拍抚中看向净霖，怆然道，“我不过是捡得了一条命，却仍然是个病秧子，既不敢也无法愚弄神君。”

“你因‘病’而壮志未酬，‘病’才是你原本的归宿。”净霖说，“但自从乐言篡命那一刻起，你的‘病’便已经治愈，你因此得以新生。既然活下来了，又何必再装成病秧子。”

楚纶汗湿鬓角，他郁色不展，听闻此言竟愤而欲起。乐言搀着他，不解净霖所言。

净霖说：“若是大病立除，自会让人怀疑。事已至此，要做就做得彻底，既然死不了，不如再想方设法让病气遮掩。刘承德怕左清昼不怕你便是因为你病得厉害，眼看你命系药罐，他再无后顾之忧，你亦能顺利行事。可他哪知你早已不是病在身体，而是心里。”

“欲加之罪何患无辞。”楚纶唇呛出血，他扯帕相抵，盯着净霖，“因为我活着，神君便定要给我指罪？”

“我不过猜测一番。”净霖从苍霁手中接过茶水，饮下润嗓，“你便已觉得自己有罪？”

“曦景之丧人神共愤，可那绝非我之授意。我从未谋害过一人一物！”

“你自然没有。”净霖摸着杯上的余暖，说，“我只握过剑，今日方才明白，原来握笔的人更加了得。”

“君上此言何意？”乐言红着鼻尖，呢喃道，“慎之一直在我身边，从来不曾害过谁……即便是改命一事也是我一意孤行……”

“因为杀人的是你。”净霖侧眸，“是刘承德，是皇帝，是那背后更加莫测的人，却唯独不是他。他不过是偶然得知，无意促使。”

“我不曾。”楚纶握紧帕，几欲切齿，“我没有！”

“那就与我无关了。”净霖放下茶杯，真正地切入正题，“我只想知道，到底是谁，告诉了你命谱一事？”

苍霁坐直身，好奇道：“不是刘承德吗？”

“刘承德浮于表面，早已注定来日会被当作弃子一枚。他知道的，怕还不如楚大人多。”净霖说着点了点指尖，面无表情地说，“那么敢问楚大人，是谁告诉你的？”

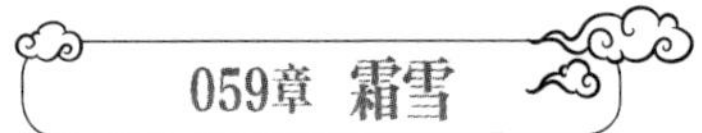

059章 霜雪

窗迎晨光，一线清明。室内椅座客满，净霖的白袖露出腕骨，在举止间愈现劲瘦。楚纶弯颈垂首，侧脸隐没在拭血的手帕中，连神色也变得晦暗不清。他眸光挪向乐言，见笔妖微微啜泣着望着自己，欲张的口就仿佛混入一团难以融化的雪，变得笨口拙舌，无从狡辩。

“君上所言的一切，我一概不明白。”乐言低语，“我遇着慎之时，他就是个凡人。凡人的事，本就无从琢磨，怎能因这机缘巧合而怪罪慎之？他如有此等能耐，便无须受病苦折磨。”

“唯一能怪罪他的左清昼已命丧黄泉，如今这世间再无人能对他说‘怪罪’两字。”苍霁说，“现下不过是询问他些许事情罢了，怎也这样吞吞吐吐。”

“子虚乌有的事情，慎之自然答不出来的！”乐言倏忽张臂，挡着净霖的视线，哭道，“你们怎么还不走！”

“这儿风好。”苍霁搭腿，优哉地说，“你今日就是哭塌了这楼，我也不会移座。”

乐言被他闲适的模样气红了脸，又恼又怒，只肯挡着人，不许他二人再看。

净霖指尖微顿，突然对楚纶说：“你见他百般护着你，便没有分毫回护之心

吗？”

楚纶咳声渐重，说：“神君若不这般步步紧逼，我们也无须这样苦苦哀求。”

“若是今日这样算是步步紧逼，那么来日的苦楚就是疾风骤雨。”净霖说，“天命岂是他随笔一提便能更改的事情？他为你私自篡命，分界司岂能放过。所有苦楚皆由你们两人背负，那多舌之人便可坐收渔翁之利。你这样为他人作嫁衣，可曾怜惜过这笔待你的赤诚真心。”

楚纶说：“神魔祸乱，与我们何干！既然要追究，何不从九天之上先开始！”

他音方落，便见净霖唇角似闪笑意。

“如能从九天之上追究干净。”净霖讽道，“他又何必绕到你这里来。”

楚纶久滞，再看向乐言，心思百转，便已松了口风。他道：“告诉我此事的……”

晨光忽扭，听得空中轻微地发出“铮”声。苍霁鳞片陡然覆现在双臂，他嗅觉灵敏，从椅上顿时暴起，将净霖扑滚于地面。净霖落地不忙，一手画符猛拍向乐言两人，青光大现包覆于他俩人周身。屋顶“啪”地沉坠而下，木断瓦碎的瞬间苍霁再次听到那铮声倏地破风冲来。

来得慢，却寻得快！

乐言捂耳痛吟，已受不得这声音撕裂穿空。楚纶罩拢着他的双耳，却见他仍痛得耳间溢血。

屋顶已破，洞口劲风猛灌，苍霁见得一支冰铸长箭夹着汹涌寒气倏射面门。他陡转灵气，欲徒手擒箭。

净霖提声：“不可！”

然而长箭已突至苍霁眼前，苍霁阻手握住箭身，在净霖的声音中清晰见得长箭身迸裂纹，登时爆开。冰刃扑面，锋利逼人。苍霁颊边划破口，紧跟着暴雪顿袭，寒冰从他指间迅猛攀升。苍霁手臂一沉，竟被冰牢牢冻住。下一刻寒冰突收，拽着苍霁破开墙壁，陷入大雪之中！

此刻时值盛夏，原本酷暑难耐，眼下都见整个京都屋盖白雪，天地冰封。

来的是谁？苍霁何曾与这等人交过手！他抬首望去，却见那半空而立的男人格外眼熟。

“霜雪箭并破狰枪，天地三界无脱逃。”净霖声音一哑，“来的竟是他。”

雪间人白袍迎风飘展，黑发垂背散于霜间。面上无遮挡，那原本盖眸的白缎带已缠于腕上，露着一双凌厉慑人的鹰眼，竟是西途一别的晖桉。

“冬日一别，不想能于此再会。小友身量已长，料想沿途餐食皆妙，吃得很饱。”晖桉微微一笑，“既已成器，何不造福一方，偏要沦于妖魔之间，祸乱人世？”

苍霁双臂被冻得坚固，他脱不出手，只得与人周旋，说：“士别三日，刮目相看。上回我见的西途掌职，与此刻的还是同一人？”

“自然。”晖桉言谈间让人心觉如沐春风，他说，“我受命镇守西途，掌职一方无须煞气，便将此弓藏敛于九天境，交由醉山僧代掌。可近来境中琐事繁多，听得京都有邪魔引来天地异象，追魂狱一时余不出人手，便只能差我这等不才之人前来一看。我见小友修为已成，若要切磋，还望手下留情。”

苍霁抬起双臂，说：“现下我手无寸铁，任你拿捏。不过容我讨教一句，邪魔乱京，与我何干？”

“原本无关。”晖桉叹道，“可那梧婴原定不日后接管一方，虽尚未册封，却已入了九天神说。你口吞灵海，齿碾本相，将他连魂带魄拆入腹中，已触犯弑神一律，捉你不冤枉。”

“原来如此。”苍霁拖着寒冰跨出几步，说，“我人已在此，来拿便是。”

“不急。”晖桉鹰眸移寻净霖，“另一位……”

净霖指尖收力，一地青芒乍现而出。巨符浮地而显，一股热流涌入苍霁周身，他灵海猛冲，但听寒冰“咔嚓”一声竟然碎开了。苍霁步掠惊风，白雪倏而扭转，如同碎花一般吹得晖桉发飞遮眼，他一时间看不清下方。京都各个屋檐下的铁马“叮当”碰撞，长风随之肆虐于街市间，顷刻间挂牌翻飞，灯笼逆风，乱成了一锅粥。

纷乱中听晖桉镇静地说：“我奉命而来，怎可无功而返。小友如不肯就范，我便只能强夺了。”

话音一落，面前风雪大破。苍霁凌身至于晖桉面前，只见那拳风一突，激得晖桉袍袖顿扬！

晖桉抬手相抵，只听拳脚交锋的声音传彻飞雪。苍霁拳风刚硬迅猛，身法却又飘逸难寻，两种截然不同的味道融于一体，铸成分外难缠的招式。晖桉见招拆招来者不拒，他步法应苍霁的招式而变，两人在细雪之下打得难分难舍。

不过须臾，晖桉翻手扣拿住苍霁一臂，行身如流水，转身抵肩一震。周遭飞雪登时被无形重压震荡开来，却见苍霁仅仅迟钝一瞬，转臂劈掌，打得晖桉反退一步。

一步既退，破绽即出！

比之不久之前，苍霁已被净霖练得沉稳扎实，焦躁如同浮叶一般被撇净，剩下的是不疾不徐步步为营。他眼见晖桉露了破绽，却并不直击而追，而是脚下为防，始终与晖桉保持不远不近的距离。

所谓“霜雪箭”便指的是晖桉的箭可化冰，形随风变，追人时上天入地皆不会退，叫人无处遁形才肯作罢。既然他的箭这般厉害，那便不许他射出来！

苍霁猿臂狼腰，腿长身健，一旦近身又有鳞片做甲，受击无痛，可谓棘手至极。他早已想起在西途相遇时，晖桉近身相搏分明落于下风，可见此人绝不擅长近搏，只是凭借鹰眼之利分辨招式。

果然打斗一久，便能觉察晖桉力道不及，有退身之意。可是苍霁已占了优势，岂能轻易容他走。

“这一式‘秋风扫叶’虽糅于拳中，却无法欺瞒过我这双眼睛。”晖桉“噼啪”承接苍霁的拳，口中道，“小友的师父也出身九天门下，不知是哪一位神君呢？”

苍霁说：“你们素来爱猜，再猜猜便是。”

两人脚下青符已成，晖桉耳边铃声一荡，他不知记起什么，竟撤身向下，直逼净霖而去。

那铜铃声如波起伏，净霖掐指断风。脚下青符如水般波光粼粼，在晖桉投身而来时陡然扑迎而上。晖桉只觉得自己犹如顿陷千万拉力之中，一举一动都变得异常迟缓。他眼见苍霁与净霖脱身在即，竟猛拧身拉弦，一把半人大弓立显

而出，冰弦“啪”地一震，长箭已“嗖”地凌厉射出！

那股寒气卷土重来，京都地面以可见之速疯冻成冰，转眼就随箭延伸到了脚下。

乐言双耳陷入短暂失聪，他扶起楚纶的身体，不及掐诀，先扑身化笔，以杆挡寒，犹如定海神针一般掩在楚纶身前。楚纶手脚已然冰凉僵硬，胸口却如揣火炉，烘得他心神俱荡。

净霖见箭已袭来，招手间青符纹路突现眼前。青光一黯，金芒猛涨，梵文交错其中，一圈小符凌空相衔，飞转成面，倏地荡风化成擎天巨剑，猛阻身前。

长箭撞剑，只听轰然一声惊天响，两厢一并迸碎于飞雪间，化成冰刃与青光点点。

苍霁拎人就撤，不欲让晖桉再看出更多。他夹住净霖时喊道：“这招怎么从未听你提起！”

净霖谦虚道：“小把戏。”

两人身隐飞雪，就要遁形。岂料晖桉分毫不为刚才的碰撞动容，鹰眼始终钉在净霖背上，见他二人转身，指下第二箭已嗖地射出。

霜雪箭啸风而冲，苍霁骤然曲折的路线竟也甩不掉它的追寻。他一脚踏翻街市挂幡，长杆倾倒时断了长箭去路，谁知这箭犹如长了眼，竟在长杆砸来时扫尾转向，冲向净霖。

眼见苍霁拳臂化爪，就要再接它一次！京都之中忽响声冷哼，一条玉白绒尾陡然显出，尾尖一绕，拽着霜雪箭甩飞出去，断在空中。

喜言踮脚为老板娘撑着伞，在薄薄的雪地上踏出一只只小巧梅花印。华裳衣着华贵，搭着臂立在街头，脚尖绣鞋寸雪不沾，身后九尾招展猖狂。

她媚眼轻抛，对晖桉说：“怎么醉山僧不来，却偏偏叫了你？”

晖桉闭起一眼，使得华裳在他眼中只是只九尾白狐。他掌间大弓如冰消融，轻扯掉缎带系于眼上，方才笑道：“怕他惊动足下，便只能叫我来了。”

华裳见那四人皆已消失，便盈盈道：“我来得不巧，惊扰了你办事。此罪不知该如何处置？”

晖桉却转望净霖消失的方向，意味深长道：“与其说是惊扰，不如说正

好。”他又叹声撢袖，说，“只可惜如今没了君上的破狰枪，我这霜雪箭也无用武之地了，竟连条鱼也捉不住。”

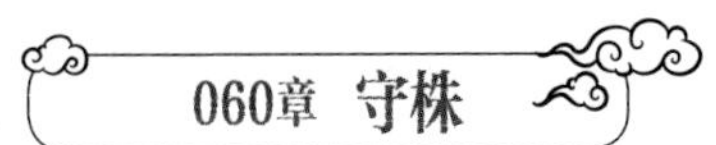

060章 守株

楚纶脱离困境后急忙去摸乐言，笔妖躺在手中不动不响，他唤了几声不得回应，不禁急得咳声剧烈。

“神君！”楚纶掩唇快声说，“神君救他一命，我愿为神君肝脑涂地！”

净霖只将苍霁手臂抬起端详，见他鳞片覆划痕，是适才的冰刃飞割，心中不禁对晖桉另眼相看。

楚纶见净霖充耳不闻，便知他要什么回答，当下说：“告诉我命谱一事的并非神仙，而是只画中妖！”

“你且细细道来。”净霖盯着苍霁的划痕皱眉，“乐言一时半会儿并无大碍。”

“这伤痕平常。”苍霁偏头揣摩着净霖的神色，说，“你怎愁眉不展？”

“醉山僧三次与你交手，这是降魔杖都击不破的鳞甲，今日却在晖桉三箭之下划出痕迹。”净霖指腹抹鳞，显然已怀疑到别处去，只是他不肯在这里说得太多，故而苍霁会意没有追问。

楚纶知趣不听，而是接着自己的话说：“天嘉九年，我归于东乡游学，经过一座寺庙，见其中所奉者非神说也非神像，而是一幅画。”他忍下咳意，说，“画中人形貌举世无双，手持折扇，有点石成灵、拨枝化春的神通。”

“东君。”苍霁也皱起眉。

“我不知他什么来头，只是借宿庙中，深夜苦读时闻他声动，竟能脱下画来于我攀谈。他见我病气缠身，便告诉我，我命将断于天嘉十二年，想要破此一劫，须与刘承德相识，笔将成为我契机。”楚纶说到此处，停顿须臾，“我当

时已与曦景相识，便问了一问。画中人说我们追查的案子涉及圣上，京中官员卷入甚多，单凭曦景一人之力也难以根除，两人合力方能药到病除。”

他说到此时忍不住垂伏半身，已经是汗如雨下。他说：“我不曾料得……改命便是抵命……一命抵一命，抵的竟是曦景。”

“即便不是左清昼，也会是别人。”苍霁垂眼看他，“别人便可行了吗？”

苍霁看着楚纶，却好似看见了冬林的案子。府衙拿下钱为仕时所言与今日的楚纶如出一辙，若是钱为仕真沦人畜，对草雨做了什么，便是罪大恶极的事情。可将草雨换成别人，换成一个孤苦无依的女孩儿，便能行了吗？杀了左清昼是不对，那么杀了另一个素未谋面的人，便是行的吗？

苍霁想着，竟笑出了声。他忽觉得百无聊赖，兴趣索然，好生没意思。他转目看向净霖，说：“我在外边待你。”

说罢打帘而出，站在檐下靠柱不提。

净霖出来时已过了半个时辰，苍霁正蹲在阶上，借着晖桉下的残雪，给石头小人捏了个相同大小的雪人。石头捏着雪团，堆了个更小的锦鲤。两只头对着头，一齐捧腹大笑。

净霖见苍霁眉宇间不虞已除，玩心不减，便微挑眉，轻踢他一下。苍霁眼睛不抬，翻手握了个正着。

“他俩人要如何处置？”苍霁伸指绊倒石头，又拎着石头的后领提回怀中。

“因果轮回，自生自灭。”

苍霁呵手望天，说：“我看这天地律法狗屁不通，放任中渡乱作一团，还要派几个游手好闲之辈下来搅局。所求谓何，自寻烦恼吗？”

净霖未答。

苍霁便说：“我觉得不甘。”

他面容在碎雪氲雾间愈发冷厉，那出山时夹带的稚气正在消失，随着时间已经变得支零破碎，由另一种玩味占据。

“千钰和左清昼这笔账到底该算在谁头上，若是所受的苦楚能这样一笔

勾销，那么生来何用，人命贱如草，尚不比做条鱼更痛快。我一直未曾明白，冬林错在了何处，顾深错在了何处，如今的左清昼又错在了何处，所谓因果轮回，便只是用人命填补人命。楚纶死与不死已不重要，因为今日过后，还会有千万人毁在一念之差上。你和我追到此刻，八苦不过一半而已。”

净霖迟声而叹：“你已生出了慈悲之心。”

苍霁却道：“我不过是冷眼旁观。”

“心知怜悯，便不会肆意妄为。”净霖垂眸，“你已比我更像个人。”

苍霁后仰起头，与净霖目光相融，他说：“那你在想什么？”

净霖静立半晌，抚开苍霁额前雪屑，缓慢地说：“我想……楚纶说的画中妖，是东君，还是画神术的伪装。”

“如若我们不曾遇着那镇门神，我尚会怀疑是东君捣鬼。可今时今日，却觉得必不会是他。”苍霁说，“东君到底有何特别之处，人人都在仿他？”

“他于诸多情形下都是不二人选。”净霖说，“光是他出身血海这一条，便历来备受责难。你亦见过他那骇震八方的本相，在九天诸神间也难寻敌手。君父死后，黎嵘沉眠，他便是九天境中最为危险的那个人。其次他身担唤春之职，下界方便，易做遮掩。更为重要的是，东君此人不拘小节，颇有些恃才傲物，嘴下不留情，得罪的神仙比他记得的都多。”

“虽然如此，可专程在此案中用东君的模样，怕不只是记恨于他这么简单。” 苍霁起身，拍掉肩头雪，“还有这个晖桉，今日一战总觉得他不像来捉人，更像是来糊弄了事的。”

“他的话不足以取信。”净霖说，“追魂狱群神三百，即便醉山僧脱不开身，也不该找晖桉。晖桉已授封中渡，又失了黎嵘破狰枪的协力，不是合适人选。”

“来的或许确实不是他。”苍霁突地回过味来，他说，“那夜梧婴拦路，好歹也带了些人手，虽不出彩，却也算是助力。今日晖桉却是孤身一人。”

“他如没有九天特令，想要离开西途必定瞒不过沿途的分界司。”净霖总觉得哪里不对，又隐约有所感悟。

“你该这么想。”苍霁将石头塞回袖中，说，“若九天境派下的另有其人，

那么晖桉顶替前来的目的是什么？”

净霖便说：“什么？”

苍霁侧看他，说：“不正是你吗？”

净霖一滞，继而沉下了心绪。

“此地不宜久留。”苍霁说，“临松君可比我意料之中的更加招人稀罕。”

“不论晖桉目的何在，他都得先处理京都的烂摊子。”净霖说，“笙乐女神身躯半入邪魔之口，此事远比捉住你我二人更加迫切。”

“话虽如此，难道你我二人便要日夜守在这里，守着他们？”苍霁回身，见屋内寂静，也不知楚纶是否还在候着。

“你大可把他二人当作树。”

“树？”

净霖沿阶而下，环视这荒废别院，说：“对方费了这般周折布设下楚纶，必然还有别的用途。如今他在你我手中，这便叫作守株待兔。”

往后几日，楚纶便于屋内养病。他为着病气，对自己下了狠手，现下想要调养着实要费一番工夫。乐言醒后欢时少，除了替楚纶煎药喂药，便坐在檐下对着一院萋草发呆。

苍霁盘腿坐在屋顶，手持钓鱼竿，垂挂着小草精，晃在空中逗弄一院叽叽喳喳的小精怪。

“你怎不与别人玩。”苍霁轻撞石头小人，石头被撞得从屋顶骨碌地滚了一圈，险险地止在屋檐，又走回来坐下。

它也盘腿而坐，还撑着头，不知在盘算什么。

苍霁一抖竿，那小草精便吱吱地哭。院中一众长腿奔跑的精怪们各个都生得虎头虎脑，仰高头一起发出惊叹声。

檐下的乐言叹气，石头也跟着叹气，苍霁也忍不住叹了一口气，他说：“这人怎么回事？楚纶活得好好的，又没给左清昼偿命，他干什么整日叹气，搞得我也浑身不舒坦。”

石头摊开双臂，倒在瓦片上，露出一种同样不舒坦的表情。

“待这些事情解决了。”苍霁说，“我带你去玩儿。”

石头翻了身摊着，只用屁股对着苍霁。

“学学净霖，如同老僧入定。你说他年纪轻轻，非得这样无趣，上来找我们玩儿也没人笑话他。”苍霁目光飘向院角，净霖正盖着书本躺陷在藤椅间沉眠。

石头闻言跳起来，一口气冲到苍霁背后，手脚并用地爬到他肩头，坐在上边编他头发玩儿。

“我说他来玩儿，不是你。”苍霁又抖了一次竿，小草精吓得魂都要飞了。底下一众精怪赶忙跟着它飞起的方向跑，想接它下来。苍霁也想躺倒，便说，“待会儿我下去，把他那椅子变得更大。”

石头手指笨拙，编得那一缕发跟草扎的似的。它听着苍霁说完，便做了几个冷笑。苍霁见它把净霖的神态学得惟妙惟肖，好笑道：“你整日钻在他袖中，便是学他吗？好歹没成精，若是来日能变成人样，岂不是能以假乱真了。”

谁知石头一听，一溜滚下苍霁肩头。它背着手踱了几步，拿着一只叶当作扇子，晃了几下。

苍霁煞有其事地说：“倒是挺像，就是太得意了。你几时见过净霖得意？他素来都自持冷静的。”

石头丢了叶子，又爬回苍霁肩头。苍霁见天边金乌西沉，眺望京都已了无飞雪，正是夏日黄昏。他目光又转向院角，见那里已投下阴影，净霖的指盖在书背，显得格外好看。

“我近来觉得奇怪。”苍霁出神般地低语，“不……我一直奇怪。我既然能吞别人，为何还对他执念颇深？腹中一空，便觉得好似吃了他方不会弄丢。莫不是中了什么蛊，这念头竟屡现不止。”又摩挲着鼻尖，说，“待会我也在那椅上睡，装作入梦咬他一口，你猜他醒不醒？”

他音方落，便见那已经躺了一日的净霖缓缓下拉书本，露出一双清明的眼睛，正盯着他。

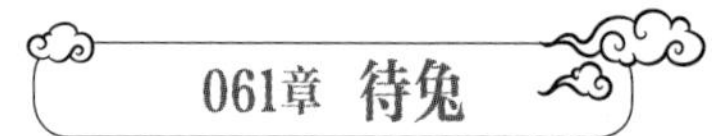

061章 待兔

苍霁被盯得背后凉嗖，几乎要疑心净霖听见了他方才说的话。谁知净霖盯了半晌，又盖上了书本，苍霁心有余悸地摸摸胸口。

待天彻底暗透，院间萤光虫飘飞。乐言入内给楚纶喂药，两人低声叙说着什么。苍霁虽听不清具体，却也知晓是不能让他这个外人听的话。于是苍霁大发善心地放了草精，抄着石头下屋去找净霖。

净霖今日着着石青色宽衫，那一截手腕连着修长的手指一并暴露在夜中，引得草丛蛐蛐也躁动不已。书盖住了面，却使脖颈显露无遗。那脖颈线条优美地卡隐于紧扣的领间，石青与润白相得益彰。

两人静了一会儿，忽听苍霁说:“我这样依着你，莫不是雏鸟那般，把你当作母亲看？”

净霖闷在书下给他一脚，苍霁笑出声，摘了净霖面上的书，随意地翻了翻，说:“满是字的东西盖在脸上，也不怕留墨……还真印上了。”

净霖欲起身，苍霁俯身来细细端详，嘴里胡诌:“半张脸都印得花里胡哨，不信你摸……不是这里，”音落，他就伸出手，“我替你擦掉。”

苍霁嚼不出个所以然来，哂笑一下，心道自己还真把净霖当作娘看了。

夏夜蚊虫不绝，绕在灯笼周围吵得烦。室内的楚纶和乐言似已入睡，院里无端躁得慌，连萤虫都变得碍眼。

苍霁得了手，也出了汗。他拉着领口，问净霖:“扣系那么紧，不热吗？”

净霖后颈下的小枕被挤歪了，他扶正，继而说:“不热。”

苍霁看见他后背，说:“汗都冒湿了一片。”

净霖后知后觉地触到脖颈，才发觉根本没出汗。苍霁覆身趴在椅上，对净霖说:“凉我一下，这天儿骤热，我缺水脱形，没劲了。”

净霖说:“热还挤。”

苍霁侧头，说:“我还是条幼鱼，离不得你才是正常。”

净霖忍不住又给他一脚，苍霁哈哈大笑。他的肩臂即便趴着也显得健硕，

随着笑越发懒散，眼睛都合了一半。

“如今想来。”苍霁困得哈欠连天，“也不过是半年而已，却觉得山中岁月如隔前尘，竟有许多记不清了。”

“待你活得更久。”净霖仰着身，受清风拂面，说，“记不清的便会更多。”

苍霁似是睡了，并不答话。

净霖吹着夜风，竟也觉得眼皮沉重。他乏力地睁了睁眼，见檐下灯笼灭了。破院归于月色，流萤栖在草叶。净霖也合上了眼，周遭陷入静谧，皆是沉睡的气氛。

约莫片刻，有影自院外而入。来人踩在草间，轻若鸿毛，不出一声。他似如鬼魅一般到达门口，门便自行开了。里边的乐言正在酣睡。来人招出绳索，比画一二，就欲捆人。

草精撞在门板上，抬起双臂，细细地尖叫一声。它这一叫引得萤虫乱飞，晃过来人的脸。来人倏地抬袖掩面，恼怒地踢开草精。

草精在阶上滚了一圈，“啪嗒”地摔在地上。来人已经捆住乐言，夺门而出。谁知院中萋草刹那疯长，头发一般纠缠涌动，将整个院子围得水泄不通。

来人恼道:“敢挡小爷的路！插你眼睛！”

他劈手一掌，打得萋草外涨，却勾缠结实，不给他让出一条缝来。他抬腿踩翻乐言的小凳子，见那凳子翻腾而起，陡然击向草精。草顶着花骨朵，掉头就跑，它没头没脑地爬进藤椅，一鼓作气直往净霖和苍霁的空隙里藏。

苍霁背上一痒，他立刻睁眼。身下藤椅已经如陷海浪，在萋草中如船一般浮动。他先反手拎出草精，在下一个浪头里昏得眼花。

来人见萋草已经将整个院子包得结实，便拂袖掐诀，一道金纹速绕身侧，只冲向藤椅。

苍霁翻身撞向净霖，头痛道:“别晃！爷爷晕船！”

草精当下只顾得尖叫，哪管他说些什么。藤椅“嗖”地在草海中随浪而摇，苍霁险些吐出来。

“救命！”苍霁对净霖喊道，“净……想吐……”

净霖已经晃醒了，他一手捂住苍霁口鼻，翻身坐起时脚划草海。整个藤椅立刻稳住，他架着苍霁半身，还不及继续，就觉察金纹暴雨一般骤击而来，才稳下的藤椅在草精受惊时险些被冲翻。苍霁面色都白了，头顶萋草疯狂下涌，将他们缠在其中。

草精已然吓昏了头，萋草乱涌间勒得墙面裂纹，也勒得净霖喘不过气。

“你……”苍霁不及出声。

草精被挤得无处可逃，头顶的花苞“啪”地绽开，它哭哭啼啼地凑在两人颊边，提着苍霁的领子叫他救命。

来人扛着乐言，看不大清里边在做什么，只是被阻了去处而大发脾气。他见金纹不行，便跺脚震地。

草精被震跌在椅上，慌忙护着脑袋上的花，生怕它掉瓣。

“给我让路！”来人跋扈道，“不然我烧了你祖宗十八代！”

他音方落，便听净霖重重冷嗤一声。自己背后一凉，他陡然闪避。苍霁拳至他后颈，他翻身格挡，仍被砸得连连后退，臂间痛麻。他不服气，又猛地掀袍踹人，腿脚快如惊风，连袭苍霁命门。苍霁招招相抵，没由来地讨厌这人，只觉得这人好不知趣！

来人几脚虽中，却痛得要命。他蹦了几下，嘶声骂道:“你这混账！什么东西？怎这般的硬！”

苍霁觉得这话音耳熟，他翻扣住这人的双臂，抡掼在地，又给了一脚，说:“老子是你爷爷。”

“呸！”被捉的人勃然大怒，破口大骂，“我是你爷爷的爷爷！”

“是么。”苍霁冷笑，当下又赏他几脚，“老子的爷爷还不知道在哪道轮回呢！你既想当，我送你一程！”

“你敢！”底下的人踢着腿脚，“你敢伤我，来日小爷就撬你祖坟！”

苍霁当真要被这人气笑了，他抽了乐言身上的绳子，将这人捆结实，扔在院中。

“今日我还就看看你怎么撬老子祖坟！”

草精随风奔跑过来，跳上这人的身体一顿乱蹦乱踩，颠得脑袋上的花又闭了回去。

楚纶在里间猛烈咳嗽，摸着床榻唤着："乐言，乐言！"

乐言还睡得憨实，苍霁将他丢入屋内，转身挽着袖口，蹲身说："让爷爷先看看你什么样！"

屋檐下的灯笼霎时亮起，苍霁和底下的小子面面相觑，登时齐声喝道："怎么是你？！"

阿乙灰头土脸地横在地上，见状羞愤地打滚，恨道："又是你！你这，你这！"

他百般咒骂堆积在舌尖也不敢吐出来，只能气得拱在萋草里哼唧，连脸都涨红了。

"我要捉这只笔妖！"阿乙忍无可忍，"你们这也管？！关你们屁事啊！"

苍霁背光冷笑不语，阿乙顿时毛骨悚然。他想起适才在混乱间隐约瞟见他们，不假思索地说："——我知道了！你们还在打架！"

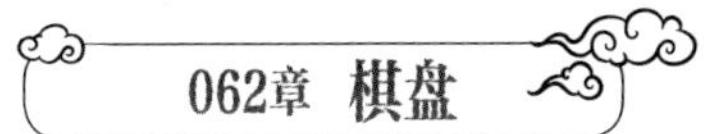

062章 棋盘

阿乙话音一落，苍霁便觉得这小子顺眼了不少。他拎着绳将阿乙提起来，问道："你捉这只笔妖做什么？"

阿乙白面抹灰，呸了几口土，才说："他原是颐宁贤者的笔，有修改神说与命谱之能。我阿姐在九天境受了颐宁的参，自然要用他来改！"

"浮梨久守参离树，素来严谨。颐宁弹劾她什么？"净霖从阴影下走出。

阿乙说："颐宁说我阿姐镇守参离树百年，始终不见化凤之征兆，分明是耽于私怨，心怀叵测。"

净霖心中生疑，只说："颐宁原话如此？"

阿乙一个挺身坐在地上，说："可不就是！他好没意思，我阿姐未见化凤征

兆只是机缘未到，那东海宗音不也还是数百年不变，至今仍是海蛟！”

净霖问：“他此番只参了浮梨？”

阿乙回道：“倒也不是，他还参了东君及追魂狱，连睡着的黎嵘也没能逃过。”

苍霁说：“既然如此，你着急什么？”

阿乙立即怒道：“可承天君不管别人，只责了我阿姐！当下不仅要撤我阿姐的参离守职，还要将她调回天上，守在梵坛莲池边。那有什么趣意？净是些整日念经的秃驴！况且我阿姐尚未成婚，若是调去天上，不又得数百年孤寂。”

“于是你来此处，想捉笔妖替你阿姐修改九天特令？”苍霁嘲笑，“混账小子！承天君是谁？是如今的三界共主，不是等闲之辈，他下令调遣浮梨，你胆敢私自篡改，别说你自己，就是这笔妖也逃不了罪责。平白连累你阿姐，指不定还受怎样的责难。”

阿乙负气：“即便如此，我也要捉他！颐宁没由来地害我阿姐，我就将他的笔攥于手中，百般羞辱！”

苍霁屈指弹他脑门，打得阿乙额间通红。阿乙受他欺负，又忆起自己丢失的尾毛，不禁恨上加恨。可这小子虽然行为乖张，却很懂审时度势，约莫是上回在西途城中被苍霁教训狠了，当下即便恨得咬牙，也不曾再口不择言。

净霖说：“你怎知晓笔妖在此？”

阿乙得意地睨眼，瞪着那草精，说：“小爷我眼线遍及中渡之地，招手一呼，八方妖怪谁敢不应，就是黄泉底下也得卖我几分面子。这笔妖前些日子堂而皇之地去黄泉改人命谱，我寻他简直轻而易举。”

苍霁心中一动。连阿乙都知道的事情，那颐宁贤者不知道，各地分界司不知道？到底是知而不管，还是有人隐瞒？

“不过我前日听闻京都有邪魔作乱，详查之后，哈！”阿乙说，“净霖，还记得你那短命弟弟吗？九天门中英雄辈出，渣滓也不少。待你一死，他便又从血海中跑出来了。今日既然能跑出一只，他日就能跑出二三四五只。个个都是你临松君除的害，若是知晓你仍活着，怕不报仇必不痛快。”

“与其担心净霖，不如忧心你自己。”苍霁解了阿乙的绳子，“此处是非

地，你阿姐紧要关头，还要提心吊胆地挂记着你。”

“在我阿姐心中，净霖方是首位。”阿乙活动着手腕，“你们怎在中渡游荡这般久？”

“小鬼休谈大人事。”苍霁说，“赶紧滚蛋。”

“不成，就这般走了算什么本事。”阿乙拍着草屑，说，“这笔妖跟了颐宁这么久，多少知些事情，待我问个明白，好抓些把柄！”

他们二人交谈时，净霖却偏头不语。他凝视长夜，心中忽地伸出一条难以猜测去向的线，将所经历的一切尽数捆扎在一道，让他摸出些蹊跷。

铜铃率先寻到的是冬林，引出“八苦”的猜测，接踵而至的便是这触目惊心的案子。接着是顾深，使得他们进入群山之城，见得离别之苦。眼下到了京都，“病”“老”“放不下”纠缠在一起，将原本已经清晰的线拉得更加突兀。是“八苦”皆融于此案，还是此案涉及“八苦”已经说不清楚，但所遇熟人越渐增多，已经让净霖确认不是偶然。

醉山僧，东君，晖桉，颐宁贤者。

九天境中偏不遇别人，就遇着他们四人。而这四人又与净霖或多或少有些干系，是铜铃在提醒净霖什么，还是有人要铜铃提醒净霖什么？抑或是这四人已知净霖身份，介于承天君不便之言，便由此来侧击旁敲？

冬林的死引出后来之事，为什么就是冬林？即便要他尝这八苦之难，为何就先从“死”开始？

大难不死。

净霖微微眯眸。

这是在指他吗？

“所谓大难不死必有后福。”阿乙在乐言留在檐下的盘里捡了个果吃，说，“怎么到了你们这儿，便是苦上加苦。先是招惹了宗音，当下又置身于晖桉眼皮子底下，说来巧合，倒像是兜兜转转，一直围着一处打转！”

苍霁心中骤转，似如醍醐灌顶！

他曾在城中听得净霖说这案子好生熟悉，倒像是重来一回——是啊，重来

一回！净霖是如何死的？是查案，查谁？

苍霁看向净霖。

他杀了君父，那便是说，他当年查的正是君父九天君。

净霖到底查的是什么案子？

“兜兜转转。”苍霁默念着，将阿乙正啃的果子夺了，仗着身形不还给他，反而问，“有一事我奇怪得紧。净霖记不得如何到的山中，我也不记得何时活在缸里，那你阿姐是如何知晓他还活着？我听她口吻，分明也是后来才知道的。”

“这般隐秘的事，自然是净霖说的啊。”阿乙够不着果子，便跳着蹦着说，“还我！问话便问话，拿小爷的吃食做什么！我从北边赶的路，到今日滴水未进，饿着呢！”

“我自山中醒来，并未出去过。”净霖心下一跳，“浮梨来时我只当她做的手脚，将我拼回神识。”

“不可能。”阿乙斩钉截铁，“五百年前你死在九天台上，云间三千甲早将我阿姐看得牢实，那般情形下，休说拼你，就是助你一臂之力也办不到的！能在真佛与四君围攻之下活着，不该是你自己入了大成之境，不死不灭的后果吗？否则谁敢救你，那岂不是与九天境为敌！你杀的可不是别人，而是分划三界，镇立九天的君父！”

阿乙说完，见净霖沉眉紧锁，立在灯影间分外凝重，便不自觉得摸了摸屁股，怀疑自己说了什么了不得的事情，会再被他二人拔一次毛。

“……喂。”阿乙向后挪，“这事不是咱们心照不宣吗？我阿姐在参离树收到净霖的铜铃，便知晓他还活着。而后大家时常碰面……并无古怪之处吧？”

“铜铃。”苍霁胸中犹如巨浪翻覆，“你不是说，铜铃并无意识，成不得妖吗？”

净霖竟也怔神，说：“它乃黎嵘的破狰枪碎屑所铸，是成不得妖的。”

“是啊。”阿乙莫名，“所以我阿姐才能认定你还活着。”

净霖指节泛白。

他一步一步走到此处，难道再次沦为他人棋子？谁救的他，谁能救他？是黎嵘？可当日那般情形，黎嵘分明与他打得不可开交，是誓死捍卫君父人头，不肯由他接近半分。

苍霁先一步握住净霖的手腕，他紧紧攥着净霖，似如下一刻净霖便会消失。这般步步由人计算的感觉堪比愚弄！他如今已然认定不论这背后是谁，他们都是冲着净霖来的。

阿乙见他二人神色古怪，便说："怎么，那铜铃还能翻出天不成？即便它要翻天，又有什么可怕的。我见你灵海残缺已愈合，想必不日后便能恢复，瞧起来已不像病秧子了。你们有了咽泉剑在手，也不必偷偷摸摸了。净霖可是恶名昭彰，鬼神妖魔谁敢招惹？日后就是横着走了！"

净霖欲摸腰腹，见苍霁眼中晦暗，直直地看着自己。

"已经愈合？"苍霁冷声，"你竟对我一字未提。"他见净霖也少有的恍惚，登时语气一松，迟疑地问，"……你也不知晓？"

净霖褪掉衣物，室内热气团腾。他立在镜前，发仍滴水。苍霁的身影伫在屏风之后，屋内灯黄晦涩，只见影晕在上边。

"好了吗？"苍霁问。

净霖"嗯"声，苍霁便转出屏风。发挡住了净霖的后背，却使得窄腰线条显著。苍霁抬手拨开净霖湿漉漉的发，见那曾经碎纹密布之处，已经变得若隐若现。

"碎纹已淡。"苍霁说，"……腰间已经没了。"

"然而我仍然感知不到。"净霖望着境中的人，"灵海也不见充盈。"

"我们初到京都时，华裳曾言你灵海破损。"苍霁说，"不过半月而已。"

"我在王宫中遇见沦为邪魔的陶弟。"净霖微侧首，对他说，"他也曾道我灵海缺损，修为已毁。"

"可那夜雨中，你分明唤出了咽泉残影。"

净霖说："我以为那是得你助力。"

"我助你之前它便已经在了，"苍霁说，"况且你我灵气并非一道，我的灵气哪能助你修筑本相。"

063章 迷雾

净霖穿上衣，屋里太热，使得他也有点喘不过气来。屋内就着热水变得湿热，苍霁推开窗才驱散几分。

苍霁指腹摩挲，眺望窗外，视线被破院墙阻隔，正待说点什么，便见床下藤椅上跷着二郎腿躺着阿乙。

阿乙摇晃着，说:“你们在里边说什么，我怎一点也听不懂。”

苍霁伏窗，烦道:“听人墙角，再打你一次也该受着。”

“呵。”阿乙嗤之以鼻，坐起身，说，“倒是有一句我听明白了！你吃了净霖的灵气，还吃了醉山僧的灵气是不是？”

“食灵填腹。”苍霁说，“你不是知道吗？”

“可小爷不晓得你还能吃醉山僧啊！”阿乙急忙说，“这便好了，日后你跟着我，别跟着净霖。我带你上天入地，吃个饱！”

“趁早滚蛋，你如今都不够爷爷塞牙缝的。”苍霁回头看净霖，说，“你跟你阿姐互通过灵气吗？”

“我们一脉相承，自然可以了。”阿乙随着他望过去，“但你与净霖不能吧。你们一个是人，一个是妖，哪来的相通之处，除非是血肉骨亲。”

“说不准。”苍霁说，“我跟净霖真是兄弟。”

“你说父子我还信一些。”阿乙说，“即便是兄弟，净霖的兄弟都是不通血缘的人，不过同为君父的养子罢了。父子嘛……”他恶意道，“虽未听过临松君有什么艳闻，但依我之见，像他这样的人，即便有也会藏得严严实实。你跟他同住山中那么久，他不养别个，偏偏养你，还真说不准！”

苍霁当即给他后脑勺一掌，说:“他长得像我老子？！”

“那你到底想我如何作答！”阿乙平白受了一掌，龇牙咧嘴地抱头，怒道，“若真是父子还巧了！”

净霖斜睨他一眼，阿乙顿时息声。他心里腹诽暗骂，嘴里也不敢再乱说。于是只肯冷声问:“所以如何？到底愈合没有！”

“碎处已填。”净霖见着苍霁，又记起刚才的情形，便不动声色地垂下手，说，“灵海交融于腹部，本相生筑于心口。我虽已愈合了灵海缺损之处，却本相未显。你可曾听过浮梨说过什么？”

“我阿姐也不知道。”阿乙说，“天地间得入大成之境的人似如凤毛麟角，即便阿姐想替你探查，也探不出所以然。只是你在山中时，仍需入眠凝神，现下还需要吗？”

净霖说:“入夏之后，便不需要了。”

他与苍霁才出山时，被咬一口都需睡上几日，后来冬林一案中，因入铜铃幻境，也需睡上几日来恢复精神。但自入京都之后，此等情况少之又少。

“可见这是循序渐进。”阿乙说，“不知不觉啊。”

“还有一事。”净霖在窗边站定，对他二人说，“我尚未进入大成之境。”

苍霁尚且如常，阿乙却如同被针扎到似的跳起来，惊愕道:“没有？那你如何活下来的！”

净霖见天际已经泛白，只说:“我亦不明白。”

破院内曦光一覆，乐言便起来了。他抱着木盆见阿乙坐在他的小板凳上，把他那一捧瓜子都吃得没影了。不禁眉间一皱，双目先红了。

“你，你……”他擦着眼睛，指着阿乙。

阿乙正等着晒毛，闻言学着净霖睨他的模样，睨了眼乐言，说:“怎么地，小爷还坐不得了？你打一边站着去。”

“我，我……”乐言气不过。

“我，我！”阿乙学舌，说，“哭什么哭？枉费颐宁那名头，怎么还没把你治过来！哭哭哭，再哭小爷就捉你喂妖怪！”

乐言跺脚，气得脸红。阿乙不理会，抛着果子玩，嘴里却带着刺，不管不顾扎得别人冒血。

“真是绝了。”阿乙说，“天底下怎会有你与颐宁这样讨厌的人！一个逢人

就挑刺，一个私欲昧良心！跟了个病秧子还整得别人阴阳相隔，你倒是舒坦了，我见那狐妖可怜死了。他怎没来捉你？咬断算了，你这小祸害！”

乐言泫然欲泣：“我没害人！”

“放屁。”阿乙仰头舒展着身体，“你就是只害人精，颐宁是个害神精！主从俩都不是好东西，来日小爷有的是时间跟你们算账。”

乐言气极，站在檐下大哭起来。连盆也掉了，只捂着面哽咽不止。他这几日本就心中生愧，几欲要生出病来，眼下听阿乙这一串责怪，更是难过得要命。可他后悔也不成，他若是后悔，楚纶便要死，他能受着这等诛心之言，却万万受不得让楚纶死。然而他一想到那死了的左清昼，便更知千钰可怜。

可他没办法啊！这世间哪有什么万全之策，他只能想着楚纶，他只能为着楚纶，他怎么能省下楚纶去要别人活？这命谱定下必要一个人去死，他宁可自己变作害人精，也不愿意楚纶死。

阿乙被烦得又欲发火，却见净霖正靠在窗边看着乐言，便又咽回去，嘟囔着轻踢乐言一脚，皱眉道：“你闭嘴！”

他也正烦心着呢！本想捉这笔妖改了他阿姐的调令，谁知改是改不成了，还被净霖惊得心乱如麻。

净霖没入大成之境，那他必不能自救。他若是自己都救不了自己，还有谁能救得了他？这人若是九天境中人，难道还有什么阴谋？若是有阴谋，那他阿姐岂不是要受牵扯！如今他阿姐本就备受承天君冷眼，要是再犯什么错，可就真要受罚了。

不同于这边两只千百种思绪，苍霁要镇定许多。他已经靠了半晌，睁眼见净霖正临窗望着乐言。

净霖不必回头，也有所感。他说：“仔细想来，乐言也是病入膏肓。”

“他是心病难医，这辈子都得欠着这笔债。”苍霁说着撑首，“铜铃这几日没动静吗？”

“没有。”净霖说，“未曾听到响声。”

“看来这三苦之事仍未解决。”苍霁说，“诸事乱在一起，细想伤神。”

“嗯。”净霖低声应了。

苍霁顿了片刻，说："你曾道这铜铃不是你的，那么便是黎嵘的？"

"虽然是借破狰枪的碎屑所铸，却也不是黎嵘的。"净霖回首，"它是澜海集屑锻造。"

苍霁疑心自己忘了，他怎丝毫没有对这位"澜海"的记忆，竟连听也不曾听人提起过。

净霖知他心中所想，说："他去得早，未入君神之列。神说之上，也只留了个名字而已。但黎嵘的破狰枪，东君的山河扇，皆是出自他的手。"

"他做了这铜铃，送你时就没提过什么？"

净霖静了少顷，说："他送给了清遥。清遥时岁正小，小孩子多爱会响的东西，他造铜铃便是哄清遥玩儿。"

苍霁等待净霖说后来，却见净霖眉眼笼在日光里，偏生冷得彻骨。他似是又沉浸在了某一处苍霁不知道的过往里，如同霜雾阻隔。苍霁虽然不明白是什么事，却也料得这个"后来"并不美好。

"待清遥死后，只有这只铜铃遇火不化。我便收了，一直留在身边。"净霖说，"随后没多久，我也死了。"

日光突兀地投了一地白，刺得苍霁抬指遮掩。他仰身靠回椅中，稍作思索。

"铜铃至关重要。"苍霁眸中果决，"拿到它才能知道更多。"

老皇帝匍匐在地，对着香喃声细语。

"神君法力通天……快快显灵。"他老泪纵横，"朕狱中还有祭品……您千万莫要离去！干干净净地给您呈上来……您快回来……"

简陋支就的殿内昏不可见人影，老皇帝团如鬼魅，贴在地上虔诚地拜服，嘴里念念有词，双手抖若筛糠。他自雨夜之后便如同惊弓之鸟，没有邪魔庇护也不敢枉自害人，短短几日已觉得老病袭身，力不从心。

太监们似如木柱般杵在外边，老皇帝越发害怕，竟呜呜哭起来。他半生皆在忌惮中度过，最怕的就是老，眼看神君来助，长命百岁近在咫尺，怎料却被人给搅黄了。他既不甘心，也不死心。

老皇帝跪了半宿筋疲力尽，香案上的香已经燃尽，灰屑随着他起伏的动作抖落在发间。他欲起身时忽感一阵晕眩，又颤身跪瘫在地上，爬不起身。

殿中烛火倏忽而灭，阴冷的气息从地面缠着小腿攀爬而上。老皇帝哆嗦一下，又欢天喜地道："您来了！"

陶致化作浓雾袭裹住老皇帝周身，香案上寸寸渐覆上薄冰。老皇帝的欣喜逐渐化为害怕，他爬起身，在殿中跌跌撞撞地跑，嘴里念着："好冷！好冷……您饶了朕……"

浓雾裹住的部位如同冰凉的舌舔过，老皇帝气息不匀，撞倒在地。他捂着胸口，觉察到生气流走，被卷去了漆黑深处。他欲呼救，喉间却被捏住，双目瞪大的同时感受着身躯如坠冰潭。

一团血肉在"咕嘟"声中逐步化作血雾，被蠕动的黑雾吞食干净。待雾气散退时，陶致打量着自己一身老皮。

"又脏又臭。"

他扶正冠冕，掀帘而出。太监们齐身跪礼，却都鬼气森森的一言不发。

陶致眺了眼晨光，挥袍上了龙辇。